Les Éditions du Boréal
4447, rue Saint-Denis
Montréal (Québec) H2J 2L2
www.editionsboreal.qc.ca

PAUVRES PETITS CHAGRINS

DU MÊME AUTEUR
EN LANGUE FRANÇAISE

Drôle de tendresse, roman, Boréal et Seuil, 2005 ; coll. « Boréal compact », 2009.

Les Troutman volants, roman, Boréal, 2009.

Irma Voth, roman, Boréal, 2011.

Jamais je ne t'oublierai, récit, Boréal, 2013.

Miriam Toews

PAUVRES PETITS CHAGRINS

roman

traduit de l'anglais (Canada)
par Lori Saint-Martin et Paul Gagné

Boréal

Dépôt légal : 1er trimestre 2015
Bibliothèque et Archives nationales du Québec

L'édition originale de cet ouvrage a été publiée en 2014 par Knopf Canada
sous le titre *All My Puny Sorrows.*

Diffusion au Canada : Dimedia

*Catalogage avant publication de Bibliothèque et Archives nationales du Québec
et Bibliothèque et Archives Canada*

Toews, Miriam, 1964-

[All my puny sorrows. Français]

Pauvres petits chagrins

Traduction de : All my puny sorrows.

ISBN 978-2-7646-2331-2

I. Saint-Martin, Lori, 1959- . II. Gagné, Paul, 1961- . III. Titre. IV. Titre : All my puny sorrows. Français.

PS8589.O635A6214 2015 C813'.54 C2014-942728-X

PS9589.O635A6214 2015

ISBN PAPIER 978-2-7646-2331-2

ISBN PDF 978-2-7646-3331-1

ISBN ePUB 978-2-7646-4331-0

Pour Erik

UN

Un après-midi de la fin de l'été 1979, notre maison fut emportée par un camion. Plantés au milieu de la rue, mes parents, ma sœur aînée et moi l'avons regardée disparaître. Notre bungalow en bois, en brique et en plâtre s'est avancé lentement dans la 1re Rue, puis il est passé devant le A&W et la salle de quilles Deluxe avant de s'engager sur l'autoroute nº 12, où nous avons fini par le perdre de vue. Je vois encore la maison, a répété ma sœur Elfrieda, jusqu'à ce qu'elle ne la voie plus. Je la vois encore. Je la vois encore. Je la… Bon, OK, là, je la vois plus.

Mon père l'avait construite de ses mains à l'époque où il était jeune marié, à l'époque où mes parents avaient tous les deux à peine vingt ans, et un rêve. Ma mère nous a dit, à Elfrieda et à moi, qu'ils étaient si jeunes et si débordants d'énergie que, les soirs de canicule, aussitôt que mon père était rentré de l'école et qu'elle avait fini de faire ses gâteaux et tout le reste, ils batifolaient en criant sous les jets du gicleur dans leur jardin tout neuf, tout à fait indifférents aux regards et à la consternation de leurs voisins plus âgés, qui jugeaient inconvenant que de nouveaux mariés mennonites s'ébattent, à moitié nus, au vu et au su de la ville tout entière. Des années plus tard, Elfrieda dirait de cette scène qu'elle a été le moment *Dolce vita* de mes parents, et le gicleur, leur fontaine de Trevi.

Où elle va ? ai-je demandé à mon père. Nous étions au milieu de la rue. La maison était partie. Mon père a mis sa main en visière pour se protéger du soleil. Je ne sais pas, a-t-il dit. Il ne voulait pas le savoir. Elfrieda et ma mère et moi sommes montées dans la voiture et nous avons attendu mon père. Il est resté là à fixer le vide pendant ce qui m'a semblé une éternité. Elfrieda a dit que la banquette en plastique lui brûlait les cuisses. Finalement, ma mère s'est penchée et elle a appuyé sur le klaxon, légèrement, pas pour le faire sursauter, juste pour l'obliger à se tourner vers nous.

C'était un été très chaud et nous avions quelques jours à tuer avant de prendre possession de notre nouvelle maison, semblable à l'ancienne, sauf que celle-là, mon père ne l'avait pas construite avec un tendre souci du détail, en l'entourant par exemple d'une longue galerie où s'asseoir pour observer les orages bien au sec, et donc mes parents ont décidé que nous irions faire du camping dans les Badlands du Dakota du Sud.

Nous avons passé tout notre temps, m'a-t-il semblé, à installer et à démonter le matériel. Ma sœur Elfrieda a dit que ce n'était pas la vraie vie – c'était comme un hôpital psychiatrique où tout le monde a comme unique objectif de survivre et d'économiser ses forces, c'était comme un camp de réfugiés ou une maison de transition pour névrosés convalescents, c'était ceci et cela, elle n'aimait pas le camping – et notre mère a dit eh bien, mon chou, c'est fait pour modifier notre perception des choses. Paris aurait le même effet, a dit Elf, pareil pour le LSD, et notre mère a dit allons, allons, l'important, c'est que nous soyons ensemble, faisons cuire nos saucisses à hot-dog.

La cuisinière au propane avait une fuite et elle a explosé et des flammes de plus d'un mètre ont calciné la table de pique-nique, mais Elfrieda a dansé autour du feu en chantant *Seasons in the Sun* de Terry Jacks, chanson où il est question d'un mouton noir qui dit adieu à tout le monde parce qu'il se meurt, et notre père a employé un gros mot pour la première fois depuis des temps immémoriaux (Ça parle au diantre !) et il s'est campé devant le feu, prêt à faire quelque chose, mais quoi, quoi, et notre mère est restée là à trembler et à rire, incapable de parler. Je leur ai crié de s'éloigner, mais personne n'a bronché, on aurait dit qu'un réalisateur de cinéma leur avait dit de se mettre à cet endroit et que le feu était un faux et que la prise serait gâchée s'ils bougeaient d'un poil. Puis j'ai saisi le seau de crème glacée napolitaine à moitié vide qui traînait sur la table de pique-nique et j'ai couru jusqu'au robinet communautaire à l'autre bout du champ et je suis revenue dare-dare jeter l'eau sur les flammes et elles ont seulement bondi encore plus haut, dans un parfum de vanille, de chocolat et de fraise, jusqu'aux branches du peuplier voisin. Une branche a pris feu mais pas longtemps parce que, à ce moment même, le ciel s'est assombri et soudain la pluie et la grêle ont lancé leur propre offensive et nous avons été sauvés. Sauvés du feu, au moins.

Ce soir-là, une fois l'orage passé et la cuisinière au propane défectueuse jetée dans la poubelle géante à l'épreuve des couguars, mon père et ma sœur ont décidé d'assister à une conférence sur le putois à pieds noirs, espèce qu'on avait crue éteinte. On donnait la conférence dans l'amphithéâtre du camping et ils ont dit qu'ils resteraient peut-être aussi pour la deuxième, donnée par un astrophysicien, sur la nature de la matière noire. C'est quoi ? ai-je demandé à ma sœur et elle a dit qu'elle ne savait pas mais qu'à son avis une bonne part de l'univers en était composée. On ne la voit pas, a-t-elle dit, mais on sent ses effets, ou quelque chose comme ça. C'est mal ? ai-je demandé. Elle a éclaté de rire, et je me souviens parfaitement, ou plutôt je conserve une image parfaite d'elle à ce moment précis, dans son minishort et son bain-de-soleil rayé avec, en toile de fond, les sombres paysages érodés des Badlands, la tête renversée en arrière, son cou long et mince et son petit collier ras de cou en cuir blanc avec le brillant bleu au centre, son éclat de rire comme une déclaration de guerre, un défi lancé au monde, qu'il vienne la chercher s'il en avait le courage. Elle et mon père ont mis le cap vers l'amphithéâtre et ma mère a crié – faites des bruits de bisous pour éloigner les serpents à sonnettes ! – et pendant qu'ils étaient partis s'initier aux forces invisibles et à la disparition des espèces, ma mère et moi sommes restées à côté de la tente pour jouer à un, deux, trois, soleil, profitant des derniers éclats du couchant.

En rentrant du camping, nous n'avons pas beaucoup parlé. Nous avons roulé pendant deux jours et demi dans une direction inconnue, qui nous éloignait d'East Village, jusqu'à ce que mon père dise bon, d'accord, c'est assez loin comme ça, je suppose qu'il vaut mieux rentrer, comme s'il avait tenté de trouver la réponse à une question quelconque et avait simplement fini par renoncer. Assis dans la voiture, nous regardions solennellement défiler par les vitres ouvertes les noirs affleurements rocheux du Bouclier canadien. Implacable, a dit mon père presque imperceptiblement, et quand ma mère lui a demandé ce qu'il avait dit, il a désigné le roc et elle a hoché la tête, ah, mais sans conviction, comme si elle avait espéré qu'il parlait d'autre chose, autre chose qu'ils auraient pu affronter ensemble. À quoi tu penses ? ai-je chuchoté à Elf. Le vent fouettait nos cheveux, les siens noirs, les miens jaunes. Sur la banquette arrière, nous étions allongées, adossées aux portières, nos jambes emmêlées. Elf lisait *Aventures* d'Italo Calvino. Si t'étais pas en train de lire, là, maintenant, à quoi tu penserais ? lui ai-je demandé de nouveau. À une révolution, a-t-elle répondu. Je lui ai demandé ce qu'elle voulait dire et elle a dit que je comprendrais un jour, qu'elle ne pouvait pas m'en parler maintenant. Une révolution secrète ? lui ai-je demandé. Alors elle a dit, assez fort pour que tout le monde l'entende, faut pas retourner là-bas. Personne n'a répondu. Le vent soufflait. Rien n'a changé.

Mon père voulait s'arrêter voir d'anciennes peintures autochtones à l'ocre sur des escarpements rocheux enserrant le lac Supérieur. Mystérieusement, elles avaient survécu à la rigueur des éléments, soleil, eau et temps confondus. Mon père a garé la voiture et nous avons marché dans un sentier rocailleux qui menait au lac. Il y avait un panneau qui disait DANGER ! et un message en petits caractères nous avertissant que des individus avaient été emportés par des vagues géantes et déclinant toute responsabilité. En route vers le bord de l'eau, nous avons croisé quelques-uns de ces panneaux et à chacune des mises en garde le sillon déjà profond que notre père avait au front se creusait davantage, tellement que ma mère lui a dit détends-toi, Jake, tu vas finir par te donner une crise cardiaque.

Sur le rivage rocheux, nous avons compris que, pour voir les « pictogrammes », il fallait s'avancer précautionneusement sur du granit mouillé qui surplombait de quelques mètres l'eau écumeuse, s'agripper à un câble épais accroché à des crampons enfoncés dans le roc et s'étirer au-dessus du lac, presque à l'horizontale, les cheveux effleurant l'eau. Bon, a dit mon père, on ne va quand même pas faire ça, pas vrai ? Il a lu la plaque posée près du sentier dans l'espoir que son contenu suffirait. Ah, a-t-il dit, le géologue qui a trouvé ces peintures leur a donné le nom de « rêves oubliés ». Mon père a regardé ma mère. Tu as entendu ça, Lottie ? Rêves oubliés. Il a sorti un petit carnet de sa poche pour noter ce détail. Elf, cependant, était enchantée à l'idée de s'accrocher à un câble au-dessus du ressac et, sans attendre que l'un de nous tente de l'arrêter, elle s'était mise en route. Mes parents lui ont crié de revenir, d'être prudente, de faire preuve de bon sens, d'être une bonne fille, de revenir tout de suite, tandis que moi, silencieuse, les yeux écarquillés, j'observais la fin aquatique et imminente de mon intrépide de sœur. Suspendue au câble, elle a admiré les peintures que nous ne pouvions pas voir et ensuite elle nous a décrit ce qu'elle voyait, surtout des images d'étranges créatures couvertes d'épines et d'autres symboles cryptiques d'une nation fière et prolifique.

En rentrant enfin sains et saufs, tous les quatre, dans notre petite ville, à l'extrémité ouest du bouclier rocheux, au milieu de champs bleus et jaunes, nous n'avons ressenti aucun soulagement. Nous nous sommes installés dans notre nouvelle maison. De sa chaise de parterre posée sur la pelouse, mon père pouvait voir à travers les arbres qui bordaient la grand-route le lot vide de la 1re Rue où naguère se dressait notre maison. Il n'avait pas souhaité le déplacement de sa maison. L'idée n'était pas de lui. Mais le propriétaire du garage voisin, qui tenait à agrandir son stationnement, avait proféré toutes sortes de menaces et exercé toutes sortes de pressions jusqu'au jour où mon père, n'en pouvant plus, a craqué et, pour une bouchée de pain, du moins à en croire ma mère, la lui a vendue. Les affaires sont les affaires, Jake, a dit à mon père le propriétaire du garage, à l'église, le dimanche suivant. Rien de personnel. À l'origine, East Village avait été un pieux refuge contre les vices du monde, mais, sans qu'on sache comment, la religion et le commerce s'étaient entremêlés de façon inextricable, et plus les habitants d'East Village s'enrichissaient, plus ils étaient pieux, comme si la dévotion était nécessairement récompensée par le succès commercial et l'accumulation de richesses, et l'accumulation de richesses, croyait-on, était bénie par Dieu, et donc quand mon père a refusé de vendre sa maison au propriétaire du garage, on a senti dans l'air comme un vent accusateur, comme si mon père, en s'entêtant, ne se montrait pas bon chrétien. C'était sous-entendu. Et mon père tenait pardessus tout à être un bon chrétien. Ma mère l'a encouragé à se battre, à envoyer paître le propriétaire du garage, et Elfrieda, plus vieille que moi et plus éveillée, a tenté de lancer une pétition parmi les habitants d'East Village pour dénoncer les entreprises qui faisaient main basse sur les maisons pour s'agrandir, mais rien ne pouvait alléger la culpabilité tenace de mon père et le sentiment qu'il avait de pécher en se battant pour ce qui lui appartenait de toute façon. Et d'ailleurs mon père faisait figure d'anomalie à East Village, d'excentrique, lui, le type tranquille, dépressif et sérieux qui s'offrait des promenades de quinze kilomètres dans la campagne et croyait dur comme fer que la lecture et l'écriture et la raison étaient les clés du paradis. Ma mère se battait à sa place (jusqu'à un certain point, car elle était, après tout, une loyale femme de mennonite et ne voulait surtout pas bouleverser la hiérarchie domestique), mais elle était une femme et donc quantité négligeable.

Dans notre nouvelle maison, ma mère était agitée et rêveuse, mon père faisait du raffut dans le garage, et je passais mes journées à construire des volcans dans la cour ou à rôder en périphérie de notre petite ville, arpentant son pourtour comme un chimpanzé en cage; Elf, quant à elle, a commencé à « accroître sa visibilité ». Inspirée par les peintures à l'ocre sur les rochers, par leur imperméabilité et par leur message où s'exprimaient l'espoir, la vénération, le défi et une vaste solitude éternelle, elle a décidé de laisser sa marque, elle aussi. Elle a conçu un monogramme intégrant ses initiales, E.V.R. (Elfrieda Von Riesen) et, juste en dessous, les lettres MPPC. Puis, comme un serpent torsadé, la lettre C couvrait, soulignait et traversait à la fois les autres lettres. Elle m'a fait voir à quoi ça ressemblait sur un bloc-notes jaune grand format. Hmm, ai-je dit, je comprends pas. Ben, a-t-elle dit, les initiales de mon nom sont évidemment les initiales de mon nom, et les lettres MPP représentent *Mes Pauvres Petits*... puis le grand C, pour *Chagrins,* renferme toutes les autres. Avec sa main droite, elle a serré le poing et tapé dans la paume ouverte de sa main gauche. Elle avait l'habitude de ponctuer ses idées les plus éblouissantes en se donnant un coup de poing à elle-même.

Hmm, ben, c'est… Ça t'est venu comment ? lui ai-je demandé. Elle a dit qu'elle avait pris les mots dans un poème de Samuel Coleridge, celui qui aurait sûrement été son petit ami si elle était née au bon moment. Ou lui à notre époque, ai-je ajouté.

Elle m'a dit qu'elle allait peindre son monogramme sur divers sites naturels remarquables de notre petite ville.

Quels sites naturels remarquables ? lui ai-je demandé.

Le château d'eau, par exemple, et les clôtures.

Je peux faire une suggestion ? ai-je demandé. Elle m'a regardée d'un œil torve. Nous savions toutes les deux que je n'avais rien à proposer sur la façon de laisser sa marque sur le monde – c'est comme si un acolyte de Jésus lui avait dit hé, t'as seulement réussi à nourrir cinq mille personnes avec un poisson et deux miches de pain ? Tiens, écoute-moi bien… –, mais elle se sentait magnanime, toute à la joie du moment, et elle a hoché la tête avec enthousiasme.

Utilise pas tes initiales, ai-je dit. Parce que tous les gens de la ville vont savoir que c'est toi et tous les feux de l'enfer vont nous pleuvoir sur la tête, *et cætera.*

Notre petite ville mennonite s'opposait aux symboles d'espoir manifestes de même qu'aux œuvres personnelles. Le pasteur de notre église avait un jour accusé Elf de se délecter des afflictions nées de ses émotions licencieuses, ce à quoi elle avait répondu en s'inclinant jusqu'à terre avec un geste extravagant du bras, *mea culpa,* monseigneur. À l'époque, Elf entreprenait sans cesse des campagnes. Elle avait fait du porte à porte pour proposer aux gens que la ville change de nom et que, au lieu d'East Village, elle s'appelle Shangri-la, et elle avait réussi à recueillir plus de cent signatures en disant que c'était un nom tiré de la Bible et qui signifiait « lieu dénué d'orgueil ».

Hmm, peut-être, a-t-elle dit. J'écrirai peut-être seulement MPPC avec un très grand C. Ça sera plus mystérieux, dit-elle. Plus *je ne sais quoi*[1].

Euh, en plein ça.

T'aimes pas ?

J'aime, ai-je dit. Et ton petit ami Samuel Coleridge serait content, lui aussi.

Elle a soudain donné un coup de karaté dans l'air et puis elle a regardé au loin, comme si elle avait entendu là-bas, au loin, le crépitement de tirs ennemis.

Ouais, a-t-elle dit, comme la tristesse objective, qui est tout autre chose.

Autre chose que quoi ? lui ai-je demandé.

Yoli, a-t-elle dit. Autre chose que la tristesse subjective, évidemment.

Ah ouais, ai-je dit. Évidemment, je veux dire.

Encore aujourd'hui, à East Village, on voit des MPPC peints à la bombe, mais ils s'effacent. Ils s'effacent plus vite que les pictogrammes autochtones à l'ocre qui les ont inspirés.

Elfrieda a une coupure toute fraîche au-dessus du sourcil gauche. Sept points suturent les lèvres de la plaie

---

1. Les passages en italiques suivis d'un astérisque sont en français dans le texte. *(N.d.T.)*

sur son front. Les points, noirs et secs, dépassent et lui font de petites antennes. Je lui ai demandé comment elle s'était coupée et elle m'a répondu qu'elle était tombée dans la salle de bains. Comment savoir si c'est vrai ? Nous avons la quarantaine, à présent. Bien des choses sont arrivées, d'autres non. Elf a dit que, pour ouvrir ses paquets de pilules, ceux que lui ont donnés les infirmières, elle a dû utiliser des ciseaux. Gros mensonge. Je lui ai dit que je savais qu'elle n'avait pas la moindre envie de prendre les pilules, de toute façon, à moins qu'elles soient assez grosses pour que leur effet combiné stoppe les battements de son cœur, alors pourquoi prendre des ciseaux pour ouvrir le paquet ? En plus, elle n'avait qu'à se servir de ses mains pour le déchirer. Mais pour rien au monde elle ne risquerait de se blesser les mains.

Elfrieda est pianiste de concert. Quand nous étions petites, elle me laissait parfois tourner les pages des morceaux rapides qu'elle n'avait pas encore mémorisés. Tourner les pages est un art délicat. Je devais la devancer juste un peu et bouger comme un serpent pour tourner la page sans qu'elle se froisse, colle ou fasse floc. Ses mots à elle. Elle m'a obligée à répéter le mouvement encore et encore, l'oreille à cinq centimètres de la page. J'ai entendu quelque chose ! criait-elle. Et je devais recommencer jusqu'à ce qu'elle soit certaine que je n'avais pas fait un bruit. Moi, j'aimais bien l'idée d'avoir de l'avance sur elle, pour une fois. J'étais très fière d'assurer son passage sans heurt d'une page à la suivante. Il y a un moment idéal pour tourner la page et si j'étais en avance ou en retard Elfrieda s'arrêtait de jouer et poussait un hurlement. À la dernière mesure ! criait-elle. Seulement à la dernière mesure ! Puis ses bras et sa tête s'abattaient sur les touches et elle laissait son pied sur la pédale pour que sa souffrance résonne lugubrement dans toute la maison.

Peu après l'incident du camping et la tournée d'Elf avec sa peinture rouge, au terme de laquelle elle avait laissé sa marque sur la ville, l'évêque (le mennonite alpha) est venu chez nous pour ce qu'il prenait plaisir à appeler une visite. Parfois, il se décrivait lui-même comme un cow-boy venu « réparer les clôtures ». C'était plutôt comme une razzia. Il est débarqué un samedi avec sa suite habituelle d'anciens, chacun au volant de sa voiture noire au toit rigide (ils ne pratiquaient jamais le covoiturage parce que l'effet de terreur produit par treize ou quatorze hommes habillés de la même manière sortant de la même voiture est beaucoup plus limité), et par la fenêtre mon père et moi les avons vus se garer devant la maison et descendre de voiture et venir lentement vers nous, à la queue leu leu, dans une sorte de farandole flapie. Dans la cuisine, ma mère lavait la vaisselle. Elle savait qu'ils étaient là, mais elle les ignorait, traitant leur « visite » comme un léger désagrément qui ne contrecarrerait pas trop ses projets pour la journée. (Le même évêque avait reproché à ma mère d'avoir porté une robe de mariage trop ample et froufroutante autour des hanches. Comment dois-je interpréter un tel excès ? avait-il demandé.) Ma sœur était quelque part dans la maison, sans doute occupée à parfaire son look de Black Panther ou à se percer de nouveau les oreilles avec une pomme de terre et de l'alcool à friction ou à faire taire ses démons en les terrassant du regard.

Mon père est allé ouvrir et a invité les hommes à

entrer. Ils ont pris place dans le salon et ont regardé le sol en se lançant des coups d'œil obliques. La panique dans les yeux, mon père est resté debout au milieu de la pièce, encerclé, dernier survivant d'une étrange partie de ballon prisonnier. Ma mère aurait dû aussitôt sortir de sa cuisine, affairée, chaleureuse, proposer aux hommes du thé ou du café et quelque pâtisserie compliquée sortie tout droit des *Trésors de la cuisine mennonite*, mais elle est plutôt restée là où elle était en faisant bruyamment la vaisselle et en sifflant avec une nonchalance forcée, laissant mon père se débrouiller tout seul. Ils avaient déjà eu cette discussion. Quand ils viendront, dis-leur que le moment est mal choisi, Jake. Ils n'ont pas le droit de débarquer chez nous quand ça leur chante. Il a dit qu'il n'en était pas capable, qu'il n'en était tout simplement pas capable. Alors ma mère lui a proposé de s'en charger, mais il l'a suppliée de n'en rien faire jusqu'à ce qu'elle acquiesce enfin, mais elle a dit qu'il ne fallait pas compter sur elle pour rester les bras croisés en attendant à quatre pattes qu'ils décident de crucifier sa famille. Cette visite-ci avait trait au projet d'Elf de s'inscrire à l'université pour étudier la musique. Elle avait seulement quinze ans, mais un mouchard avait rapporté aux autorités l'avoir entendue « exprimer un désir indiscret de quitter la communauté », et la simple évocation d'études supérieures, en particulier pour les filles, inspirait à ces hommes une méfiance qui les conduisait au bord de la crise d'apoplexie. Pour eux, l'ennemi numéro un, c'était une fille avec un livre.

Elle va se faire des idées, dit l'un d'eux à mon père dans notre salon, remarque à laquelle il répondit en hochant la tête en signe d'assentiment et en jetant un coup d'œil envieux du côté de la cuisine, où ma mère, retranchée, massacrait des mouches à coups de torchon et tapait sur des tranches de veau de lait pour en faire des *schnitzels.* Assise en silence à côté de mon père sur le canapé qui grattait, je respirais ce que ma mère appelait leur « parfum de mépris ». J'ai entendu ma mère m'appeler. Dans la cuisine, je l'ai trouvée assise sur le comptoir, les pieds ballants, en train de descendre du jus de pomme à même la bouteille de plastique. Où est Elf? m'a-t-elle demandé. J'ai haussé les épaules. Comment veux-tu que je le sache? Je me suis hissée sur le comptoir, à côté d'elle, et elle m'a tendu la bouteille de jus de pomme. Nous entendions des murmures en provenance du salon, un mélange d'anglais et de *plautdietsch,* la langue médiévale non écrite, aux sonorités vaguement hollandaises, parlée par tous les vieux d'East Village. (En *plautdietsch,* on m'appelle « la Yolandi à Jacob Von Riesen » et ma mère, quand elle se présente en *plautdietsch,* dit « Je suis à Jacob Von Riesen ».) Puis, au bout d'une ou deux minutes, nous avons entendu les premiers accords du prélude en sol mineur, opus 23, de Rachmaninov. Elf était dans la chambre d'amis voisine de la porte d'entrée, où se trouvait le piano et où, ces jours-là, elle passait le plus clair de son temps. Les hommes se sont tus. La musique s'est amplifiée. C'était le morceau favori d'Elf, la bande sonore de sa révolution secrète, peut-être. Depuis deux ans, elle y travaillait sans cesse avec l'aide d'un professeur du conservatoire de Winnipeg qui venait chez nous deux fois par semaine pour lui donner des leçons, et mes parents et moi connaissions à fond chacune des nuances de cette musique, la douleur, l'extase, la volonté de traduire au plus près les divagations chaotiques d'un monologue intérieur. Elf nous en avait fait la description. En principe, les pianos, qui faisaient trop penser aux saloons, aux bars clandestins de la prohibition et à la joie sans mélange, n'étaient pas permis dans notre ville, mais mes parents en avaient fait entrer un en douce chez nous parce qu'un médecin avait laissé entendre qu'il serait salutaire de fournir à Elf un « exutoire créatif » qui canaliserait son énergie et l'empêcherait de devenir « extravagante », mot aux connotations sinistres. Dans une collectivité axée tout entière sur la conformité, l'extravagance était une calamité. Propriétaires d'un piano secret qu'ils dissimulaient à la hâte sous des draps et des sacs de jute lorsque des anciens débarquaient chez nous, mes parents en étaient venus à apprécier la musique d'Elf et il leur arrivait même parfois de faire des demandes spéciales, des airs comme *Moon River* ou *When Irish Eyes Are Smiling*. Les anciens avaient fini par apprendre que nous donnions l'asile à un piano et il en était résulté une longue discussion, bien sûr, et on avait envisagé d'imposer à mon père une excommunication de trois ou six mois, que celui-ci s'était montré disposé à subir sans broncher. Devant son apparente docilité, ils avaient décidé de laisser tomber (il est beaucoup moins amusant d'administrer un châtiment à une victime consentante), à condition que mes parents s'assurent que le piano d'Elf ne servirait qu'à la gloire de Dieu.

Ma mère s'est mise à fredonner. Tout son corps se balançait. Dans le salon, les hommes gardaient le silence, comme si on les réprimandait. Elf a joué plus fort, puis plus doucement, puis de nouveau plus fort. Les oiseaux ont cessé de chanter et les mouches dans la cuisine ont cessé de se cogner aux fenêtres. L'air était immobile. Ma sœur était l'axe autour duquel le monde tournait. C'est ce jour-là qu'Elf a pris sa vie en main. Elle a fait ses débuts de femme et, même si nous n'en savions rien à l'époque, ses débuts de pianiste de renommée mondiale. Je me plais à croire que les hommes réunis dans le salon ont compris ce jour-là qu'il lui serait impossible de rester, pas après avoir exprimé tant de passion, créé un tel tumulte, et qu'il faudrait la brûler sur le bûcher ou l'enterrer vivante pour la retenir parmi eux. C'est à ce moment qu'Elf nous a quittés. Et c'est à ce moment que mon père a tout perdu d'un coup : l'approbation des anciens, son autorité de chef de famille et sa fille, libre, désormais, et donc dangereuse.

Le morceau a pris fin et nous avons entendu le couvercle se fermer avec fracas sur les touches et le banc racler le linoléum de la chambre d'amis. Elf est entrée dans la cuisine et je lui ai passé la bouteille de jus de pomme et elle l'a vidée d'une traite et l'a jetée dans la poubelle. Elle a serré le poing et donné un coup dans sa paume en disant j'y suis arrivée, finalement. Nous sommes restées debout dans la cuisine, tandis que les hommes en costume sortaient à la file indienne dans l'ordre où ils étaient entrés et nous avons entendu la porte se refermer doucement et les hommes mettre le contact et leurs voitures se détacher du trottoir, puis disparaître. Nous avons attendu que mon père vienne nous rejoindre dans la cuisine, mais il est allé dans son bureau. Encore aujourd'hui, je ne saurais dire avec certitude si Elf savait que les hommes étaient dans le salon ou même que l'évêque et les anciens étaient passés nous voir, ou si c'est par pure coïncidence qu'elle avait choisi ce moment précis pour jouer la pièce de Rachmaninov avec une perfection féroce.

Peu après la visite de l'évêque et de ses hommes, cependant, Elf a peint un tableau et l'a mis dans un vieux cadre qu'elle avait déniché au sous-sol. Elle l'a accroché au salon, juste au-dessus du canapé qui grattait. C'était une citation qui se lisait comme suit :

> Je sais avec certitude que l'homme orgueilleux, hautain, avaricieux, égoïste, impur, lubrique, querelleur, envieux, désobéissant, idolâtre, fourbe, menteur, infidèle, voleur, calomniateur, médisant, assoiffé de sang, impitoyable et vengeur, quel qu'il soit, n'est pas chrétien, eût-il été baptisé cent fois et eût-il communié tous les jours.
>
> Menno Simons

OK, mais Elfie ? a demandé ma mère.

Non, a répondu Elfie, il reste là. Ce sont des paroles de Menno Simons ! On est censés les suivre, non ?

La nouvelle œuvre d'Elfie est restée accrochée dans le salon pendant environ une semaine, jusqu'à ce que mon père lui demande : Bon, petite, tu as eu ce que tu voulais ? J'aimerais bien remettre à sa place le paquebot brodé par ta mère. Sa sainte colère avait eu le temps de retomber, comme tant d'autres de ses extravagantes tempêtes intimes.

DEUX

Elfrieda n'accorde pas d'entrevues. Une fois, elle m'a laissée l'interviewer pour le journal complètement nul de ma classe, mais c'est tout. J'avais onze ans et elle quittait de nouveau la maison, cette fois pour de bon. Elle partait en Norvège pour donner un récital et étudier avec un vieil homme qu'elle surnommait le Sorcier d'Oslo. Elle avait dix-sept ans. Elle avait fini ses études secondaires à Noël, avant les autres. Mention très bien partout, six bourses pour étudier le piano et un prix du Gouverneur général du Canada remis à l'élève ayant obtenu les meilleures notes, ce qui avait déclenché chez les anciens des paroxysmes de rage et de frayeur. Un soir, pendant le repas, quelques semaines avant son départ, Elf a nonchalamment laissé tomber qu'elle profiterait peut-être de son séjour en Europe pour faire un saut en Russie, question d'explorer ses racines, et mon père a failli s'étouffer. Tu ne feras rien de tel ! a-t-il lancé. Oui, pourtant, ça se peut bien que je le fasse, a répondu Elf. Pourquoi pas ?

Mes grands-parents étaient venus d'un minuscule village mennonite de Sibérie en 1917, année de la révolution bolchevique. Des choses terribles leur étaient arrivées au pays sanglant. À la moindre mention de ce lieu, à la simple évocation de ce qui se rapportait de près ou de loin à la Russie, mes parents se mettaient à griffer l'air.

Le *plautdietsch* était la langue de la honte. Les mennonites ont appris à se taire, à souffrir en silence. Les parents de mes grands-parents ont été tués dans un champ, près de leur grange, mais leur fils, le père de mon père, a survécu en s'enterrant dans un tas de fumier. Puis, quelques jours plus tard, on l'a mis dans un train à bestiaux et emmené avec des milliers d'autres mennonites à Moscou, d'où on l'a expédié vers le Canada. Quand Elf est née, il a dit : Si vous voulez que vos enfants survivent, ne leur enseignez pas le *plautdietsch.* À l'université où elle a étudié pour devenir psychothérapeute, ma mère a appris que la souffrance, même si les événements qui l'ont causée remontent à très longtemps, se transmet de génération en génération, comme la souplesse ou la grâce ou la dyslexie. Mon grand-père avait de grands yeux verts. Même quand il souriait, il s'y jouait en clair-obscur des scènes de massacre, avec du sang sur la neige.

Absurdités et mensonges, Yoli, a dit ma mère. La pire chose que tu puisses faire, dans la vie, c'est de terroriser les gens.

J'ai réalisé mon interview dans la voiture, en route vers l'aéroport de Winnipeg. Comme d'habitude, mes parents étaient assis à l'avant, mon père au volant, et Elf et moi sur la banquette arrière. Tu vas jamais revenir, hein ? ai-je murmuré à son oreille. Elle a dit qu'elle n'avait rien entendu d'aussi stupide de toute sa vie. Nous regardions les champs et la neige. Elle portait son petit collier ras de cou en cuir blanc avec le brillant bleu et une veste militaire. Nous roulions sur de la glace noire.

C'est ça, ta question pour l'interview? m'a-t-elle demandé.

Ouais, ai-je répondu.

Tu aurais dû préparer d'autres questions, Yoli, a-t-elle dit.

OK. Qu'est-ce qu'il y a de si génial à jouer du piano?

Elle m'a dit que le plus important était d'établir la tendresse dès le début, du moins, le plus vite possible après le début du morceau, seulement un soupçon de tendresse, un murmure, mais un murmure profond parce que la tension va monter, l'excitation et le drame vont monter – je notais rapidement –, et quand l'action se corse les auditeurs vont peut-être se souvenir du moment de tendresse du début et, devant ce souvenir, ils auront envie de revenir à leur petite enfance, à la sécurité, à l'amour pur, et après on peut s'en éloigner, mettre la violence et la souffrance de la vie dans chaque note, monter, monter encore, jusqu'à la grave décision qu'il faut prendre : revenir à la tendresse, ne serait-ce que brièvement, en passant, ou aller jusqu'au bout sur la voie de la vérité, de la violence, de la souffrance et de la tragédie.

OK, ai-je dit, ça devrait suffire, merci d'avoir répondu à peu près, espèce de tordue.

Les deux avenues sont valables, a-t-elle dit. Tout dépend de l'effet qu'on souhaite produire sur les auditeurs : les laisser heureux et contents, de nouveau innocents comme des bébés, ou déchaînés et agités et désireux d'une chose qu'ils connaissent à peine. Les deux sont bien.

C'est noté, merci, ai-je dit. Qui va tourner tes pages? Une Norvégienne quelconque?

Elle a sorti un livre de son sac à dos militaire – elle avait juste des affaires militaires, comme Patty Hearst et Che Guevara – et me l'a lancé sur les genoux. Quand t'auras fini avec ta série chevaline, ta vraie vie va commencer ici. Elle a tapoté le livre du bout du doigt. Elle faisait référence à mon attachement obsessionnel pour *L'Étalon noir*. En plus, j'avais commencé à suivre des cours d'équitation avec mon amie Julie et j'étais en voie de devenir la troisième meilleure de la province au *barrel racing* dans la catégorie des Moins de treize ans, qui comptait exactement trois membres.

En un sens, ça me soulage de te voir aller à Oslo, ai-je dit.

C'était ça ou partir sur le pouce, pieds nus, pour la côte Ouest.

Les routes sont glacées, a dit mon père. Vous voyez ce camion dans le fossé ? C'était pour changer de sujet. Le projet de voyage en stop d'Elf était une idée folle qu'il avait vite enterrée. Ma mère a ri et a dit que partir sur le pouce, pieds nus, pour la côte Ouest était un projet raisonnable, peut-être, mais pas en janvier. Elle n'aimait pas l'idée qu'on enterre quoi que ce soit.

C'est quoi ? Je regardais le livre qu'Elf m'avait donné.

Mon Dieu, Yolandi, a-t-elle dit. Quand tu vois les mots *poèmes réunis* sur la couverture, ça ne te donne pas une petite idée du contenu ?

Tu pourrais pas aller plus vite ? ai-je demandé à mon père. On veut surtout pas qu'elle rate son avion. J'essayais de jouer les dures à cuire mais j'avais peur de mourir le cœur brisé quand ma sœur serait partie, tellement que j'avais rédigé un testament secret dans lequel je léguais ma planche à roulettes à Julie et mon corps sans vie à Elf. J'espérais qu'elle se sentirait vraiment coupable d'être partie et de m'avoir laissée mourir toute seule. J'avais seulement ma planche à roulettes et mon corps à donner, mais j'ai annexé au testament un mot de remerciement à l'intention de mes parents et le dessin d'une moto avec la devise de l'État du New Hampshire : *Live Free or Die.*

Et, soit dit en passant, je ne lis plus ces livres de chevaux.

Alors qu'est-ce que tu lis ? a demandé ma sœur.

Adorno, ai-je répondu.

Elle a ri. Ah, parce que tu m'as vue en train de lire ce cher Adorno ? a-t-elle demandé.

Ne dis pas « ce cher Adorno », ai-je dit. Tu te prends pour une autre.

Yoli, a dit Elf, ne dis pas « tu te prends pour une autre ». C'est ce que tout le monde répète par ici quand quelqu'un a la prétention de savoir quelque chose. Je pourrais dire « c'est jeudi demain » et tu dirais « oh, tu te prends pour une autre ». Dis plus ça. C'est *déclassé**.

Notre mère a dit allons, Elf, assez de conseils sur la façon de vivre en *dilettante**. Tu seras bientôt partie. Pourquoi ne pas profiter de ce temps précieux pour nous amuser ! Elf s'est calée sur la banquette et a dit qu'elle cherchait simplement à m'aider à survivre à l'extérieur de notre hameau. Et aussi, a-t-elle ajouté, *dilettante** est en plein le mot qu'il ne fallait pas utiliser dans ce contexte. OK, Elf, a dit ma mère, parlons une langue que nous comprenons ou chantons ou quelque chose comme ça. Ayant eu quinze frères et sœurs, elle possédait l'art de maintenir la paix. Notre père nous a suggéré de jouer à J'ai vu turlututu.

Mon Dieu, a soufflé Elf dans mon oreille, on a quoi, six ans ? Ne leur dis pas que j'ai déjà eu trois sortes de rapports sexuels, d'accord ?

Comment ça, *trois* ?

Elf m'a raconté que le poète Shelley, après s'être noyé, a été incinéré là, sur la plage, mais que son cœur n'a pas brûlé, alors sa femme, Mary, l'a gardé dans un petit sac en soie sur son bureau. Je lui ai demandé s'il avait commencé à pourrir et à puer, mais elle a répondu non, il s'était calcifié, comme un crâne, et, en réalité, c'était seulement les restes de son cœur. Je lui ai dit que je ferais la même chose pour elle, que je garderais son cœur avec moi sur mon bureau ou dans mon sac de sport ou dans mon étui à crayons, dans un endroit très sûr en tout cas, et elle a ri et m'a fait un câlin et m'a dit que c'était mignon mais que c'était surtout une chose romantique qu'on faisait entre amants.

Avant qu'elle disparaisse derrière les portes en verre givré de la sécurité, à l'aéroport, Elf et moi avons joué une dernière partie de Concentration et dans tout ce délire de tapes sur les cuisses et de top-top avec les mains elle m'a dit t'es mieux de m'écrire, Girouette (le surnom qu'elle me donnait parce qu'il m'arrivait très souvent de tourner la tête en tous sens à la recherche d'indices susceptibles de m'aider à comprendre ce qui se passait, sans jamais en trouver). Ouais, ai-je dit, d'accord, mais mes lettres vont être rasoir. Il se passe rien dans ma vie. La vie, c'est la vie, qu'il se passe des choses ou pas, a-t-elle dit. Ben, je vais essayer, ai-je dit. Non, Yoli, a dit Elf, ça suffit pas. Elle a tiré sur mes bras. S'il te plaît. C'est important. Je compte sur toi.

On a annoncé son vol et elle m'a lâchée, elle se détachait de moi. Nos parents avaient l'air catastrophés, mais ils s'efforçaient d'être braves. Ils faisaient de grands sourires en s'épongeant les yeux avec des mouchoirs en papier. Alors j'ai dit d'accord, OK ? Prends ça mollo. Bon, a dit Elf, je me pousse... Aussi, dis pas « prends ça mollo ». *Adieu, arrivederci !* Je sais qu'elle pleurait, mais elle a détourné la tête à la dernière seconde pour que je ne remarque rien et je me suis dit que j'allais lui en parler dans une lettre sous la rubrique Observations de phénomènes devant rester cachés. Sur le chemin du retour, c'est ma mère qui a conduit et mon père s'est allongé sur la banquette arrière, les yeux fermés. Je me suis assise à côté de ma mère. Il neigeait. On ne voyait rien, sauf les flocons dans la lumière des phares et juste un tout petit bout de la route devant. Je me suis dit que les flocons ressemblaient à des notes et à des soupirs qui tombaient en tourbillonnant sur la route en forme de portée que nous distinguions devant nous, une mesure de musique. Ma mère a dit qu'elle allait appuyer légèrement sur les freins pour voir si la route était encore glissante et, avant que j'aie pu l'arrêter, la voiture s'est mise à tourner sur elle-même et a atterri à l'envers dans le fossé.

Janice entre dans la chambre d'hôpital pour nous parler. On la connaît des fois précédentes. Elle est infirmière en psychiatrie mais dans ses temps libres elle danse le tango parce que, dans le tango, dit-elle, tout est affaire d'enlacement. Elle porte des survêtements rose pâle. Elle a un petit animal en peluche accroché à sa ceinture. Pour aider ses patients à se détendre et à sourire, apparemment. Elle entre dans la chambre et donne un câlin à Elf et lui dit qu'elle est heureuse de la voir mais malheureuse de la voir revenir ici.

Je sais, je sais, dit Elf. Je suis désolée. Elle se peigne avec les doigts et soupire.

Mon téléphone sonne et je glisse la main dans mon sac pour l'éteindre.

Hé, dit Janice. Y a pas de désolée qui tienne. Pas vrai ? On dit pas désolée. Vous avez rien fait de bien ou de mal. Vous avez réagi à un sentiment. Pas vrai ? Vous avez voulu mettre un terme à vos souffrances. Ça se comprend et nous voulons vous aider à mettre fin à vos souffrances par d'autres moyens. Des moyens plus sains. D'accord, Elfrieda ? Des moyens constructifs ? On va recommencer. Elle s'assied sur une des chaises en plastique orange.

OK, dit Elf. OK.

Elle se crispe parce qu'elle se sent comme une idiote. Ces mots, le ton de Janice. Mais Janice, c'est mère Teresa par rapport aux autres infirmières et Elf a de la chance de ne pas avoir été jetée toute nue dans un réduit en béton avec le drain au milieu.

Et vous, comment allez-vous, Yolandi ? demande Janice. Elle me fait un câlin à moi aussi. Bien, super, dis-je. Merci. Inquiète. Un peu.

Évidemment, dit Janice. D'un air entendu, elle fixe Elf, qui se détourne.

Elfrieda ? Janice tient beaucoup à ce qu'Elf la regarde en face. Je m'éclaircis la gorge et Elf soupire et tourne lentement la tête pour établir un contact visuel avec Janice. Elf est carrément furieuse, surtout contre elle-même. Elle s'en veut d'avoir tout raté, mais elle fait de gros efforts pour se montrer polie parce que « bien se tenir » est son nouveau mantra. Avant, c'était « amour », mais plus elle prononçait le mot, plus il donnait l'impression d'être quelque chose de sinistre, comme une effigie de cire, et ça la faisait paniquer et sangloter. Alors arrête de dire ça ! lui criais-je. Je sais, Yoli, je sais, répondait-elle, mais quand même. Quand même quoi ? demandais-je. Elf m'expliquait qu'elle était exactement comme ce type dont elle avait lu l'histoire dans le journal, un type aveugle de naissance. Dans la quarantaine, il avait subi une opération de la cornée qui lui avait rendu la vue et, même si on lui avait laissé croire que la vie serait merveilleuse, après l'intervention, elle a été épouvantable. Ça l'a déprimé, le monde, ses défaillances, sa fausseté, sa pourriture et sa crasse et sa tristesse, la laideur de toutes choses, maintenant bien visible, la fadeur, l'effritement. Il a sombré dans la dépression et il est mort pas longtemps après. C'est moi ! avait dit Elf. Je lui ai rappelé qu'elle avait l'usage de ses yeux, qu'elle pouvait voir, qu'elle avait toujours été capable de voir, mais elle m'a répondu qu'elle ne s'était jamais adaptée à la lumière, qu'elle n'avait jamais développé une accoutumance au monde, le vaccin n'avait pas pris. La réalité, c'est juste un vieux piège rouillé. Écoute, ai-je dit, arrête seulement de dire « amour » à tout bout de champ, OK ? Arrête. Mais tu ne comprends pas, Yoli, a-t-elle dit. Tu ne peux pas comprendre. Ce qui n'était pas vrai, du moins pas tout à fait. Ce que je comprends, c'est que si répéter le même mot à tout bout de champ te fait du mal, tu devrais arrêter de le répéter, merde. Pourquoi avons-nous toujours des conversations exaspérantes comme celle-là ? lui demandais-je. Ce sont pas des conversations ! répondait-elle. Nous cherchons une solution. Nous essayons seulement de trouver une *solution.*

Elfrieda, dit Janice, mon frère vous a vue jouer à Los Angeles et il a dit que, après le récital, il a pleuré pendant deux heures. Elf ne dit rien. Janice attend d'elle de la gratitude ou quelque chose du genre, mais Elf ne bouge pas. Dans la chambre, nous sommes silencieuses, toutes les trois. Elf examine l'ourlet de sa couverture et en lisse les plis. Je m'imagine deux heures de larmes. Janice finit par se racler la gorge bruyamment et nous sursautons, Elf et moi.

Vous avez des concerts de prévus ?

Oui, en principe..., répond Elf. Elle murmure. J'ai peur qu'elle s'arrête carrément de parler.

En fait, elle a une tournée de cinq villes, dis-je. À compter de... Quand, Elf ? Elf hausse les épaules. Bientôt, dis-je. Dans quelques semaines. Mozart. C'est bien Mozart, Elf ?

Ma sœur cesse parfois de parler. Notre père aussi, une fois pendant toute une année. Puis, après avoir assisté à un spectacle de vaudeville à Moose Jaw, en Saskatchewan, il s'était remis à parler comme s'il ne s'était jamais arrêté. Au début, j'avais peur quand ça arrivait à Elf, puis je me suis rendu compte que son humeur n'avait pas vraiment changé. Elle s'était tout simplement murée dans le silence. Elle nous faisait passer de petits mots.

Mais après un concert, Elf parle d'abondance, de choses banales, de choses terre à terre, elle papote pendant des heures et des heures comme pour s'ancrer, revenir de là où la musique l'a conduite.

Les gammes au piano ont servi de bande sonore à ma jeunesse. Quand Elf égrenait ses gammes, je pouvais lui faire n'importe quoi sans qu'elle s'en rende compte. Je pouvais poser des raisins secs sur les touches et elle les écartait, imperturbable, ses doigts parcourant toute l'étendue du clavier. Je pouvais m'allonger sur l'instrument, adopter une pose sexy et chanter *I Am a V-A-M-P* comme Cher et elle n'escamotait pas une seule note. Ses yeux ne quittaient jamais les touches, sauf lorsqu'ils se fermaient pendant une ou deux secondes, en proie à une extase profonde, puis le rythme de la musique se transformait et Elf rouvrait les yeux et, en un assaut sauvage, elle se jetait sur le piano tel un léopard sur un serpent, comme si l'instrument était à la fois son amant et son ennemi mortel.

Elle a fini par revenir de la Norvège et d'un grand nombre d'autres endroits. Elle a emménagé de nouveau chez mes parents et elle est restée au lit à pleurer pendant des heures ou à fixer le mur. Elle avait des cernes noirs sous les yeux et elle était morose, apathique, puis étrangement exubérante, puis de nouveau abattue. À l'époque, j'avais quitté East Village pour m'établir à Winnipeg, où j'avais eu deux enfants avec deux types différents... Une sorte d'expérimentation sociale. Je plaisante. Un échec social, plutôt. Et je faisais des pieds et des mains pour gagner de l'argent et étudier et maîtriser (sans résultats probants) l'art d'être adulte.

Je rendais visite à mes parents et à Elf, avec mes enfants, Will avait quatre ans et Nora était un bébé, et je m'allongeais à côté d'Elf et nous nous regardions et nous nous souriions et nous nous faisions des câlins, tandis que les enfants nous grimpaient dessus. À cette époque, elle m'écrivait des lettres. Des lettres longues et drôles sur la mort, la force, Virginia Woolf et Sylvia Plath et la complexité du désespoir, écrites sur du papier rose, avec des feutres de couleur. Puis, au bout de quelques mois, elle a commencé à recouvrer la santé. Elle s'est remise au piano et a donné quelques concerts, puis elle a rencontré un garçon, Nic, qui l'adorait, et aujourd'hui ils vivent ensemble à Winnipeg, nom qui veut dire « eaux boueuses », la ville qui vient au premier rang de l'indice des cités exotiques – c'est la ville la plus froide et pourtant la plus chaude du monde, la plus éloignée du soleil et pourtant la plus lumineuse, où deux rivières féroces et sauvages unissent leurs forces pour dompter l'homme. Nic a suivi des leçons de piano avec Elf pendant quelques mois. C'est ainsi qu'ils se sont rencontrés, mais Nic a avoué plus tard qu'il avait suivi des cours dans le seul but de s'asseoir à côté d'elle sur le petit banc et de sentir les doigts d'Elfrieda guider les siens sur les touches. Il lui a même acheté un nouveau banc, mais, dès qu'elle a posé les yeux dessus, elle lui a ordonné d'arracher le rembourrage moelleux – Veux-tu bien me dire ce que ça fait là ? –, comme si jouer de la musique était une question de confort.

Nic aime les singulières requêtes d'Elf, dont chacune lui fait l'effet d'une fête. Nic est un type très précis. Il croit aux livrets d'instructions et aux manuels et aux recettes et aux tailles de chapeau et de col. Il ne supporte pas le flou bancal des notions de « petit », « moyen » et « grand ». Lorsque Elf lui a proposé d'apprendre à jouer *autour* des notes, il a failli perdre la tête sous le poids de la félicité et de la folie de tout cela. Et il n'est pas mennonite, ce qui, pour Elf, est une qualité précieuse chez un homme. Les mâles mennonites, toujours occupés à son salut et à lui passer les fers de la honte, lui ont déjà fait perdre trop de temps. Il est chercheur en science médicale. Je pense qu'il tente de débarrasser le monde des parasites de l'estomac, mais je n'en suis pas certaine. Ma mère dit à ses amies qu'il cherche un remède contre la diarrhée. Les remèdes la laissent sceptique. Et, Nic, dit-elle, moi, les morts, je les *vois*. Et je converse avec eux. Pour moi, ils sont aussi vivants que les vivants, peut-être plus. Comment ta science explique-t-elle ça ? Nic et Elf évoquent toujours la possibilité de partir vivre à Paris, il y a là-bas un laboratoire où Nic pourrait travailler, et aussi parce qu'ils aiment tous les deux parler français et discuter de politique et porter des écharpes à longueur d'année et trouver du réconfort dans la beauté du vieux monde, mais pour le moment ils vivent encore à Eaux boueuses, le Paris du passage du Nord-Ouest.

Elf a des mains magnifiques, pas encore abîmées par le temps ou le soleil parce qu'elle ne met pas beaucoup le nez dehors. Mais à l'hôpital on lui a enlevé ses bagues. Je ne sais pas pourquoi. Je suppose qu'on peut s'étouffer avec une bague en essayant de l'avaler ou encore s'en servir pour se taper sans arrêt sur le crâne pendant des semaines et finir par causer de véritables dommages. Ou encore la lancer dans une rivière tumultueuse et plonger à sa recherche.

Comment vous sentez-vous maintenant ? demande Janice.

De l'autre bout de la pièce, en plissant les yeux pour regarder Elf, je transforme les siens en forêts sombres et ses cils en branches enchevêtrées. Ses yeux verts, hantés et magnifiques et sans protection contre la sanglante brutalité du monde, sont des répliques exactes de ceux de mon père.

Bien. Elle sourit faiblement. Culeridi.

Pardon ? fait Janice.

Elle cite notre mère, dis-je. Elle dit des choses comme ça. Tu mériterais un bon coup de pied au Luc. Tu vois le genre. Ça veut dire « ridicule ».

Vous êtes pas ridicule, Elfrieda. OK ? dit Janice. D'accord ? Vous ridiculisez Elf, Yoli ?

Non, dis-je. Pas du tout.

Moi non plus, dit Janice. OK ?

Ni moi non plus, lance à l'improviste une voix derrière le rideau, celle de la femme qui partage la chambre d'Elf.

Janice esquisse un sourire patient. Merci, Melanie, crie-t-elle.

Pas de quoi, dit Melanie.

Alors on peut affirmer sans risque de se tromper que vous n'êtes pas ridicule, Elfrieda.

Ben, c'est ce qu'on appelle se ridiculiser soi-même, murmure Elf, si doucement que Janice ne l'entend pas.

Vous étiez contente de voir Nic et votre mère ? demande Janice. Elf hoche docilement la tête. Vous êtes pas contente de voir Yoli ? Elle doit vous manquer, maintenant qu'elle ne vit plus à Winnipeg.

Janice se tourne vers moi avec une drôle d'expression, je ne sais pas, mais je me sens obligée de m'excuser. Personne ne quitte Winnipeg, en particulier pour s'établir à Toronto, sans encourir une condamnation. On a droit à un comité de désaccueil. C'est comme quitter un gang pour un gang rival, les Crips pour les Bloods. Elf roule les yeux et touche les points de suture sur sa tête, un après l'autre. Elle les compte. Dans le couloir, on entend un fracas et un homme gémit. Je veux que vous sachiez que vous êtes ici en sécurité, Elfrieda, dit Janice. Elf hoche la tête et regarde avidement la plaque de plexiglas voisine de son lit, la fenêtre.

Je vais vous laisser un peu de temps ensemble, dit Janice.

Elle sort et sourit à Elf qui dit viens t'asseoir près de moi, Girouette, et je me lève et je franchis les deux pas qui me séparent de son lit et je m'assieds sur le bord et je me laisse tomber sur elle et elle lisse mes cheveux et soupire à cause du poids de ma tête. Je retourne m'asseoir sur la chaise en plastique orange destinée aux visiteurs et je me mouche et je la regarde.

Je peux pas, Yoli, dit-elle.

Je sais, dis-je. Tu l'as indiqué clairement.

Je peux pas faire cette tournée. C'est hors de question.

Je sais, dis-je. C'est sans importance. T'en fais pas. Ça compte pas, tout ça.

Je peux vraiment pas faire cette tournée, dit-elle.

T'es pas obligée, dis-je pour la rassurer une fois de plus. Claudio va comprendre.

Non, dit Elf. Il va s'énerver.

Seulement parce que t'es pas... parce que t'es ici... Il va vouloir que tu te remettes. Il est au courant de tout ça. Ami d'abord, agent ensuite, c'est toujours ce qu'il répète, non ? Il t'a déjà sortie du pétrin, Elfie, il va le faire encore cette fois-ci.

Et Maurice va être en colère, dit Elf, il va être fou de rage. Il travaille à cette tournée depuis des années.

Qui est Maurice ?...

Et tu te souviens d'Andras, le type que tu as rencontré à Stockholm… quand tu es venue m'entendre ?

Ouais, et alors ?

Je ne peux juste pas faire cette tournée, Yoli, dit Elf. Il vient exprès d'Israël.

Qui ça ?

Isaak. Lui et plein d'autres.

Et alors ? dis-je. Ils vont comprendre, tous ces types. Sinon, qu'est-ce que ça change ? C'est pas ta faute. Tu te rappelles ce que disait maman ? « Merde à la culpabilité. » Tu te rappelles ?

Elle me demande quel est cet horrible raffut et je lui réponds que je crois que c'est de la vaisselle qui se fracasse sur le sol en béton dans le couloir, mais elle me demande si quelqu'un se fait passer la camisole de force, là, dans le couloir, et je lui réponds non, bien sûr que non, elle entreprend de me raconter que ça arrive, elle l'a vu de ses yeux vu, qu'elle est terrifiée, Bedlam, tu connais ? Elle ne veut laisser tomber personne. Et elle me dit combien elle est désolée et je lui réponds que personne n'est froissé, nous voulons tous qu'elle guérisse, qu'elle vive. Elle prend des nouvelles de Will et de Nora, mes enfants, et je lui réponds bien, bien, et elle enfouit son visage dans ses mains. Je lui dis qu'il faut faire un pied de nez à la vie, elle et moi, que c'est une vaste blague, de toute façon, d'accord, OK ? OK ! Mais on n'est pas obligées de mourir. On sera des soldats ensemble. On sera comme des sœurs siamoises. Tout le temps, même quand on sera dans des villes différentes. Je cherche désespérément quoi dire.

Un aumônier entre dans la chambre et demande à Elfrieda si elle est Elfrieda Von Riesen et Elf répond non.

L'aumônier la regarde d'un air étonné et dit qu'il aurait pourtant juré qu'Elf était Elfrieda Von Riesen, la pianiste.

Non, dis-je. Il y a erreur sur la personne. L'aumônier s'excuse de nous avoir dérangées et sort.

C'est pas croyable, dis-je.

Quoi ça ? demande Elf.

Ce type se promène dans un hôpital et demande à une patiente si elle est qui il pense. Je croyais que les aumôniers avaient un devoir de discrétion.

Je sais pas, dit Elf. C'est normal.

Je pense pas, dis-je. Je trouve que c'est un manque total de professionnalisme.

Toi et ton obsession du professionnalisme... Tu dis toujours oh ! c'est pas professionnel, comme s'il y avait une définition du professionnalisme impliquant une exigence morale qui gouvernerait nos vies. Moi, je comprends même plus le sens du mot.

Tu sais ce que je veux dire, dis-je.

Arrête juste de me mentir sur la vie, dit Elf.

D'accord, Elf, je vais arrêter de te mentir si tu arrêtes d'essayer de te tuer.

Puis Elf me dit qu'elle a un piano de verre à l'intérieur. Elle a super peur à l'idée qu'il se casse. Il ne faut pas. Elle dit qu'il est coincé contre son estomac, en bas, à droite, qu'elle sent parfois ses arêtes tendre sa peau, et elle a peur d'être transpercée et de mourir au bout de son sang. Mais surtout elle est terrifiée à l'idée qu'il se casse à l'intérieur d'elle. Je lui demande quel genre de piano c'est et elle me répond que c'est un vieux piano droit, un Heintzman qui était autrefois un piano mécanique, mais qu'on avait enlevé le mécanisme et que l'instrument tout entier, même les touches, s'était transformé en verre. Tout. Quand elle entend des bouteilles tomber dans la benne d'un camion à ordures ou un carillon éolien ou même certains chants d'oiseaux, elle se dit aussitôt que c'est le piano qui se fracasse.

Un enfant a ri ce matin, dit-elle, une petite fille qui rendait visite à son père, mais je n'ai pas compris que c'était un rire, j'ai cru que c'était du verre qui se cassait et je me suis pris le ventre en me disant oh non, c'est la fin.

J'ai hoché la tête et j'ai souri et je lui ai dit que j'aurais peur de la casse, moi aussi, si j'avais un piano en verre à l'intérieur de moi.

Alors tu comprends ? demande-t-elle.

Oui, dis-je. Honnêtement. Qu'arriverait-il s'il se cassait ?

Merci, Yoli.

Hé, dis-je. T'as faim ? Je peux faire quelque chose pour toi ?

Elle sourit, non, merci.

TROIS

Elfrieda est si maigre et son visage est si pâle que, chaque fois qu'elle ouvre les yeux, c'est comme une attaque surprise, comme un de ces raids aériens qui transforment la nuit en jour. Je lui demande si elle se souvient de la fois où, devant les pensionnaires d'une maison de retraite mennonite, nous avons chanté une version très lente et poignante de *Wild Horses*, elle et moi. Notre mère nous avait demandé de participer au soixante-quinzième anniversaire de mariage des plus vieux mariés de la ville et nous avions cru que la chanson était super cool et parfaite dans les circonstances. Elf l'a jouée au piano et je me suis assise à ses côtés et nous avons chanté à tue-tête devant des vieillards éberlués, dans leur fauteuil roulant ou lourdement appuyés sur une canne ou sur un déambulateur.

J'ai cru que cette évocation la ferait rire, mais elle me demande plutôt de m'en aller. Elle a compris avant moi que j'avais raconté cette anecdote parce qu'elle représentait autre chose et qu'elle était plus que la somme de ses parties. Je sais ce que tu es en train de faire, Yoli, a-t-elle dit.

Je promets de ne plus lui parler du passé si ça lui fait du mal. Je ne parlerai plus de rien, si c'est ce qu'elle veut, à condition qu'elle me permette de rester.

Va-t'en, s'il te plaît, dit-elle.

Je lui dis que je pourrais lui faire la lecture comme elle me faisait la lecture quand j'étais malade. Elle me lisait Shelley et Blake, ses amants poètes, comme elle les appelait, en imitant leurs voix, viriles et britanniques, après s'être éclairci la gorge. « Stances écrites dans l'abattement, près de Naples » : « Le soleil est chaud, le ciel est clair,/Les vagues dansent, rapides et brillantes. » Tu veux que je chante ? Que je danse ? Comme une vague. Je pourrais siffler. Je pourrais faire des imitations. Je pourrais me tenir sur la tête. Je pourrais lui lire *Être et Temps* de Heidegger. En allemand. N'importe quoi ! C'est quoi, déjà, cette affaire-là, ce mot ?

Dasein, chuchote-t-elle. Elle sourit à moitié. Être-là.

Ouais, c'est ça ! Je m'assieds et je me relève. Allez, dis-je. Tu aimes les livres avec le mot *être* dans le titre, pas vrai ? S'il te plaît. Je me rassieds à côté d'elle, puis je pose ma tête sur son ventre. C'était quoi, déjà, la citation sur ton mur ?

Quelle citation ? demande-t-elle.

Sur le mur de ta chambre, quand on était petites.

Faites l'amour, pas les magasins ?

Non, non... l'autre, celle sur le temps. Quelque chose sur l'horizon de l'être.

Fais gaffe, dit-elle.

Le piano ?

Oui. Elle pose délicatement ses mains sur ma tête et les y laisse comme sur le ventre d'une femme enceinte. Je sens sa chaleur. J'entends son ventre gronder. Je sens le parfum d'Ivory Snow de son t-shirt, qu'elle porte à l'envers. Elle me masse les tempes, puis elle me repousse. Elle dit qu'elle ne se souvient plus de la citation. Elle me dit que le temps est une force et que nous devons le laisser faire son œuvre, respecter sa puissance. Je songe à lui dire qu'elle-même manque de respect envers sa puissance en cherchant à l'esquiver, puis je me rends compte qu'elle s'est peut-être déjà fait cette réflexion et qu'elle se parle à elle-même autant qu'à moi. Il n'y a rien à ajouter. Je l'entends s'excuser une fois de plus dans un murmure et je me mets à fredonner une chanson des Beatles où il est question de l'amour et qu'on a besoin de rien d'autre.

Tu te souviens de Caitlin Thomas ? dis-je.

Elf ne dit rien.

Et tu te rappelles qu'elle est entrée en coup de vent, fin soûle, dans la chambre de Dylan à l'hôpital St. Vincent de New York, où il se mourait d'une intoxication à l'alcool, et qu'elle s'est jetée sur son corps aux abois et l'a supplié de rester, poussé à se battre, à être un homme, à l'aimer, à parler, à se lever, à arrêter de mourir pour l'amour du ciel. Ma sœur dit qu'elle me sait gré de la comparer à Dylan Thomas, mais elle me demande pardon et me dit une fois de plus de partir, elle doit réfléchir. Je lui dis bien, très bien, je pars, mais je vais revenir demain. Elle dit tu trouves pas ça drôle, toi, qu'on puisse comptabiliser et nommer chaque seconde, chaque minute et chaque jour de chaque mois de chaque année, alors que le temps, ou la vie, est impossible à saisir, intangible, fuyant ? Elle en éprouve de la compassion pour ceux qui ont inventé l'idée qu'on puisse « dire l'heure ». Quel optimisme, dit-elle. Quelle magnifique futilité. Quelle parfaite humanité.

Mais Elf, dis-je, t'as beau rejeter les moyens de mesurer nos vies, ça ne veut pas dire que nos vies n'ont pas besoin d'être mesurées.

Peut-être, dit-elle, mais pas selon un concept *bour-*

*geois** de comportimentation du temps. C'est une forme d'organisation fasciste d'une chose – le temps – qui, de façon naturelle et capitale, échappe aux catégorisations et même aux définitions.

Je suis d'accord pour m'en aller maintenant, après tout, dis-je. Désolée de devoir partir si tôt, professeur Tête de nœud, mais mon parcomètre est sur le point d'expirer. J'ai mis de l'argent pour deux heures et je pense que mes deux heures tirent à leur fin. Parlant de temps…

Je savais bien que je réussirais à te faire partir, dit-elle. Et nous nous faisons un câlin et je me mets à lui raconter que je l'aime avant que les mots deviennent impossibles et nous restons simplement à respirer dans les bras l'une de l'autre pendant une minute, avant que je parte. Avant que je doive être ailleurs.

Je consulte mes messages en descendant deux à deux les marches de l'hôpital jusqu'à la sortie. Un texto de Nora, ma fille de quatorze ans : *Comment va Elf??????????????? Will a défoncé la porte.* Et un autre de Will, mon fils de dix-huit ans, étudiant à NYU qui, réquisitionné par moi, passe quelques jours à Toronto avec sa sœur pendant mon séjour à Eaux boueuses. *Nora dit que son couvre-feu est quatre heures du matin. Vrai ? Fais un câlin à Elf pour moi ! Le drain de la douche est bouché à cause des cheveux de N.* Et un texto de ma plus vieille amie, Julie, qui m'attend ce soir. *Rouge ou blanc ? Dis à Elfie que je l'aime.*

La fois d'avant, ma sœur avait tenté de se tuer en s'évaporant lentement dans l'espace. Disparaître en douce en se laissant crever de faim. Ma mère m'a téléphoné à

Toronto pour me dire qu'Elf ne mangeait pas et qu'elle les suppliait, Nic et elle, de ne pas appeler un médecin. Ils étaient désespérés. Est-ce que je viendrais ? Je suis allée directement de l'aéroport à la chambre d'Elf, où je me suis agenouillée à côté d'elle. Elle m'a demandé ce que je faisais là. Je lui ai répondu que j'étais venue pour appeler un médecin. Maman lui avait peut-être promis de ne pas en appeler un, mais pas moi. Notre mère était restée dans la salle à manger. Elle nous tournait le dos. Incapable de prendre le parti d'une de ses filles plutôt que de l'autre, comme toute bonne mère, elle a préféré rester en retrait. Je téléphone, ai-je dit. Désolée. Elf m'a suppliée. M'a implorée. Elle a joint les mains en prière. Elle a promis de manger. Notre mère est restée assise à la table de la salle à manger. J'ai dit à Elf que l'ambulance était en route. La porte moustiquaire était ouverte et on respirait le parfum des lilas. J'irai pas, a dit Elf. T'as pas le choix, ai-je répondu. Elle a pris notre mère à témoin. S'il te plaît, dis-lui que j'irai pas. Notre mère n'a rien dit. Elle ne s'est pas retournée. S'il te plaît, a dit Elfrieda. S'il te plaît ! Tandis que les ambulanciers la mettaient dans leur véhicule, elle a utilisé le peu de forces qui lui restaient pour me faire un doigt d'honneur.

C'est à ce moment que j'ai rencontré Janice. J'étais debout à côté de la civière d'Elf dans la salle des urgences. Son sac à dos tout miteux était accroché au pied à perfusion, à côté d'elle. Je promenais mes mains sur les barreaux qui la retenaient et je pleurais. Elf m'a pris la main, faiblement, comme une agonisante à bout d'âge, et a regardé au plus profond de moi.

Yoli, a-t-elle dit, je te déteste.

Je me suis penchée pour l'embrasser et je lui ai

répondu à voix basse que je savais, que j'étais au courant. Moi aussi, je te déteste, ai-je dit.

C'était la première fois que nous articulions notre principal point de désaccord. Elle voulait mourir et moi je voulais qu'elle vive et nous étions des ennemies qui s'aimaient. Nous nous sommes fait un câlin tendre et maladroit parce qu'elle était dans un lit, attachée à des trucs.

Janice, qui déjà à cette époque-là avait cette créature en peluche accrochée à sa ceinture, m'a tapé sur l'épaule et m'a demandé si j'avais une minute à lui consacrer. J'ai dit à Elf que j'allais revenir et Janice et moi nous sommes rendues dans une petite pièce familiale beige et elle m'a tendu une boîte de kleenex et elle m'a dit que j'avais bien fait d'appeler l'ambulance et qu'Elf ne me détestait pas vraiment. Ce sentiment peut être décomposé, a-t-elle dit. Non ? Voyons les diverses composantes. Elle déteste que tu lui aies sauvé la vie. Je sais, ai-je dit, mais merci. Janice m'a prise dans ses bras. De la part d'une inconnue, un câlin franc et fort est un instrument redoutable. Elle m'a laissée seule dans la salle beige. Je me suis rongé les ongles et les cuticules jusqu'au sang.

Elf, lorsque je suis revenue près d'elle, était encore aux urgences. Elle m'a dit qu'elle venait tout juste d'entendre une phrase super. Elle a cité : Nous sommes très étonnés par le peu d'intelligence observé chez Mrs. Von R. Qui a dit ça? ai-je demandé. Elle a montré du doigt un médecin qui griffonnait quelque chose devant le bureau circulaire au milieu de tous les mourants. Il était habillé comme un enfant de dix ans : short de planchiste et t-shirt trop grand, comme s'il revenait d'une audition pour *Degrassi*. À qui diable a-t-il dit une chose pareille? ai-je demandé. À l'autre infirmière, là, a répondu Elf. Il se dit que je suis stupide parce que je ne suis pas reconnaissante qu'on veuille me sauver la vie. Trou du cul, ai-je dit. Il t'a parlé ? Ouais, un peu, a dit Elf, mais c'était plutôt un interrogatoire. Allons, Yolandi, tu sais comment ils sont.

Ils assimilent l'intelligence au désir de vivre ?

Ouais, a-t-elle dit, ou à la bienséance.

Cette fois-ci, elle a essayé les pilules plutôt que de se laisser mourir de faim. Elle a laissé un mot sur une feuille lignée arrachée à un bloc-notes jaune grand format comme celui qu'elle avait utilisé, autrefois, pour concevoir ses MPPC, son monogramme, où elle disait espérer que Dieu lui ferait une place et qu'elle n'avait plus le temps de laisser sa marque. Elle avait aussi laissé une liste de toutes les personnes qu'elle aimait. Ma mère m'a lu les noms au téléphone. Elle m'a dit qu'Elf les avait écrits au feutre vert. Nous figurions tous sur la liste. Comprenez-moi, avait-elle aussi écrit. Laissez-moi partir. Je vous aime tous. Ma mère a ajouté qu'il y avait également une citation sur la page, mais elle n'arrivait pas à la déchiffrer. Un dénommé David Hume ? a-t-elle dit. Mais elle a prononcé *oum,* ce qui ne nous a pas avancées beaucoup. Attends, attends, ai-je songé, ça veut dire qu'Elf croit en Dieu ?

Où a-t-elle pris toutes ces pilules ? ai-je demandé à ma mère.

Personne ne le sait, a répondu ma mère. Elle a peut-être composé le 1 800 PILULES, qui sait ?

Ma mère l'a découverte inconsciente dans son lit, chez elle, et lorsque Elf a repris connaissance à l'hôpital, j'avais déjà eu le temps de venir de Toronto. J'étais à côté d'elle quand elle a rouvert les yeux. Elle a souri lentement, pleinement, telle une enfant qui comprend la mécanique d'une blague pour la première fois de sa vie. T'es là, a-t-elle dit, puis elle a ajouté qu'il fallait cesser de nous voir dans des circonstances comme celles-là. Elle m'a présentée avec cérémonie aux infirmières des urgences et à la femme qu'on avait embauchée pour rester assise à côté de son lit et épier ses moindres gestes, comme si nous assistions à un grand dîner dans un consulat.

Voici, dit-elle en avançant le menton vers moi parce que ses mains étaient retenues par des rubans de coton, ma sœur cadette, Yoyo.

Yolandi, ai-je dit. Salut. J'ai serré la main de la femme.

Elle m'a dit qu'elle m'aurait prise pour l'aînée. C'était fréquent : Elf, curieusement, avait échappé à l'érosion de la vie. Puis Elf m'a dit qu'elle était en train de discuter de Thomas d'Aquin avec la surveillante. N'est-ce pas ? a fait ma sœur en souriant à la femme, qui m'a souri d'un air sinistre en haussant les épaules. On ne l'avait pas engagée pour parler de saints avec des patientes qui avaient tenté de se suicider. Pourquoi Thomas d'Aquin ? ai-je demandé en m'asseyant dans la chaise à côté de celle de la femme. Elf s'est efforcée d'établir un contact visuel avec elle, la gardienne, sur sa chaise. Il y a encore beaucoup de médicaments dans son organisme, a dit la femme.

Mais pas encore assez, a dit Elf. Devant mes protestations, elle a dit je plaisante, Girouette. Mon Dieu.

Quand Elf s'est endormie, je suis allée retrouver ma mère dans la salle d'attente. Assise à côté d'un homme avec un œil au beurre noir, elle lisait un roman policier. J'ai dit à ma mère qu'Elf avait parlé de Thomas d'Aquin.

Oui, a confirmé ma mère, elle m'a aussi parlé de lui. Dans son délire, elle m'a demandé si je la « Thomas d'Aquiniserais » et, plus tard, en y réfléchissant bien, je me suis dit qu'elle voulait savoir si j'allais lui pardonner.

Et tu vas le faire ? ai-je demandé.

Là n'est pas la question, a répondu ma mère. Elle n'a pas besoin de pardon. Elle n'a pas commis de péché.

Cinquante milliards de personnes te contrediraient là-dessus, ai-je dit.

Grand bien leur fasse, a dit ma mère.

C'était il y a trois jours. Depuis, ma mère est partie en croisière dans les Antilles parce que nous l'y avons forcée, Nic et moi. Tout ce qu'elle avait dans sa valise minuscule, c'étaient des pilules pour son cœur et des romans policiers. Elle téléphone à tout bout de champ pour prendre des nouvelles d'Elf. Hier, elle nous a dit qu'un barman du paquebot avait prié en espagnol pour notre famille. *Dios te proteja.* Elle m'a demandé de dire à Elf qu'elle lui avait acheté un CD à un type dans la rue. Un pianiste colombien. Peut-être un album de contrebande, ai-je dit. Elle m'a raconté qu'elle avait eu une conversation avec le capitaine du navire sur les enterrements en mer. Elle m'a dit que, par une nuit de mauvais temps, elle avait été jetée à bas de sa couchette et qu'elle ne s'était même pas réveillée, tellement elle était crevée. Le matin venu, elle avait constaté qu'elle était tombée et qu'elle avait roulé jusqu'au balcon de sa cabine minuscule. Je lui ai demandé si elle aurait pu tomber dans la mer, mais elle a répondu que, même si elle avait voulu se jeter du haut du balcon, la rambarde l'en aurait empêchée. Et même si la rambarde ne l'avait pas retenue, elle serait juste tombée dans l'un des canots de sauvetage accrochés au flanc du navire. Dans la vie, ma mère était absolument certaine d'être sauvée, d'une façon ou d'une autre.

En sortant de l'hôpital, je me suis arrêtée au poste des infirmières pour demander à Janice s'il était vrai qu'Elf était tombée dans la salle de bains, ce matin-là, et elle a répondu que oui, absolument. Après son transport des urgences à l'aile psychiatrique. On l'avait trouvée par terre, avec une blessure à la tête qui saignait. Elle tenait sa brosse à dents dans sa main comme un couteau d'office qu'elle s'apprêtait à enfoncer dans la gorge de quelqu'un. Puis Janice a dû courir pour retenir un patient qui, armé d'une queue de billard, fracassait un téléviseur dans la salle de loisirs. Une autre infirmière a parcouru le dossier d'Elf. Elle a dit qu'il fallait qu'Elfrieda commence à se nourrir pour avoir la force de se tenir debout et se montre un peu plus consciente de son environnement.

J'ai failli retourner dans la chambre d'Elf pour lui répéter les derniers mots de l'infirmière et l'inciter à rouler les yeux avec moi, question de forger au moins un petit lien de mépris partagé. Je voulais également lui dire qu'il y avait dans l'aile un type qui détestait la télé au moins autant qu'elle et qu'ils pourraient peut-être devenir amis. Mais elle m'avait demandé de partir et je voulais qu'elle sache que certaines de ses requêtes étaient raisonnables et acceptables, que je respectais ses vœux (en quelque sorte) et que, même si elle était une patiente en psychiatrie avec son nom mal épelé griffonné n'importe comment sur un tableau blanc au poste des infirmières, elle était toujours ma sœur aînée, sage mais inquiétante, et que je l'écouterais. En m'éloignant, je suis entrée en collision avec un chariot en acier inoxydable chargé de plateaux-repas en plastique. Je me suis excusée auprès de deux patients qui se traînaient les pieds en robe de chambre.

C'est pas mangeable, de toute manière, ma vieille, a dit l'un d'eux. Si j'avais une meilleure coordination, je l'aurais renversé, moi aussi, ce chariot.

Ouais, a dit l'autre. Ouais !

J'ai dit pas mangeable, a dit le premier.

Je sais, mon vieux. Je t'ai entendu la première fois.

Malgré toutes les autres voix ?

Ha, ha, ouais, très drôle.

C'est pour ça que t'as abouti à l'asile de fous ?

Non, c'est parce que j'ai poignardé le type qui est entré dans ma remise.

Pas le coup de poignard lui-même, mais les voix qui t'ont dit de le donner, pas vrai ?

Ouais, c'est en plein ça. Le couteau, lui, était vrai.

Ouais, dommage. C'est l'aspect malheureux de l'histoire.

Ils me plaisaient bien, ces hommes qui se traînaient les pieds. Il me plaisait bien, l'« aspect malheureux de l'histoire ». J'aurais aimé les présenter à Elf, ces types. J'ai commencé à ramasser les plateaux, mais l'infirmière a dit qu'il ne fallait pas. Elle a dit que quelqu'un, un aide-infirmier, s'en chargerait. À la blague, j'ai dit à l'infirmière que ma sœur n'était pas la seule à ne pas être assez consciente de son environnement, que c'était génétique, de famille, ha, ha, mais je n'ai eu droit ni à un rire ni à un sourire et, en me souvenant d'avoir lu quelque part que la bouche d'une femme en colère ressemble à un crayon aiguisé aux deux bouts, je suis sortie. En descendant les marches, un, deux, trois, quatre, ma petite vache a mal aux pattes, j'ai demandé pardon à Elf de la laisser là toute seule et j'ai mentalement fait la liste des choses que j'apporterais le lendemain : du chocolat noir, un sandwich aux œufs, *Être et Temps* d'Heidegger (« Nous ne disons pas : l'être est, le temps est – mais : il y a être, et il y a temps »), un coupe-ongles, des culottes propres, pas de ciseaux ni de couteau à éviscérer, des anecdotes amusantes.

Au volant de la Chevy en ruine de ma mère, j'ai foncé sur l'autoroute Pembina, sinistre bande d'asphalte bordée de centres commerciaux délabrés, en direction de rien du tout, en fin de compte, sauf peut-être, comme dit Elf, *le foutoir** de ma vie. Elle prend plaisir à utiliser des mots français aux sonorités élégantes pour décrire les détritus, question de rétablir l'équilibre peut-être, de polir la souffrance jusqu'à ce qu'elle brille comme l'étoile du Nord, son phare dans la nuit et peut-être son véritable chez-elle.

J'ai vu un magasin de literie avec une enseigne annonçant des soldes dans la vitrine et je me suis garée devant. Pendant dix minutes, j'ai regardé des oreillers remplis de plumes d'oie et de fibres synthétiques et d'autres substances. J'en ai pris quelques-uns sur les tablettes et je les ai comprimés, puis je les ai appuyés contre le mur et j'ai posé ma tête dessus pour les essayer. La vendeuse m'a dit que je pouvais les essayer dans le lit prévu à cet effet. Elle a mis un bout de tissu pour protéger l'oreiller et j'y ai reposé ma tête pendant une minute. La vendeuse a dit qu'elle reviendrait quand j'aurais eu le temps de bien essayer les autres. Je l'ai remerciée et j'ai fermé les yeux. Je me suis octroyé une sieste éclair. À mon réveil, j'ai trouvé la vendeuse à côté de moi, souriante, et pendant une seconde je me suis rappelé mon enfance et la paix relative qui l'avait bercée.

J'ai acheté pour Elf un oreiller mauve et brillant de la taille d'un sac de couchage enroulé avec des libellules grises brodées sur le satin. J'ai repris la voiture de ma mère et je me suis arrêtée au magasin de bière avec service au volant du centre commercial Grant Park, où j'ai acheté vingt-quatre bouteilles d'Extra Old Stock, puis au 7-Eleven, où j'ai pris un paquet de cigarettes, des Player's Extra Light. Si c'est *extra,* je suis preneuse. J'ai aussi pris une tablette de chocolat Oh Henry! extra grande et je suis allée chez ma mère, qui vivait dans une tour dominant la rivière Assiniboine, où je me suis retranchée avec mes provisions, prête à soutenir le siège. C'était le dégel printanier et les glaces sur la rivière commençaient à fondre et à craquer et de vastes blocs se froissaient les uns contre les autres. Quand le courant les emportait vers l'aval, on aurait dit qu'ils poussaient des cris horribles. Dans cette ville, le printemps n'arrive pas facilement.

Sur le balcon de ma mère, je serrais contre moi l'oreiller avec ses libellules argentées. Je frissonnais et je fumais, je complotais, je réfléchissais, j'essayais de décrypter le code secret d'Elf, le sens de la vie, de sa vie, de l'univers, du temps, de l'être, je buvais de la bière. J'ai fait le tour de l'appartement en jetant un coup d'œil aux affaires de ma mère. J'ai examiné une photo de mon père prise deux mois avant sa mort. Il regardait Will jouer au baseball dans un parc. Ligue mineure. Il avait ses grosses lunettes. Il avait l'air détendu. Il souriait, les bras croisés. Il y avait une photo de ma mère avec Nora quand elle était encore un bébé, un nouveau-né. Elles se regardaient au fond des yeux, toutes les deux, comme pour se transmettre de lourds secrets par télépathie. J'ai regardé sur le frigo une photo d'Elf en concert à Milan. Elle portait une robe de soirée noire dont l'ourlet était retenu par des agrafes. Ses omoplates saillaient sous le tissu. Ses cheveux étaient super lustrés. Ils encadraient son visage, penché sur les touches. Quand Elf jouait, son cul se détachait parfois du banc, juste de quelques centimètres. Après ce récital, elle m'a appelée de son hôtel. En sanglotant, elle m'a dit qu'elle avait froid, qu'elle se sentait seule. Mais t'es en Italie ! lui ai-je dit. L'endroit au monde que tu préfères. Elle m'a dit que sa solitude était viscérale, un sac de pierres qu'elle transportait de pièce en pièce, de ville en ville.

J'ai composé le numéro de ma mère pour voir si je pouvais la joindre sur son bateau. Rien.

Il y avait un mot sur la table de la salle à manger. Ma mère me demandait de rapporter ses DVD quand j'aurais une minute. Je savais que les efforts qu'elle avait déployés pour garder Elf en vie l'avaient complètement lessivée. La veille de son départ pour Fort Lauderdale, d'où appareillait son bateau, elle s'est fait mordre par le rottweiler du cinglé qui vit au bout du couloir et elle s'en est seulement rendu compte quand le sang a commencé à traverser son manteau d'hiver et on lui a fait des points de suture et un vaccin contre le tétanos. Le soir, elle avait à peine la force de s'écraser devant sa télé pour regarder chacun des épisodes de chacune des saisons de *Sur écoute*, méthodiquement, comme un zombie, un à la suite de l'autre, à tue-tête parce qu'elle était à moitié sourde, et elle s'endormait pendant qu'un enfant à problèmes de Baltimore lui parlait de l'intérieur de son téléviseur, la réconfortait à sa manière et lui racontait ce qu'elle savait déjà, c'est-à-dire qu'un garçon doit faire son chemin tout seul dans cette saloperie de monde.

Le matin de son départ pour l'aéroport, ma mère a accidentellement arraché la tringle et le rideau de sa douche, tout le bazar. Elle a pris sa douche quand même et, en sortant, elle souriait, le visage déterminé, radieuse et neuve et prête pour l'aventure. Je lui ai demandé comment elle s'en était sortie sans rideau, ce n'était pas trop... Et elle a répondu non, non, ça s'est très bien passé, rien à signaler. En entrant dans la salle de bains, j'ai trouvé deux ou trois centimètres d'eau sur le sol et tout le reste, le papier hygiénique, les articles de toilette et le maquillage sur le meuble-lavabo, les serviettes propres, les bricolages de mes enfants, tout était trempé. J'ai compris que « tout s'est bien passé » est une notion relative et que, dans le contexte de nos vies présentes, ma mère avait raison, tout était allé comme sur des roulettes, rien à signaler. Elf était en sécurité, à présent, du moins jusqu'à un certain point, plus à l'hôpital qu'à la maison, en tout cas, où elle passait le plus clair de ses journées toute seule pendant que Nic était au travail, alors le moment était bien choisi pour que ma mère s'éclipse et s'octroie quinze jours de repos.

Je suis ressortie sur le balcon pour écouter le bruit des glaces en débâcle. On aurait dit des coups de feu, une scène de foule avec, en toile de fond, des animaux qui rugissent. La pleine lune pendait comme le ventre d'une chatte enceinte. Je distinguais les lumières des maisons de l'autre côté de la rivière. J'ai vu des gens danser. Avec le bout de mon doigt et un œil fermé, je les ai rendus invisibles. J'ai téléphoné à l'hôpital et demandé à parler à Elf. J'ai fait les cent pas sur le balcon en attendant que le standard de l'hôpital me mette en communication avec l'aile psychiatrique. Le couple de danseurs, je l'ai fait apparaître, disparaître. Apparaître.

Allô ?

Allô.

Je peux parler à Elfrieda ?

C'est sa sœur ?

Oui.

Elle vous remercie de votre appel.

Ah bon ? Super. Je peux lui parler ?

Elle préférerait s'en abstenir.

Elle préférerait s'en abstenir ?

Oui.

Vous pouvez lui apporter le téléphone ?

Nous préférerions l'éviter.

Ben, mais.

Pourquoi n'essaieriez-vous pas plus tard ?

Je peux parler à Janice, s'il vous plaît ?

Janice n'est pas disponible en ce moment.

Ah. Et vous avez une idée du moment où elle le sera ?

Je n'ai pas cette information.

C'est-à-dire ?

Je n'ai pas accès à cette information.

Tout ce que je vous demande, c'est quand dois-je téléphoner de nouveau pour parler à Janice.

Et moi je vous dis que je n'ai pas cette information.

C'est pas de l'information, c'est juste une réponse.

Désolée, mais je ne suis pas autorisée à répondre à cette question.

À propos du moment où Janice sera joignable au téléphone ? Qu'est-ce que ça veut dire, « pas autorisée » ?

Je suis désolée, mais vous allez devoir rappeler plus tard.

Vous n'avez rien pour trouver Janice, un système, n'importe quoi ?

J'ai bien peur de ne pas pouvoir vous aider.

Elle n'a pas un téléavertisseur ou quelque chose du genre ?

Bonne journée.

Attendez, attendez.

J'ai bien peur de ne pas pouvoir vous aider.

Vous pourriez faire une exception.

Pardon ? (Elle avait du mal à m'entendre à cause du bruit des glaces.)

Je veux juste entendre la voix de ma sœur.

Je croyais que vous vouliez parler à Janice.

Je sais, mais vous avez dit que…

Je vous recommande vraiment de ressayer plus tard.

Pourquoi ma sœur ne veut-elle pas me parler ?

Je n'ai pas dit qu'elle ne voulait pas vous parler. J'ai dit qu'elle préférait ne pas venir dans la salle commune pour prendre l'appel. Si je devais apporter le téléphone aux patients chaque fois qu'on les appelle, je n'aurais pas le temps de faire autre chose. Et nous préférons que les patients fassent l'effort d'entrer en communication avec les membres de leur famille plutôt que le contraire.

Ah.

Je vous recommande vraiment de ressayer plus tard.

J'ai dit d'accord, bien sûr, pourquoi pas.

J'ai raccroché et lancé le téléphone dans la rivière. Je

n'ai pas lancé le téléphone dans la rivière. Je me suis retenue à la dernière seconde et j'ai étouffé quelque chose comme un cri déjà étouffé. J'ai décidé que je mettrais plutôt le feu à l'hôpital. Je préférerais ne pas me faire écrabouiller l'âme. Bartleby le scribe préférait ne pas faire ceci, ne pas faire cela, jusqu'au jour où il a préféré ne pas travailler, ne pas manger, ne plus rien faire du tout, et il est mort sous un arbre. Robert Walser est aussi mort sous un arbre. James Joyce et Carl Jung sont morts à Zurich. Notre père est mort à côté des arbres sur la voie ferrée. Après, la police a remis à ma mère un sac renfermant ses effets personnels, les objets qu'il avait sur lui quand il est mort. Allez savoir comment, mais ses lunettes ne se sont pas cassées, elles ont peut-être quitté son visage pour atterrir dans les trèfles tendres, ou encore il les avait enlevées avec soin et posées par terre, mais elles se sont désintégrées dans les mains de ma mère quand elle les a sorties du sac en plastique. Sa montre aussi. Le temps. Fracassé. Son jonc était écrabouillé comme la quasi-totalité de ses deux cent six os.

Il avait soixante-dix-sept dollars sur lui ce jour-là et nous avons utilisé l'argent pour commander des mets thaïlandais parce que, comme le dit mon amie Julie à propos de moments comme celui-là : il faut quand même manger.

QUATRE

Nic passait voir Elf après le travail et nous nous retrouvions après pour prendre une bière, nous nous regardions, ravagés et désemparés, et nous parlions de la prochaine étape. Nous nous efforcions de réunir une équipe de soignants qui, dès qu'Elf sortirait de l'hôpital, s'attellerait à la tâche.

Nic avait très doucement laissé entendre à Elf que son voyage vers la guérison exigerait un minimum de coopération de sa part. L'idée n'avait pas trop souri à ma sœur. Évidemment, c'était à prévoir. Quand elle entendait le mot *atteler*, la seule image qui lui venait en tête était celle de quatre chevaux emballés. Et pour faire partie de l'équipe, on est prié de laisser son ego au vestiaire. Pas vrai, Yoli ? Elle citait notre entraîneur de basket. Cette expression, a-t-elle dit, l'avait toujours terrifiée. Que lui ferait donc cette équipe ? a-t-elle demandé. Et que ferait-elle avec l'équipe ? Elle dresserait des listes ? Elle se fixerait des objectifs ? Elle dirait oui à la vie ? Elle commencerait à tenir un journal intime ? Elle inverserait le pli sur son front, en ferait un bonhomme sourire ? Elle n'arrêtait pas de souligner l'inanité fondamentale de tout le processus. Mon Dieu, Nicolas ! s'était-elle écriée. Voyage ? Guérison ? Non mais écoute-toi ! J'avais écouté Nic, moi aussi, et son argumentation m'avait semblé plutôt convaincante, mais Elf, en mode attaque, fustigeait l'onctueuse supercherie du développement personnel, qui avait pour seul but de vendre des livres et d'anesthésier les plus vulnérables et de permettre aux membres de la profession dite « aidante » de s'auto-congratuler en se disant qu'ils avaient fait leur gros possible. Ils vont me faire faire des listes ! Ils vont m'obliger à me fixer des objectifs ! Ils encouragent leurs patients à faire une chose « amusante » tous les jours ! (Vous auriez dû entendre avec quelle dérision Elf avait prononcé le mot *amusante*, comme si elle avait craché *Eichmann* ou *Mengele*.)

Les spécialistes avaient énormément de mal à comprendre l'extrême hostilité de notre famille vis-à-vis de tout le réseau de la santé. Nous-mêmes avions énormément de mal à comprendre l'extrême hostilité de notre famille vis-à-vis de tout le réseau de la santé. Quand, après son accident avec la tondeuse à gazon, ma mère gisait dans l'herbe à côté de deux de ses orteils, elle avait demandé aux ambulanciers qui avaient bondi hors de leur véhicule et couru vers elle, voulez-vous bien me dire ce que vous faites ici, pour l'amour du ciel ? Le jour où le médecin a appris à ma mère que mon état requérait l'ablation des amygdales, elle lui a dit ouais, on pourrait probablement lui faire ça nous-mêmes à la maison, mais merci.

Surtout, nous ne voulions pas qu'Elf reste toute seule. Nic devrait retourner à son travail d'éradicateur de la chiasse. Quant à moi, je devrais rentrer à Toronto pour soulager Will de ses responsabilités de gardien et lui permettre de recommencer ses cours sur le renversement de la classe des un pour cent. En mohawk, Toronto s'écrit

Tkaronto et signifie « arbres debout dans l'eau ». (Il me plaît que nos villes canadiennes soient nommées d'après des éléments comme la boue et les arbres et l'eau, surtout à une époque où les zélés leur attribuent des surnoms comme Centre financier ou Technopole ou Ville la plus cosmopolite du monde.) Entre-temps, ce soir-là, j'allais partager une bouteille de vin avec Julie, sur la galerie de sa maison branlante de Wolseley, quartier défavorisé où des ormes géants forment un plafond de cathédrale moucheté d'ombre, pendant que ses enfants regarderaient une vidéo à l'intérieur.

Julie et moi avons grandi ensemble à East Village. Nous sommes cousines au second degré et nos mères sont aussi meilleures amies. (Soit dit en passant, Elf et moi sommes sœurs et aussi cousines, mais, pour comprendre, il faut savoir que seulement environ dix-huit mennonites particulièrement débrouillards ont fui la Russie et l'armée anarchiste pour venir au Canda, alors… vous voyez.) Enfants, Julie et moi avons pris notre bain ensemble et inventé un jeu appelé Où est le pain de savon ? et nous avons aussi appris à mettre ensemble le bout de nos langues le jour où nous avons fait l'atroce constat que c'était une chose qu'il nous faudrait faire à répétition si nous voulions vivre une vie normale avec les garçons et avec les hommes.

Julie est factrice, une vraie de vraie postière, qui marche vingt-cinq kilomètres par jour avec deux sacs de neuf kilos chacun sur les épaules. Quand il pleut, elle prend une clé accrochée à un anneau en métal géant, déverrouille une de ces boîtes aux lettres vertes qu'on voit aux coins des rues et s'assied à l'intérieur, fume et écoute, dans son casque, les nouvelles de la BBC. Son superviseur l'a réprimandée à maintes reprises pour cette transgression et pour d'autres actes d'insubordination, par exemple rouler la taille de la jupe-short fournie par Postes Canada parce que c'est plus sexy. On lui impose parfois une suspension d'un, deux ou trois jours, selon la gravité du crime, et elle ne s'en plaint pas : elle peut alors passer un moment avec ses enfants avant leur départ pour l'école au lieu de les réveiller dans le noir pour les traîner en pyjama chez la voisine. Elle est depuis peu séparée de son mari, un sculpteur et peintre de très grande taille qui travaille à l'huile, et elle profite du régime d'assurance collective de Postes Canada pour consulter un psychothérapeute. Elle n'a pas de problèmes particuliers, même qu'elle est plutôt heureuse, seulement elle aime bien s'offrir le luxe de parler d'elle-même, de ses sentiments, de ses buts, de ses espoirs, de ses déceptions. Qui peut lui en vouloir ? Son psychothérapeute, un jungien, lui a confié qu'elle était la personne la plus optimiste qu'il ait rencontrée dans sa pratique et que le sommeil sans rêves de Julie était pour lui un défi constant.

Nous nous sommes installées sur la galerie et nous avons bu du vin rouge bon marché et mangé du fromage avec des craquelins en parlant de tout sauf d'Elf, sujet semblable au temps dans la mesure où, même s'il m'échappe totalement, il a une forte emprise sur moi. Julie a deux enfants, un fils et une fille âgés de huit et neuf ans qui aiment encore faire des câlins aux gens et s'asseoir sur leurs genoux. Ils regardaient *Shrek* et, toutes les cinq ou dix minutes, ils se pointaient (chaque fois, Julie jetait sa cigarette sur la pelouse pour qu'ils ne la voient pas fumer et allait la récupérer plus tard) et disaient quelque chose comme oh mon Dieu, OK, vous autres, vous auriez dû voir ça, c'est comme, euh, c'est comme... Puis ils se chamaillaient pendant une minute ou deux à propos de ce que c'était, au juste, et Julie et moi hochions la tête, en proie à une absolue stupéfaction, Julie, de loin en loin, jetant un coup d'œil à sa cigarette qui se consumait rapidement dans le jardin. Puis, sans crier gare, ils disparaissaient comme des alouettes, rentraient et reprenaient leur place sur le canapé.

Ils pensent que fumer cause le sida, a dit Julie en allant récupérer sa cigarette. Nous avons parlé d'eux, du fait que, quel que soit leur âge, nous étions obsédées par leur bien-être, que nous souffrions de façon violente et exquise, que nous nous reprochions leur moindre nanoseconde de malheur. Nous aurions préféré nous immoler plutôt que de voir les yeux de nos enfants se remplir de larmes une fois de plus. Nous avons parlé de nos ex-maris et de nos anciens petits amis et de notre peur de ne plus jamais inspirer le moindre désir sexuel, de notre peur de mourir dans la solitude, sans amour, dans le déluge de nos excréments, avec des plaies de lit si profondes qu'elles révéleraient nos os friables, et avions-nous seulement fait quelque chose de bien dans notre vie ?

Sans doute, avons-nous conclu. Nous avions préservé notre amitié, nous étions toujours là l'une pour l'autre et un jour, lorsque nos enfants seraient grands et nous laisseraient nous vautrer seules dans le regret et la mélancolie et la décrépitude et que nos parents seraient morts sous le poids cumulatif du chagrin et de la fatigue de vivre et que nos maris et nos amants nous auraient désertées ou que nous les aurions boutés dehors, nous achèterions ensemble une maison dans un magnifique coin de campagne où nous fendrions du bois, pomperions de l'eau, irions à la pêche, jouerions du piano et chanterions en écoutant la bande sonore de *Jesus Christ Superstar* ou des *Misérables,* réinventerions notre passé et attendrions la fin du monde.

D'accord ?

D'accord.

Nous avons topé là et roulé un joint. Il commençait à faire froid. Nous avons écouté les glaces de la rivière qui, au bout de la rue, se brisaient sous la pression, et je me suis demandé si ça se pouvait que ces blocs de glace se dégagent, se soulèvent et s'envolent et quelle impression ça ferait de voir passer un bloc de glace géant qui rentrait chez lui dans le Grand Nord en survolant l'avenue Portage. Nous avons contemplé la nuit d'avril, pure et fraîche et sans étoiles. Nous avons vu les lumières s'éteindre une à une dans la rue et, par la fenêtre, avons contemplé les enfants de Julie en pyjama de flanelle endormis sur le canapé, serrant dans leurs poings les télécommandes d'un millier d'appareils modernes.

Pourquoi Dan ne s'occupe-t-il pas de Nora? a demandé Julie. (Dan est le père de Nora. Il est tapageur et sentimental. Nous sommes en instance de divorce.) C'est pas comme si c'était pas une situation d'urgence. Il t'a pas dit que tu pouvais toujours compter sur lui en cas d'urgence ? Tu lui as dit, pour Elf?

Il est à Bornéo ou quelque chose comme ça, ai-je dit. Avec une trapéziste.

Le pauvre. Mais je croyais qu'il vivait à Toronto ?

Ouais... pour se rapprocher de Nora, dit-il, sauf qu'il est à Bornéo, en ce moment.

Indéfiniment ? a fait Julie.

Non, pas pour toujours. Je sais pas. Nora lui a dit, pour Elf.

Et Barry paie l'université de Will à New York ? a demandé Julie. (Barry est le père de Will. Il est plein aux as parce qu'il passe sa vie à mettre au point des modèles stochastiques de volatilité locale pour une banque et a de bien drôles de façons. Nous ne nous parlons presque jamais.)

Ouais... jusqu'ici.

Et Nora, la danse, ça va ? (La danse a été la principale raison de notre établissement à Toronto. Pour que Nora s'inscrive à une école de ballet, grâce à une bourse, parce que je n'aurais pas eu les moyens de la lui offrir.)

Ça lui plaît bien, mais elle se trouve trop grosse.

Seigneur Dieu, a fait Julie, quelle merde. On s'en sortira donc jamais ?

Je l'ai surprise en train de fumer.

Elle fume pour se couper l'appétit ?

Je suppose, ai-je dit. Comme toutes les danseuses. Je lui en ai parlé, mais...

Et Will aime New York ?

Oui, vraiment. Et il est marxiste, à présent, je pense. Il dit juste *Kapital*, sans le *Das*.

Cool.

Ouais.

J'ai fini par aider Julie à mettre au lit ses enfants, qui dormaient à moitié en marchant, et nous leur avons souhaité bonne nuit. N'ayant pas été suspendue pour insubordination, hélas, elle devait se lever tôt, le lendemain matin. Elle a sorti les bottes à crampons fournies par Postes Canada et a préparé le lunch des enfants. Les bottes à crampons étaient utiles pour marcher sur la glace. Un hiver, pendant une tempête de verglas, je me suis échouée sur la rive de l'Assiniboine, aussi glissante qu'un aquarium. J'avais traversé à pied la rivière gelée dans l'intention de remonter sur le trottoir près du pont de la rue Osborne. Pour aller en ville, c'était plus court, sauf que je me suis retrouvée coincée sur la rive glacée, avec mes chaussures à semelle lisse, incapable d'escalader la pente escarpée. J'ai tenté d'agripper les branches qui surplombaient le rivage, mais, chaque fois, elles se cassaient, et je glissais jusqu'à mon point de départ. Allongée sur la glace, je me demandais quoi faire en grignotant une barre de céréales trouvée dans mon sac quand j'ai pensé à Julie et à ses bottes spéciales à crampons. Je lui ai téléphoné et elle m'a dit qu'elle était justement dans les environs pour sa tournée et qu'elle ne tarderait pas à venir me secourir. Elle est apparue quelques minutes plus tard et a enlevé ses bottes à crampons pour me les lancer et me permettre de gravir enfin le dénivelé. Debout sur son sac postal pour éviter de se mouiller les pieds, elle a grillé une cigarette pendant que, tel Sir Edmund Hillary, j'escaladais enfin le rivage. Puis nous sommes allées prendre un café et un beigne à la crème Boston. Les missions de sauvetage sont parfois un jeu d'enfant.

J'ai dit au revoir à Julie et roulé un moment en ville en voulant et en ne voulant pas passer devant l'ancienne maison de l'avenue Warsaw, en essayant et en n'essayant pas de me souvenir de ces années de bonheur conjugal.

Dan, mon deuxième ex, le père de Nora, a élevé Will comme son propre fils, tandis que le père biologique de Will, mon premier ex, était aux États-Unis, où il se donnait corps et âme à la volatilité, et nous étions tous deux certains d'avoir enfin trouvé l'âme sœur après avoir connu des mariages merdiques, certains d'avoir surmonté les affres de nos élans romantiques et d'en avoir terminé avec les mauvaises décisions. Aujourd'hui, nous sommes engagés dans une guerre d'attrition, mais, à l'instar des amants modernes, à coups de textos et de courriels. Nous connaissons de très courtes trêves, des moments où nous sommes trop fatigués pour nous quereller ou en proie à la nostalgie et à un sursaut de bonne volonté. Il lui arrive de m'envoyer un lien vers une chanson qui, croit-il, me plaira ou encore des dissertations sur les vagues ou d'autres sujets, comme l'univers, ou encore des excuses pour mille et une choses et parfois il se soûle et m'envoie de longues diatribes, la litanie de mes insuffisances, qui sont légion.

Les mots « *nothing bad has happened yet* », tirés d'une chanson de Loudon Wainwright, résonnaient dans ma tête au moment où je suis passée lentement devant la maison de l'avenue Warsaw. C'était celle où j'avais commencé à écrire les romans jeunesse axés sur le rodéo qui avaient bien marché pendant un moment, assez pour me permettre d'aider à payer l'hypothèque et l'épicerie. Il y en a eu neuf jusqu'ici. La série Rhonda la fille de rodéo. Mais il était temps que le monde de Rhonda évolue, selon mon éditrice. La plupart des ados vivent en ville et ont du mal à se reconnaître dans le *barrel racing* et les chevaux sauvages.

En ce moment, mon éditrice se montrait très patiente avec moi, tandis que je travaillais à mon « livre littéraire ». Elle se disait heureuse d'attendre le dixième livre de la série, cependant que je m'efforçais d'« élargir mon *œuvre** ». Le nouveau propriétaire de la maison avait entrepris d'appliquer une épaisse couche de blanc austère sur le rouge et le jaune que Dan et moi, sur un coup de tête, avions stupidement choisis des années plus tôt, à une époque où nous étions désargentés mais heureux et sans peur et ô combien sûrs de notre amour, de notre avenir, de notre famille toute neuve et de notre inébranlable solidité dans ce monde. La clôture n'avait pas encore été repeinte et elle brillait d'un éclat jaune pimpant dans la lumière crépusculaire, et je distinguais encore les décalques que Nora avait appliqués sur toute sa longueur, de mignonnes images de grenouilles et de voitures et de demi-lunes et de soleils étincelants au visage heureux. Sur le portail était encore vissée la petite plaque métallique que nous avions rapportée d'un voyage en famille. *Attention : chien bizarre.* Et c'est là qu'on se demande parfois : que s'est-il passé ? Je ne sais pas où nous avons fait fausse route.

Je suis allée chez Nic et Elf et je me suis garée dans leur entrée. La nuit était tombée. Pendant une minute, j'ai observé Nic par la fenêtre, assis dans le noir, lui aussi, face à l'écran de son ordinateur. Le moment était venu de parler d'Elfrieda, de tenir notre conférence nocturne quotidienne. Après, nous ne serions pas plus avancés, mais nous aurions au moins raffermi notre solidarité dans la cause qui consistait à la garder en vie. Nous nous asseyions dans le salon au milieu de piles de cahiers de musique et de romans en mandarin, la dernière lubie de Nic, buvions de la tisane dans leurs dernières tasses propres et échangions des réflexions comme : Elle m'a semblé un peu plus enjouée aujourd'hui, mieux disposée à engager la conversation, tu trouves pas ? Ben, ouais, peut-être... Et cette nouvelle coupure ? Cette chute ? Tu sais, toi, si elle prend ses médicaments ? Elle dit que oui, mais... Aujourd'hui, l'infirmière m'a dit qu'il ne fallait pas lui apporter à manger, que, si elle a faim, elle n'a qu'à se lever et à se rendre à la cafétéria à l'heure des repas. Ouais... mais elle ne le fera pas. Elle va plutôt se laisser crever de faim. Ben, ils ne la laisseront pas faire. Non, c'est sûr ? Hmm...

Nous étions toujours sans nouvelles de l'« équipe » d'aidants à domicile et nous commencions à nous demander si elle existait vraiment. Nous voulions avoir une idée de la fréquence et du coût des visites. Nous nous sommes entendus pour dire que le coût était sans importance, et Nic a dit que, le lendemain, il téléphonerait de nouveau à la personne-ressource, et je lui ai proposé d'essayer une fois de plus d'aller voir le psychiatre d'Elf, ce qui était l'équivalent d'obtenir un rendez-vous avec le chef de la famille Gambino. Je n'étais même pas certaine de son existence. Sinon, je pourrais au moins essayer de parler à une des infirmières-chefs, quelqu'un qui connaissait bien les antécédents d'Elf, et en gros supplier quiconque accepterait de m'écouter de ne pas la laisser rentrer à la maison avant qu'elle ait, pour de bon, franchi le cap, comme on dit à l'hôpital.

Et la tournée ? ai-je demandé.

Merde à la tournée.

Ouais, ai-je dit. Je suis d'accord. Mais il faut quand

même qu'on s'en occupe. Elle se fait du souci à l'idée de laisser tomber tout le monde.

Je sais. Nic s'est levé et a pris un bout de papier sur le piano. Des messages pour Elfrieda, a-t-il dit. Jean-Louis, Felix, Theodor, Hans, Andrea. J'en connais même pas la moitié.

Tu as prévenu Claudio ?

Non, non... Mais il a laissé des messages. Le *Free Press* veut faire un article de fond pour une anthologie de la musique et le *BBC Music Magazine* veut aussi faire quelque chose. Ha !

Nic est revenu à la table et a appuyé son menton sur ses mains jointes. Ses yeux étaient injectés de sang. Son visage tout entier semblait injecté de sang. Il a souri parce qu'il est courageux.

Fatigué ? ai-je demandé.

Dans des proportions épiques, a-t-il répondu.

Il s'est levé et a mis un disque. Son nouveau truc, c'étaient les vinyles. Il aimait le processus, qui se faisait étape par étape. Il tenait le disque de la bonne manière, avec les paumes plutôt qu'avec les doigts. Il a soufflé dessus. La musique était un doux murmure, une guitare acoustique, pas de voix. En revenant vers la table, il m'a demandé d'examiner ses yeux.

Ils coulent, a-t-il expliqué. Comme si j'avais une infection ou un truc du genre.

Une conjonctivite ? ai-je demandé.

Je sais pas, a-t-il répondu. Ils coulent tout le temps. Pas du pus, mais un liquide clair. Je suis dans mon lit et ce liquide coule sur les côtés. Je devrais peut-être voir un médecin, un optométriste. Je sais pas, moi.

Tu pleures, Nic.

Non…

Oui. C'est ce qu'on appelle pleurer.

Tout le temps ? a-t-il demandé. Dans ce cas-là, je m'en aperçois même pas.

Des larmes nouveau genre, ai-je dit. Pour une époque nouvelle. Je me suis penchée vers lui et j'ai mis mes mains sur ses épaules, puis sur ses joues, comme il l'avait fait avec son disque.

Nous sommes restés un moment en silence, puis Nic m'a dit qu'Elf avait une répétition générale dans trois semaines, deux jours avant la première. Je lui ai dit qu'elle ne serait jamais prête à temps et il a acquiescé : elle ne cessait de répéter ça, qu'elle ne pouvait pas faire la tournée, et plus tôt toutes les parties concernées seraient mises au courant, mieux ça vaudrait. Puis je lui ai dit de téléphoner à Claudio, il s'en occuperait, comme il l'avait toujours fait.

Si tu veux, je vais l'appeler, moi, ai-je dit.

Ben, il vaudrait peut-être mieux attendre un peu.

Je pense qu'il a besoin de savoir maintenant.

Écoute, je sais ce que Claudio va dire, a dit Nic. Il va dire attendons un peu pour voir. Il va se dire qu'elle va peut-être s'en sortir, comme la derrière fois. Il va dire que c'est le fait de donner les concerts qui lui a sauvé la vie et que la même chose va se produire cette fois-ci.

Peut-être.

Et il a peut-être raison et on devrait peut-être la pousser un peu et elle va s'en tirer.

Ouais, ai-je dit.

Mais… de toute évidence, elle est pas obligée de faire

la tournée si elle en a pas envie, a dit Nic. Dans le grand ordre des choses, c'est sans importance. Tout ce que je dis, c'est qu'elle risque de décider tout d'un coup de la faire, cette tournée, et là…

Ouais, alors mieux vaut pas annuler tout de suite, ai-je dit.

La tête de Nic s'est posée sur la table, doucement, comme un flocon de neige. Son bras s'étirait dessous et sa paume vide formait un petit creuset.

Nic. Hé, Nic, tu devrais aller te coucher.

Nous avons fait ce que nous faisions à la fin de chacune de nos conversations. Nous avons soupiré, frotté notre visage, grimacé, souri, haussé les épaules, puis nous avons parlé d'autre chose, par exemple du kayak que Nic construisait à partir de rien dans le sous-sol, de son intention de le finir bientôt et, au printemps, de le transporter à l'envers jusqu'à la rivière, à seulement un coin de rue, et de pagayer quelque part vers l'amont, ce serait le plus dur, puis de se laisser dériver vers l'aval jusqu'à la maison.

Je l'ai laissé assis devant son ordinateur, son visage éclairé comme celui de Boris Karloff dans la lueur spectrale de l'écran. Je me suis demandé ce qu'il regardait. Quel genre de recherches fait-on sur Google quand la personne qu'on aime le plus au monde est déterminée à quitter celui-ci ? Dans la voiture de ma mère, j'ai consulté mon téléphone. Un texto de Nora à Toronto : *Comment va Elf? Besoin de ta permission pour me faire percer le nombril. Dis ouuui ! Bisou !* Un autre de Radek qui m'invitait à passer le voir. C'est un violoniste tchèque au regard triste que j'ai rencontré en accompagnant Julie dans sa tournée la dernière fois que je suis venue à Winnipeg. (En fait, c'est pour le rencontrer que je l'ai accompagnée. Elle m'avait dit qu'elle avait comme client un très bel Européen qui semblait seul et désespéré. Comme toi, Yoli, avait-elle dit.) Il était venu à Winnipeg pour écrire un livret d'opéra. Comme tout le monde, quoi. C'est un coin de la planète sombre et fécond, ce lieu où convergent des eaux boueuses et où on se demande hé, comment je fais pour mettre des mots sur la trame sonore tragique de la vie ? Radek et moi ne parlons pas la même langue, du moins pas vraiment, mais il m'écoute avec patience, il a saisi, eh bien, je ne sais pas trop quoi… que s'il reste assis bien tranquille pendant une heure ou deux et m'écoute divaguer dans une langue qu'il ne comprend pas vraiment bien, il pourra, *inch' Allah !*, me baiser.

J'ai peur que « baiser » soit une expression datée, mais j'ai trop honte pour demander une mise à jour à Nora. Je suis coincée entre deux générations, une qui dit « baiser » et l'autre « se brancher avec quelqu'un », alors quelle expression employer ? J'ai pris place dans la petite cuisine de l'appartement en mansarde que Radek loue chemin Academy et je lui ai parlé d'Elf, de son désespoir, de son engourdissement, de son « heure de plomb », comme aurait dit Emily Dickinson, et de mon plan improvisé pour l'obliger à vivre, et de la futilité et de la rage et de la mer de la Sérénité et de la mer de l'Ingénuité sur la Lune, de celle à côté de laquelle il préférerait vivre (Sérénité), et je lui ai demandé s'il savait qu'il y a quelque part au Canada un glacier dit de la Déception qui alimente un fleuve dit de la Déception qui se jette dans un bassin dit de la Déception, mais que le bassin ne contient pas de bouchon dit de la Déception. Et Radek a hoché la tête et m'a versé du vin et m'a préparé à manger, et en passant près de moi pour aller remuer les pâtes il m'a embrassée sur la nuque. Il est très pâle avec des poils noirs et raides sur tout le corps. Dans son mauvais anglais, il a dit à la blague que dans son cas le processus évolutionnaire s'est arrêté et je lui ai dit que je l'admirais de ne pas avoir tout brûlé ou arraché comme le font les Nord-Américains terrifiés par les poils et la fourrure en général. Dans la lutte pour la libération des femmes, les poils sont la dernière frontière, Radek. Je suis tellement *épuisée.* Il a hoché la tête, ah, oui ?

En posant doucement les pâtes sur la table, il a dit : j'ai entendu ta sœur jouer.

Quoi ? ai-je dit. Tu m'en as jamais parlé.

À Prague, a-t-il dit. Et je ne suis pas étonné.

Étonné par quoi ? lui ai-je demandé.

Par sa souffrance, a-t-il répondu. Quand je l'ai entendue, j'ai eu le sentiment que je n'aurais jamais dû être là, en sa présence. Il y avait des centaines de spectateurs, mais personne n'est sorti. C'était une souffrance intime. Par « intime », je veux dire inconnaissable. Seule la musique savait et elle gardait ses secrets, de sorte que son jeu était une énigme, un murmure, et après les spectateurs au bar buvaient sans rien dire parce qu'ils étaient dans le secret. Il n'y avait pas de mots.

J'ai réfléchi un moment à ses paroles, à son charme vieille Europe et à sa façon de parler. Peut-être pourrions-nous tomber amoureux et emménager à Prague avec Will et Nora et ma vie serait moins comme la mienne et davantage comme celle de Franz Kafka. Will et Nora pourraient suivre des cours de tennis et de gymnastique et Radek et moi irions sans cesse à l'opéra et au ballet et nous serions intenses et poétiques et révolutionnaires.

Je la rangerais dans la même catégorie qu'Ivo Pogorelich ou peut-être Evgeny Kissin, a-t-il dit. Elle comprend que le piano est la voix humaine portée à la perfection.

Elle a un piano de verre en elle et elle a peur qu'il se casse, ai-je dit.

Oui, a-t-il dit. Il est peut-être déjà cassé. Et elle arrive à peine à retenir les morceaux pour éviter qu'ils s'éparpillent. Je crois que je suis brusquement tombé amoureux d'elle, ce soir-là. Je voulais la protéger.

Génial, ai-je dit. Comme ça, tu as le béguin pour ma sœur ? Il a ri et dit non, bien sûr que non, mais je me suis dit qu'il mentait. Adieu, fantasme pragois. Ben, ai-je songé, Prague n'a pas exactement été une partie de plaisir pour Franz Kafka, de toute façon, alors tant pis, tant pis !

Encore du vin ? a-t-il demandé. Elle était comment, petite ?

Elle jouait du piano sans arrêt, ai-je répondu. Et elle faisait circuler des pétitions pour réclamer des choses.

Bah, si on ne doit faire qu'une chose dans la vie, autant que ce soit jouer du piano, a dit Radek. Mais tu dois bien avoir d'autres souvenirs, non ?

Elle a appris le français très jeune, ai-je dit, et parfois c'est la seule langue qu'elle parle et parfois elle cesse de parler pendant de longues périodes, comme notre père. Elle avait différents surnoms pour moi : Girouette, Grabuge. Elle faisait semblant que notre petite ville mennonite était un village de la Toscane ou quelque chose du genre et elle rebaptisait les gens et les choses. Les rues, tout. Elle était obsédée par l'Italie. Quand de vieux mennonites de la parenté venaient nous rendre visite, elle leur donnait du *signor* et du *signora* et leur proposait des *espressi* et de la *grappa.* On se moquait d'elle. C'était un peu embarrassant pour moi aussi.

Ah, mais c'était juste pour mettre du piquant, a dit Radek, oui ? Pour être drôle et sophistiquée !

Ouais, je m'en rends compte maintenant, lui ai-je dit, mais à l'époque… tu sais. Une ville comme la nôtre, c'était pas l'endroit idéal où mettre au point un numéro comique. Une fois, on a tiré sur notre maison.

Quoi ? a fait Radek. À cause d'Elfrieda ?

Je ne sais pas, ai-je dit. On n'a jamais su qui c'était. Ils étaient nombreux à se moquer de notre père à cause de sa manie d'aller à bicyclette et de porter un costume tous les jours et de lire des livres. Elf, ça la faisait pleurer. Elle se mettait très en colère. Elle se battait avec les gens, surtout en paroles, pour le défendre. Quand elle est partie à Oslo pour étudier la musique, elle a pris l'habitude de m'envoyer des cassettes où elle me parlait de sa vie là-bas, puis elle est allée étudier avec un type à Amsterdam et ensuite avec une femme à Helsinki. J'écoutais et je réécoutais ces cassettes dans le noir en faisant semblant qu'elle était là, à côté de moi. J'ai mémorisé ses paroles jusqu'à la moindre intonation, au moindre souffle, et je parlais avec elle, en même temps qu'elle, et aussi ses petits rires. J'ai tout appris par cœur.

Radek nous a servi un autre verre de vin et il a dit qu'il se souvenait d'une chose que Northrop Frye avait dite à propos de l'énergie qu'il faut pour quitter un endroit et qu'on doit alors profiter de cet élan pour continuer à créer, continuer à réinventer. Tu n'es pas d'accord ?

Je suis d'accord, oui, ai-je dit. De toute façon, c'est illégal d'être en désaccord avec Northrop Frye, non ?

Évidemment, a dit Radek, peut-être que tu...

Je sais, je sais, je plaisantais. Mais je suis d'accord.

Ta sœur te manquait, a dit Radek succinctement.

Ouais, mais c'était plus que ça. Je voulais pas vraiment qu'elle revienne. Je sais pas si je m'en rendais compte, à l'époque, mais, d'une certaine manière, je savais qu'il valait mieux qu'elle reste au loin. Et pourtant, je sentais que j'avais besoin d'elle pour survivre, alors j'étais très occupée et angoissée pendant que je cherchais un moyen d'être courageuse en son absence. Quand elle est revenue en visite, elle a beaucoup joué au tennis avec moi. Nous avons joué dans le noir. Tennis aveugle. C'était amusant, mais nous perdions beaucoup de balles. Elle m'a dit que je devais écouter très attentivement quand nous jouions, que c'était ça, le truc. Dans le noir, nous avons ri comme des folles et crié quand la balle nous frappait. Quand elle jouait du piano, je savais tout de suite reconnaître son humeur. À l'école, elle a raflé toutes les bourses les plus prestigieuses et elle a même participé à un jeu-questionnaire à la télé, mais des tas de choses la mettaient en colère. Les gens qui ne font pas d'efforts la mettaient hors d'elle. Les mauvaises manières la rendaient folle. Quand le pasteur est venu avec sa bande de vieux acolytes dire à mon père qu'il ne fallait pas la laisser partir étudier parce qu'elle risquait d'avoir la tête enflée, elle a mis le feu à la tente où il organisait ses *revivals* et ce soir-là la police est venue chez nous...

Aïe, a dit Radek.

Mais d'abord, quand les types de l'église étaient chez nous, elle était dans la pièce d'à côté et a joué Rachmaninov. Ma mère et moi avions trouvé refuge dans la cuisine. Et on aurait dit que plus ces types mettaient la pression sur mon père, plus fort elle criait. Ben, avec le piano, je veux dire. Elle les a chassés avec son brio et sa rage, comme Jésus l'a fait pour les vendeurs du temple ou, tu sais, comme Dustin Hoffman dans *Les Chiens de paille*...

Comme la lumière du jour pour les vampires, a dit Radek.

C'étaient des hommes si simples, si rustres. Autant jouer pour des mastodontes... Elle n'a pas...

Qu'est-ce qu'elle a joué ?

Le prélude en sol mineur, opus 23.

Qu'est-ce qui s'est passé, quand la police est venue ?

Mes parents n'ont pas voulu qu'on la mette dans un centre de détention juvénile ni qu'on l'envoie dans un camp chrétien de rééducation en forêt, de toute façon, je pense que c'était juste des menaces en l'air, mais nous avons fait ensemble un long voyage en voiture, jusqu'à Fresno, en Californie, pour nous éloigner des policiers qui, à notre retour, auraient tout oublié. À Fresno, Elf a convaincu un garçon d'être son petit ami pour la durée de notre séjour et il a essayé de se cacher dans le coffre de la voiture le jour de notre départ, mais notre père a senti le poids supplémentaire et nous nous sommes arrêtés pour le faire sortir. Elf et lui ont commencé à se peloter comme des fous et puisque c'était au-dessus des forces de mon père, ma mère a dû descendre de la voiture pour dire à Elf qu'il fallait y aller. Je me souviens d'avoir tiré sur son bras pendant qu'elle embrassait encore le garçon. Et quand elle est enfin montée dans la voiture en pleurant comme une Madeleine, le garçon a couru derrière nous le plus longtemps possible, comme les chiens des fermes des environs d'East Village.

Radek a ri. Tu as une photo d'elle ? a-t-il demandé. J'en ai sorti une de mon portefeuille. On ne voyait que ses énormes yeux verts et ses cheveux noirs lustrés. Elle a l'air d'une extraterrestre, tu trouves pas ?

Elle est magnifique, a-t-il dit.

La première fois que j'ai mangé chez Radek, je lui ai dit que j'avais été fidèle à mon mari et que j'avais élevé des enfants avec lui, et Radek a souri gentiment en hochant la tête, comme s'il aimait bien la femme dont je lui parlais, voire qu'il la préférait à moi, mais bon, vous savez, voilà où *nous* en étions. Ces jours-ci, je suis si fatiguée qu'il m'arrive souvent de poser ma tête sur la table et de tomber endormie pendant qu'il débarrasse et ensuite il me prend dans ses bras et me transporte jusqu'à son lit et il me déshabille avec précaution, il drape mon jean sur sa chaise en évitant que mon baume pour les lèvres tombe de ma poche et roule dans la poussière sous son lit et il place mon chemisier sur sa lampe de chevet qui diffuse alors une aura intrigante et il me fait l'amour tout doucement, en doux gentilhomme. Tels sont les mots que ma grand-mère utilisait pour décrire mon grand-père quand je lui demandais comment il avait été comme mari. Doux. C'est le seul mot qui me vient à l'esprit pour décrire Radek. Quand il jouit, il dit quelque chose de doux en tchèque, un mot, un seul. J'aime bien jouer avec le bout de ses doigts, sentir les crêtes et les sillons durs formés par les cordes du violon sur lesquelles il appuie cinq ou six heures par jour.

Il m'a dit que j'avais une fois aboyé comme un chien

dans mon sommeil. J'en gardais un très vague souvenir, gardais le vague souvenir d'un rêve dans lequel tout ce que je ressentais et souhaitais exprimer à propos de tout ce que je ressentais prenait enfin en sortant la forme d'un minable jappement inachevé. Parfois, j'ai l'impression, du moins dans mes rêves, d'être sur le point de comprendre les silences d'Elf. À l'époque où je vivais seule à Montréal, le cœur brisé par un amour perdu, elle m'avait envoyé une citation de Paul Valéry. Un mot par lettre, cependant, si bien que j'avais mis des mois à saisir. *Souffles, songes, silence, invincible accalmie, Tu triomphes.*

CINQ

C'est le matin et j'ai la gueule de bois. J'ai des cernes mauves et des taches de mascara autour des yeux et une fine croûte de vin rouge sur mes lèvres. Mes mains tremblent et je bois un café de chez Tim Hortons. Deux crèmes deux sucres à la puissance deux. Ma mère est à bord d'un navire de croisière. Nic se noie dans des équations où il est question de vers solitaires. J'ai apporté pour Elf les trucs qu'elle a demandés, le chocolat noir, le sandwich aux œufs, les culottes propres et le coupe-ongles. Elle dormait quand je suis arrivée. J'ai su qu'elle était vivante parce que ses lunettes, posées sur sa poitrine, étaient ballottées comme un canot de sauvetage à la dérive. J'ai mis près de sa tête l'oreiller mauve aux libellules argentées et je me suis assise sur la chaise en vinyle orange posée près de la fenêtre et j'ai attendu qu'elle se réveille. De là, j'apercevais la Chevy décatie de ma mère dans le stationnement en contrebas et j'ai appuyé sur le bouton vert du démarreur automatique pour voir si, de cette distance, je pouvais donner vie à quelque chose. Rien ne s'est passé, aucune lumière ne s'est allumée.

J'ai consulté mon BlackBerry. Il y avait deux messages de Dan. Dans le premier, il résumait mes lacunes en tant que mère et épouse, et dans le deuxième, il s'excusait d'avoir envoyé le premier. Alcool, tristesse, impulsivité, comportement déplorable étaient les raisons qu'il a invoquées. Les pommes de discorde habituelles. Je comprenais. Il m'envoie parfois des courriels si cérémonieux qu'on les dirait rédigés par une phalange d'avocats et il m'envoie parfois des courriels qui sont en quelque sorte la suite des conversations que nous avons eues au fil des ans, un genre de badinage intime à propos de rien, comme si cette affaire de divorce n'était qu'un jeu. Les récriminations et les excuses et les efforts pour comprendre et les attaques en règle… J'étais coupable de ces choses-là aussi. Dan voulait que je reste. Je voulais qu'Elf reste. Tout le monde se battait pour obtenir que quelqu'un reste. La phrase de Richard Bach : « Si tu aimes quelqu'un, laisse-le partir » ne s'adressait sûrement pas à l'espèce humaine.

Je suis allée dans la salle de bains qu'Elf partage avec sa compagne de chambre quand elle en a une (Melanie passe actuellement quelques jours dans sa famille) et j'ai cherché des signes d'autodestruction. Rien. Bien. Même le bouchon du tube de dentifrice a été remis à sa place, et qui, à plus forte raison une personne qui souhaite mourir, se donne cette peine ? J'ai effacé la ligne de vin sur mes lèvres et je me suis brossé les dents avec mon doigt. J'ai essayé de laver le mascara barbouillé, mais je n'ai fait qu'empirer la situation, me donner un air de goule.

J'ai intimé à mes mains l'ordre de cesser de trembler et j'ai un peu fait bouffer mes cheveux et prié un Dieu auquel je ne crois qu'à moitié. Pourquoi nous dit-on toujours que Dieu va exaucer nos prières si nous croyons en Lui ? Qu'est-ce qui L'empêche de faire les premiers pas ? J'ai prié pour la sagesse. Accorde-moi la sagesse, ai-je dit. Mon père avait l'habitude de dire « accorder » plutôt que « donner » parce que c'est moins exigeant. Plus doux. Je me suis demandé si mon père avait hérité la Terre parce que, à en croire les Écritures, c'est lui qui devrait être aux commandes ici-bas, en ce moment.

Elf a ouvert les yeux et souri d'un air las, résignée à se réveiller une fois de plus, mais manifestement déçue. Je l'ai entendue penser : Quel est donc ce nouvel enfer ? Notre citation préférée de Dorothy Parker. Elle nous faisait rire chaque fois que nous l'utilisions, sauf cette fois-ci. En fait, non, elle nous avait fait rire une fois seulement, la première fois que nous l'avions entendue.

Elle a refermé les yeux et j'ai dit non ! Non, non, non, s'il te plaît, garde-les ouverts. Je lui ai demandé si elle se souvenait de Stockholm. L'ambassade, Elf ? Quand j'étais enceinte de Will, elle m'avait invitée à venir passer une semaine avec elle en Suède et nous avions vécu une expérience tragicomique à l'ambassade canadienne, où elle avait été invitée pour le lunch le jour de sa première à la Maison des concerts de Stockholm. Je l'ai accompagnée, vêtue d'une énorme robe de maternité chatoyante achetée chez Kmart ou dans un magasin à rayons bon marché du même genre et j'ai passé le plus clair du repas à essayer de ne pas couvrir de honte la famille Von Riesen. Nous étions assises à une longue table blanche dans une pièce blanche avec l'ambassadeur et des personnalités de marque (blanches elles aussi) qui s'appelaient Dahlberg et Gyllenborg et Lagerqvist et autres semblables. Elf était adorable, superbe dans une petite robe noire européenne toute simple, experte absolue de ce genre de mondanités. Tout en elle était si vif. Si précis et tranchant. À côté d'elle, lente et suintante et répandant sans arrêt de la nourriture sur moi, j'avais l'air d'un de ces calmars géants découverts récemment. En allemand, Elf discutait, sans doute piano, avec un couple splendidement habillé et d'une exquise beauté quand l'adjoint de l'ambassadeur m'a demandé ce que je faisais au Canada. J'essaie d'écrire des livres sur le rodéo, ai-je répondu, et aussi (je désignais mon ventre) d'avoir un bébé. J'étais tout le temps trop à fleur de peau et j'avais vomi du hareng dans les rues immaculées de Stockholm et je suais à grosses gouttes dans ma robe en polyester et j'étais nerveuse et j'ai fait des choses stupides comme renverser le verre de l'ambassadeur avec mon gros ventre en me penchant pour prendre un petit pain et m'enrouler dans le drapeau du Manitoba pour qu'Elf me prenne en photo avant d'arracher le mât. Je ne savais pas comment répondre aux questions qu'on me posait : Avez-vous aussi hérité du gène de la musique ? Quel effet ça fait d'être la sœur d'un prodige ?

Tu te souviens de l'œuf? ai-je demandé à Elf. Elle n'avait pas rouvert les yeux. On nous avait servi une sorte d'œuf, pas un œuf de poule. Autre chose. Un petit objet blanc et visqueux semblable à un globe oculaire, un embryon flottant dans une saumure verte. À sa vue, j'ai tout de suite couru vers les toilettes. Lorsque je me suis rassise, Elf a compris que j'avais une fois de plus pleuré et elle a aussitôt entrepris de me réconforter comme elle le faisait depuis l'époque où elle citait pour moi ses amants poètes, comme si c'était sa profession. Elle a fait de moi une héroïne. Elle a commencé à raconter des histoires de quand j'étais enfant, la plus brave et la plus téméraire des deux, et il fallait me voir à cheval – le *barrel racing*, ça vous dit quelque chose ? –, la fille la plus coriace en ville, celle qui, mieux que quiconque, savait la faire rire, et ses prestations au piano étaient en fait inspirées par ma vie, par le rythme débridé et libre de ma vie, par la sensibilité qui s'y exprimait et par l'attitude de défi qui la caractérisait (bref, elle voulait dire que j'étais une catastrophe ambulante, mais que je refusais de l'admettre), ou quelque chose du genre. Qu'elle s'efforçait de jouer du piano comme je vivais ma vie : librement, joyeusement, honnêtement (bref, comme une imbécile heureuse ne sachant pas se tenir en société). Elle a ajouté au profit de tous les invités que l'enfant qui se blottissait dans mon ventre serait le bébé le plus choyé de l'univers parce qu'il m'aurait comme mère et que j'écrivais des livres magnifiques sur le rodéo et que j'étais sa meilleure amie. Que des mensonges, sauf peut-être la toute, toute dernière partie.

Elfrieda ! Tu te souviens de ce jour-là ? Elle a enfin ouvert les yeux et fait signe que oui. Je lui ai dit qu'elle avait toujours veillé sur moi dans ce genre de situation. Elle a souri, un grand sourire ouvert. J'ai montré l'oreiller avec les libellules à côté de sa tête et je lui ai dit que je lui avais apporté un cadeau. Elle en a semblé démesurément heureuse. Pour moi ? Merci ! C'est magnifique ! Elle a serré l'oreiller contre elle et m'a remerciée de nouveau, plus que de raison. C'est juste un oreiller, ai-je dit. Elle m'a demandé ce qu'il y avait dans le sac en plastique de Safeway que je trimballais avec moi dans toute la ville et je lui ai répondu que c'était mon roman, une pile de feuilles couvertes de corrections retenues par un ruban élastique.

Un livre de rodéo ?

Non, le livre livre. Le vrai livre.

Tu l'as enfin écrit ? Mais c'est génial ! Elle m'a

demandé si je le lui lirais et j'ai dit non. Seulement un paragraphe ? Non. Une demi-phrase ! Un mot ? Non. Une lettre ? J'ai dit d'accord, je lui lirais la première lettre du roman. Elle a souri et fermé les yeux et calé sa tête sur l'oreiller comme pour se préparer à goûter quelque délicieuse friandise. Je lui ai demandé si elle était prête et elle a hoché la tête, souriant toujours, les paupières closes. Je me suis levée et je me suis raclé la gorge et j'ai marqué une pause, puis j'ai commencé ma lecture.

L.

Elle a soupiré et levé le menton vers le plafond, puis elle a ouvert les yeux et m'a dit que c'était magnifique, MAGNIFIQUE, que ça sonnait vrai, que c'était ce que j'avais écrit de plus beau jusque-là. Je l'ai remerciée avant de remettre la feuille dans le sac de Safeway.

Ben, tu peux au moins me dire de quoi ça parle, en un mot ? Ouais, ai-je dit, de sœurs. Et je l'ai regardée intensément et, inconsolable, j'ai pleuré pendant vingt minutes, recroquevillée sur cette chaise en vinyle déchiré posée près de la fenêtre et, de sa main tendue, elle a touché mon pied, mon mollet, caressé ma jambe, la partie qu'elle parvenait à atteindre du lit et elle m'a dit combien elle était désolée. Je lui ai demandé pour quoi, mais elle n'a rien dit. D'une voix dure et vindicative, je lui ai demandé une fois de plus t'es désolée pour quoi ? J'ai tapé contre la vitre renforcée, au revêtement quadruple, question d'empêcher les sauteurs de la fracasser, et le bruit l'a fait sursauter. Mais une fois de plus elle m'a répondu par le silence et ses énormes yeux verts aux cils ridiculement longs, ses yeux voilés, hantés comme ceux de mon père, avec des pupilles comme des navires échoués au milieu de tout ce vert.

Je ne lui ai pas donné la satisfaction de m'entendre lui dire je comprends, ça va, je te pardonne, qu'elle n'a rien à se faire pardonner, que je l'aimerai toujours, que je garderai son cœur dans mon étui à crayons. J'ai détourné les yeux et j'ai calmement sorti mon BlackBerry pour prendre d'autres messages plus importants. Un texto de Will : *Nora est complètement déraisonnable. Tu rentres quand ? Comment va Elf ? Tu sais où est l'aiguille pour mon ballon de basket ?* J'ai répondu : *Oui. Pas sûre. Vivante. Regarde dans le tiroir à débarras. Bisou.* Dans Google, j'ai cherché « gène du suicide », mais j'ai annulé la recherche à la dernière seconde. Je ne veux pas savoir. Sans compter que je sais déjà.

On se demande : mais comment c'est possible ? Penser qu'avec toutes les mesures de sécurité que nous employons aujourd'hui pour nous protéger du dehors – clôtures et détecteurs de mouvement et caméras et écran solaire et vitamines et verrous et chaînes et casques de vélo et cours de cardiovélo et gardiens et portails –, nous puissions cacher des tueurs secrets à l'intérieur de nous... Que nous puissions nous retourner contre notre moi heureux comme des tumeurs envahissent des organes sains, comme des mères « normales » jettent soudain leur bébé du haut du balcon... Qui a envie de penser à des horreurs pareilles ?

À la naissance de ma sœur, mon père a planté un olivier de Bohême derrière la maison. À ma naissance à moi, il a planté un sorbier. Quand nous étions petites, Elf m'a expliqué que l'olivier de Bohême était une essence robuste portant des épines de dix centimètres qui prospérait dans des lieux où tout le reste mourait. Elle a ajouté qu'en Europe on appelait aussi le sorbier arbre à grives et qu'on s'en servait pour éloigner les sorcières. Alors, a-t-elle dit. On est protégées contre tout. Ben, ai-je dit, les sorcières, tu veux dire. On est seulement protégées contre les sorcières.

J'ai quitté la chambre et déambulé dans les couloirs et salué d'un geste de la tête les infirmières à leur poste et je suis entrée par accident dans un placard à linge en pensant qu'il s'agissait d'une salle de bains, et j'ai renversé des serpillières et des produits de nettoyage et marmonné des excuses, puis je suis retournée dans la chambre d'Elf, un sourire frais aux lèvres, les larmes effacées, le visage noirci et un atroce fouillis de couleurs, et j'ai essayé de me réconforter. Je chantais sans chanter vraiment *Thunder Road*... du Boss (en raison de son autorité)... L'hymne qui, dans les années 1980, a embrasé nos cœurs de jeunes filles pas très jolies – nous chantions la sérénade à nos reflets dans la glace en utilisant notre brosse à cheveux comme micro, la beuglions dans le vent à l'arrière de camionnettes d'une demi-tonne ou du haut de montagnes de balles de foin – et je faisais de nouveau appel à cette chanson pour me donner de l'espoir.

Je me suis effondrée sur la chaise orange et j'ai demandé à Elf de me parler de quelque chose. Elle a voulu savoir quoi et je lui ai dit peu importe, parle-moi juste de quelque chose. Parle-moi de tes amants secrets. Elle m'a dit que si les amants sont secrets, c'est justement parce qu'il ne faut pas en parler, et j'ai acquiescé d'un geste de la tête, c'est vrai, c'est indiscutable, je pourrais prendre exemple sur elle, mais raconte quand même. Parle-moi de ce type, là, comment s'appelait-il, déjà ? Mauvaise Haleine. Elf a fait la grimace et gémi en disant que Moses Allen n'avait jamais été son amant, qu'ils étaient amis, et j'ai dit parfait, parle-moi de lui, il était comment, au lit ? On n'a pas été au lit ensemble, a dit Elf, alors j'ai dit d'accord, vous avez fait ça où, alors ? Par terre ? Dans l'escalier de secours ? Elle a secoué la tête. Bon, d'accord, parle-moi plutôt de l'autre, là. Petit Pénis. Ah, cette fois, elle a souri. Pete Dennis, a-t-elle dit, était adorable, mais c'est de l'histoire ancienne. Je suis une femme mariée, à présent. Ah bon ? ai-je fait. Tu t'es mariée quand, au juste ? OK, a-t-elle dit, tu sais ce que je veux dire. Je lui ai répondu que j'étais, moi, mariée pour de vrai, mais que je n'avais pas de mari. Toi, lui ai-je dit, tu n'es pas mariée, mais tu as un mari. Si tu veux, Yoli, a-t-elle dit. Elle a bâillé. C'est gentil de ta part d'être revenue, mais c'est moi qui te dois des excuses. Non, non, allez, ai-je dit. Tu dois en fréquenter, des hommes élégants à l'accent excitant qui connaissent la civilisation européenne comme le fond de leur poche, ai-je dit. C'est du sarcasme ? a-t-elle demandé.

Elle a pris des nouvelles de l'avocat canon de Toronto et j'ai secoué la tête.

Comment il s'appelle, déjà ?

Finbar.

Quoi ? Mon Dieu, c'est vrai. Finbar ! D'abord, je peux pas croire que toi tu couches avec un avocat et surtout avec un avocat qui a pour nom Finbar.

Qu'est-ce qu'il y a de mal à coucher avec un avocat ? ai-je demandé.

Ben, en principe, rien, a-t-elle dit. C'est juste drôle de penser que toi tu le fais ou que tu l'as fait. Elle m'a demandé si je le voyais encore et je lui ai répondu que je ne savais pas et j'ai ensuite déballé tous les détails sur mon existence chaotique, notamment que Finbar n'était pas le seul, et elle a dit Yolandi ! Combien ? Et j'ai répondu seulement deux, mais je suis si fatiguée et si accablée et si honteuse que je ne suis sincèrement pas en mesure de dire si c'est vrai ou faux. Et l'un d'eux est amoureux de toi, en fait, et couche avec moi uniquement par procuration. Elle m'a demandé si Finbar était au courant pour l'autre type et de qui il s'agissait et, une fois de plus, j'ai simplement secoué la tête, non, oui, je crois pas lui en avoir parlé. Et d'ailleurs il s'en moquerait et j'ai dit, OK, je sais, y a pas de quoi être fière, c'est juste une réaction animale à seize années de monogamie avec Dan, alors d'accord, je suis devenue une pute bon marché, ou je sais pas quoi, alors immole-moi et là elle s'est désignée elle-même d'un geste, puis, pour indiquer où elle était, elle a ouvert les bras pour inclure l'aile psychiatrique, geste d'empathie et blague à la fois, ma grande sœur, je l'aime, et nous avons ri un peu. Un tout petit peu. En fait, nous n'avons pas ri du tout. Et elle a dit qu'elle espérait que je faisais le nécessaire pour me protéger et, venant d'elle, j'ai trouvé ça tordant.

Je me suis souvenue de la leçon d'éducation sexuelle qu'elle m'a donnée quand j'avais douze ou treize ans. Elle m'a demandé si je savais ce que voulait dire « bander » et j'ai dit oui et elle a dit super ! Fin du laconique *vade-mecum* qui devait m'aider à traverser sans encombre le plus grand champ de mines connu de l'humanité. Je me suis souvenue de nous quatre, de notre famille, à l'époque où nous étions encore jeunes et sains d'esprit et vivants, à l'époque où nous n'avions ni tremblote ni points de suture sur le crâne, de nous roulant dans les rues de Winnipeg pour quelque grande soirée en ville, admirant les décorations de Noël, peut-être, ou autre chose du même genre, et j'apprenais à lire et lisais à haute voix tous les panneaux de signalisation, question de m'entraîner, et en voyant l'avenue Cockburn j'ai dit l'avenue Cock Burn[1] et j'ai demandé qu'est-ce que ça veut dire ? Et Elf, qui devait avoir onze ou douze ans, a répondu c'est ce qui arrive aux hommes qui ont trop de sexe et ma mère sur la banquette avant a fait chuuuut et nous n'avons pas osé jeter un coup d'œil à mon père qui serrait le volant et regardait droit devant lui comme un sniper les yeux rivés sur sa cible. Pour lui, il y avait deux tabous absolus : le sexe et la Russie.

C'était la première fois que j'entendais le mot *sexe* prononcé à voix haute et je n'avais qu'une très vague idée de sa signification, quelque chose à voir avec les hôpitaux, me semblait-il. Mais, plus important encore, je me suis souvenue du visage d'Elf dans la voiture. Fière d'elle-même, elle souriait et fredonnait, regardait défiler par la fenêtre le monde qu'elle espérait un jour conquérir, elle qui avait semé la pagaille dans l'abri antiaérien de notre microcosme mennonite, fait entrer le loup dans la bergerie. Ma mère lui avait intimé le silence, ce qui n'était encore jamais, jamais arrivé. Ce jour-là, j'ai acquis une conscience aiguë de ses nouveaux pouvoirs et j'aurais voulu être elle. C'est à compter de ce jour que j'ai pris l'habitude de pousser solennellement son vélo d'un bout à l'autre de la 1re Rue. J'avais du mal à atteindre le guidon. Je ne savais

---

1. Se traduit librement par « pénis brûlant ». *(N.d.T.)*

même pas aller à vélo. Je portais aussi ses manuels scolaires d'un bout à l'autre de la 1re Rue et, d'un air las, les faisais passer d'un bras à l'autre, croulant sous le poids de mes études. Je mettais de petites taches de peinture sur mes jeans extra nuls faits maison pour qu'ils ressemblent à des vrais comme les siens et je m'exerçais à avoir l'air mystérieuse et mélancolique en laissant tomber ma frange sur mes yeux et en faisant une moue lippue. Devant le miroir de la salle de bains, je faisais mine de me tirer une balle dans la tête avec un revolver imaginaire, comme le faisait Elf chaque fois qu'elle jurait ses grands dieux qu'elle était au bout de son rouleau. Je trouvais ça génial. Le synchronisme, le court délai entre le geste d'appuyer sur la détente et l'impact du projectile, puis la tête qui était brusquement projetée sur le côté. Après m'être longtemps exercée, je lui ai enfin fait voir que je maîtrisais la pantomime qu'elle avait mise au point et elle a ri et applaudi et dit très bien, mais c'est terminé, ça. Tiens, voici le nouveau. Et elle a entrepris une pantomime compliquée où figuraient un nœud coulant imaginaire, un cou rompu, une tête ballante. Mais, ayant déjà perdu tout intérêt pour l'idée, je la lui ai abandonnée.

Oui, lui ai-je dit, je me protège. Elle m'a dit que je risquais de tomber de nouveau enceinte si je ne faisais pas attention, que je n'étais pas trop vieille, et j'ai dit ouais, elle risquait d'être tante une fois de plus.

Quand Will et Nora étaient petits, elle les avait beaucoup gardés, leur avait fait la lecture, avait dessiné avec eux, avait pris l'autobus avec eux, avait fait d'eux des héros et les avait aidés à créer de supermondes où tout était possible, tandis que j'allais en louvoyant d'un emploi à temps partiel à un cours à l'université, m'efforçant en même temps de « viser haut » et de « réduire mes attentes ». Elle leur écrit encore des lettres et des cartes, du moins elle l'a fait jusqu'à tout récemment, avec des stylos de couleurs différentes, rose et vert et orange, de son écriture caractéristique qui me fait penser à des chevaux se pressant vers la ligne d'arrivée, les encourageait à se montrer courageux, à jouir de la vie, leur disant qu'elle était fière d'eux et qu'elle les aimait.

Je lui ai demandé si elle aimerait que je tombe enceinte, question ridicule laissant entendre que je donnerais suite, là, sur le coup, que je me ferais engrosser et que j'aurais un bébé si c'était suffisant pour lui donner le goût de vivre. Elle a répondu par un sourire triste – ce regard ! – devant l'inconcevable.

Je lui ai demandé si la visite de Nic s'était bien passée, la veille, si elle avait mangé, si elle avait pris une douche, si elle était allée retrouver les autres dans la salle commune, si elle avait pris avec eux son petit déjeuner ou engagé la conversation avec d'autres patients. Elle m'a suppliée de ne pas la soumettre à un interrogatoire et je lui ai présenté mes excuses et elle m'a rappelé que nous allions provisoirement mettre les excuses au rancart. Ouais, mais les excuses, c'est ce qui fait de nous des êtres civilisés, ai-je dit, et elle a répondu non, non, pas du tout, les excuses permettent toutes sortes de brutalités. Pense au concept catholique de la confession et à tous ces écarts de conduite qui sont effacés d'un coup et…

OK, ai-je dit.

Tu sais ce que Nellie McClung a dit ? m'a-t-elle demandé.

J'ai bien peur que non, ai-je répondu, mais je t'écoute.

Ne t'explique jamais, ne te rétracte jamais, ne t'excuse jamais. Fais ce que tu as à faire et laisse-les tous hurler.

Ça me plaît, ai-je dit. Mais n'a-t-elle pas dit ça dans le contexte de la lutte pour le droit de vote des femmes, des fois ? Je ne vois pas le lien. Moi, je m'excusais juste de t'avoir bombardée de questions.

Tout ce que j'ai dit, Yoli, a-t-elle poursuivi, c'est que les excuses ne sont pas le fondement de la société civilisée. Très bien ! ai-je dit. Je suis d'accord ! C'est quoi le fondement de la société civilisée, dans ce cas-là ? Les bibliothèques, a répondu Elf.

J'ai songé au féroce courant de fierté qui courait dans ses veines – protecteur ou destructeur, je n'aurais su le dire – et qu'elle tenait de notre père, et à la dernière entrée du journal de Pavese, dans laquelle il se reproche amèrement de ne pas avoir le courage de se tuer. Même de faibles femmes en sont capables (va donc te faire cuire un œuf, Pavese, dirait ma mère), écrit-il, ou quelque chose du genre, et il en arrive à la conclusion que l'acte exige de l'humilité et non de l'orgueil.

Les bibliothèques, ai-je dit. Tu lis, ces jours-ci ?

Non. C'est trop difficile de penser.

Et pourtant, c'est ce que tu fais à longueur de journée.

J'ai commencé à écrire un livre. Ça s'intitule : *Suis-je un être humain superflu ?*

Oh, Elf, ai-je dit. Allons, ma vieille.

Tu penses que nous sommes seulement la somme de nos souvenirs ? a-t-elle demandé.

Non.

Mais, Yoli, sans blague… Tu as répondu très vite, on

dirait que tu préférerais que je ne te pose pas ce genre de question, mais on pourrait pas au moins y réfléchir pendant une minute ou deux?

Qu'est-ce que tu veux dire? Je comprends pas la question. Je me rappelle pas qui je suis. Je suis ce que je rêve. Je suis ce que j'espère. Je suis ce que j'ai oublié. Je suis ce que d'autres veulent que je sois. Je suis ce que mes enfants veulent que je sois. Je suis ce que maman veut que je sois. Je suis ce que toi tu veux que je sois. Qui veux-tu que je sois? Tu crois pas qu'il vaut mieux s'attarder un peu sur cette terre pour voir qui on est? Qui tu veux que je sois?

Oh, je sais pas, a dit Elf. Parle-moi de ta vie à Toronto.

Ben, ai-je dit, j'écris. Je fais l'épicerie. Je paie des contraventions de stationnement. Je regarde Nora danser. Plusieurs fois par jour, je me pose des questions. Je marche beaucoup. J'engage souvent la conversation avec des gens, mais ça clique presque jamais. Ils me prennent pour une folle. L'autre jour, je suis tombée sur un type qui jouait de la guitare dans un parc et des gens, des gens qui se trouvaient dans le parc, comme ça, par hasard, se sont mis à chanter, c'était magnifique. Je me suis arrêtée un moment pour les écouter.

C'était quoi, comme chanson? a demandé Elf.

Je sais pas, ai-je répondu. Je me souviens juste des paroles qui disaient nous avons tous des trous dans notre cœur. Ou dans notre vie. On a tous des trous dans notre vie. Et cette chorale impromptue a chanté avec lui dans le parc, répété que nous avons tous des trous dans notre vie... avons tous des trous dans notre vie.

J'ai pris la main d'Elf et je lui ai fait le baisemain comme un gentleman.

Et après je me suis dit que les gens aiment bien parler de leur souffrance et de leur solitude, mais par des moyens détournés. Ou par des moyens qui sont structurés sans l'être vraiment. Je me suis rendu compte que les gens, les inconnus avec qui j'essaie d'engager la conversation dans la rue ou à l'épicerie, se disent que je cherche à exprimer ma souffrance et ma solitude de la mauvaise façon et ça les rend nerveux. Mais en entendant la chorale impromptue répéter les paroles disant que nous avons tous des trous dans notre vie, si magnifiquement, si doucement et avec tant d'acquiescement et même de joie, une forme de consentement, je me suis rendu compte qu'il y a des façons de le faire, seulement pas celles que j'avais essayées.

Alors tu vas arrêter d'aborder des inconnus? a demandé Elf.

Je suppose que oui, ai-je dit. C'est pour ça que t'as tellement de chance d'avoir ton piano.

Elf a ri. T'arrête surtout pas de parler à des inconnus. Tu adores parler à des inconnus. T'es exactement comme papa. Tu te rappelles comment, au restaurant ou ailleurs, il regardait les gens et se disait hé, je me demande c'est quoi, leur histoire, à ces gens-là, et il allait leur parler?

Ben, ouais, ai-je dit. Maintenant que tu m'y fais penser, ça me gênait toujours un peu. Je me souviens de l'avoir éloigné d'inconnus en lui disant non, papa, c'est bon, t'es pas obligé de leur parler. Aujourd'hui, Nora et Will ont probablement honte de moi.

Pas probablement, a dit Elf. Ce sont des ados. Quoi encore? Parle-moi de Toronto.

Ben, l'autre jour, en marchant dans une ruelle près de

chez moi, j'ai vu un vieil homme et une vieille femme qui essayaient d'atteindre quelque chose au-dessus de leur porte de garage. Je me suis approchée et j'ai compris qu'ils essayaient d'effacer des graffitis, mais je voyais pas ce que c'était. Et j'ai vu que le vieil homme était monté sur un tabouret très bas, à quinze ou vingt centimètres du sol, pas plus, et que la vieille femme était derrière et lui tenait les hanches pour l'empêcher de tomber. J'ai failli pleurer. Ils étaient tellement vieux. Et si prévenants l'un pour l'autre. Tout ce qu'ils voulaient, c'était avoir un beau garage tout propre. Ils s'entraidaient et le tabouret était seulement à quinze centimètres du sol, mais une chute aurait été catastrophique.

C'est magnifique, a dit Elf. Elle avait les yeux fermés. J'espère que leur garage va rester propre jusqu'à la fin des temps.

Aucune chance, ai-je dit. Bientôt, il va être à nouveau couvert de graffitis.

Hmm, a fait Elf.

Mais ce qu'il y a d'émouvant, chez ces deux vieux : ils continuent d'essayer de les effacer. Je suppose qu'ils font ça depuis toujours, qu'ils croient, en dépit du bon sens, que leur garage va rester propre, pour une fois.

Dis, Yoli, t'aurais pas dissimulé une sorte de parabole dans cette histoire, par hasard ? Une leçon que tu voudrais que je retienne ?

À propos de la nécessité de jamais lâcher, tu veux dire ?

En plein ce que je veux dire, a fait Elf.

Nan, ai-je dit. En fait, maintenant que j'y pense, la leçon qu'on pourrait tirer de cette anecdote particulière, c'est que c'est nul de risquer sa vie pour avoir un garage impeccable.

Elf a poussé un long soupir et elle a tendu les bras comme un père accueillant un fils prodigue, comme pour dire *inutile de parler de tout ça et laissons le passé où il est.* Mon téléphone a sonné et c'était l'agent d'Elf, Claudio. Elle est avec lui depuis ses dix-sept ans, l'époque où elle étudiait à Oslo. Il avait assisté à un de ses concerts à Rome et après, pendant que, dans la ruelle derrière la salle de concert, elle fumait et pleurait et tremblait, comme ça lui arrivait souvent après ses prestations, il s'est avancé vers elle et lui a tendu la main et lui a dit que c'était un honneur de la rencontrer enfin. Il avait tellement entendu parler d'elle. Il lui a dit qu'il aimerait la « représenter » et Elf lui a dit vous voulez dire que vous allez vous faire passer pour moi ? Claudio lui a patiemment expliqué le genre d'arrangement en question et il a demandé à Elf s'il devrait entrer en communication avec ses parents. Il lui a demandé si elle allait bien, s'il pouvait lui appeler un taxi, si elle avait faim. Elle portait sa veste militaire sur sa robe de concert noire et, assise par terre, sans ses chaussures, elle a écrasé sa cigarette sur l'asphalte, s'est ressaisie, a écouté cet Italien posé et à la mise impeccable lui raconter qu'elle était promise à un brillant avenir. J'adorais entendre Elf raconter cette histoire. Et tu as décidé de le prendre comme agent, là, tout de suite ? lui ai-je un jour demandé. Non, il a tenu à se rendre au Manitoba pour demander la permission de papa et maman. Quelle classe… Je pense qu'il a été le premier vrai Italien à mette les pieds dans notre ville. Après, il a raconté qu'une femme qui vivait au bout de la rue, probablement Mrs. Goosen, est venue chez papa et maman juste pour le reluquer. Elle lui a dit qu'elle n'était jamais sortie de la ville. Elle l'a toisé et lui a dit qu'elle n'arrivait pas à croire qu'elle se trouvait dans la même pièce qu'un vrai de vrai macaroni ! Un petit pas pour l'homme, mais un pas de géant pour l'humanité. Elf ne savait rien de la vie privée de Claudio, sauf que, tous les mois, il se rendait à Amalfi pour voir son père malade et qu'il aimait nager sur de longues distances. Il traverse des détroits et des bras de mer et autres grandes étendues d'eau. Souvent, il a le visage enflé à cause des piqûres de méduses. Il a tiré Elf d'affaire d'un million de façons différentes.

Je suis sortie dans le couloir. Il s'est excusé de me téléphoner, mais, a-t-il dit, Elf et Nic ne répondaient ni à ses coups de fil ni à ses courriels et il voulait revoir avec Elf les détails de sa tournée et il y avait encore un contrat à signer.

Tu sais où elle est, en ce moment ? a-t-il demandé.

Pas exactement, ai-je répondu. Hé, t'es en Europe, là ?

Oui. À Paris. Écoute, Yolandi, elle fait ses quatre jours de méditation ou elle est partie en kayak avec Nic ?

Je pense, ouais, peut-être...

La méditation ?

Ouais.

Yolandi, je t'en prie, dis-moi que tout va bien. Je sais qu'Elf est fragile à l'approche de ses concerts. Elle va bien ? Elle tient le coup ? Tu sais que tu peux tout me dire.

Euh, peut-être, ai-je dit. Je ne suis pas absolument certaine.

Tu n'es pas certaine ? a répété Claudio. Eh bien, Nic sait-il où elle est, lui ? On prépare cette tournée depuis des mois, Yolandi. Il faut qu'elle soit prête dans moins de trois semaines.

Ouais, ai-je dit, Nic est probablement au courant. Une infirmière s'est approchée et m'a dit que les téléphones cellulaires étaient interdits. Je lui ai fait signe que j'en avais pour une minute, désolée, désolée.

Tu es à Toronto ? a demandé Claudio. Elf m'a dit que tu avais déménagé.

Ben, ouais, c'est vrai, ai-je dit. Pour Nora. Pour lui permettre de danser.

Ah, magnifique ! Et tu te plais là-bas ?

Ça va.

Et Will ? Où m'as-tu dit qu'il étudiait, déjà ?

New York.

Incroyable ! s'est exclamé Claudio. Salue-les bien de ma part, d'accord ?

Compte sur moi, ai-je dit. Merci. Mais il faut que j'y aille, là. Excuse-moi.

Pas de quoi. Si je ne m'abuse, Elf joue à Toronto le huit, a dit Claudio. Vous aurez sans doute le temps de dîner ensemble.

Ça serait génial ! ai-je dit. Ouais, je la verrai à ce moment-là. L'infirmière, derrière son bureau, m'a fusillée du regard et je lui ai tourné le dos. Écoute, Claudio, j'essaie de repérer Elf et je lui demande de t'appeler. Ma mère saura où elle est, j'imagine.

Oui, s'il te plaît, Yolandi. Il faut vraiment que je lui parle. Excuse-moi de m'adresser à toi pour apaiser mes angoisses.

Non, non… T'excuse pas.

Tu n'es pas sans savoir qu'il y a eu des précédents, a-t-il dit. Je m'inquiète pour Elfrieda, sa *nervosa*…

Ouais, nous t'en sommes tous reconnaissants, merci.

Ne me remercie pas, a-t-il dit. Oh, n'oublie pas, il y a une répétition deux jours avant la première...

L'infirmière fonçait vers moi. Compris, dis-je. Où as-tu dit que tu étais, déjà ?

Paris, a répondu Claudio.

Paris, ai-je répété. Pendant un moment, j'ai rêvé d'amour.

Après avoir raccroché, je suis rentrée dans la chambre d'Elf.

Une partie de fesses au programme ?

Ha, ouais..., ai-je dit. Hé, tu t'ennuies de ton piano ou pas du tout ?

Elf s'est tournée vers la fenêtre. Nic s'occupe de tout ça. Je t'ai déjà dit que je ne pouvais pas...

Il te reste presque trois semaines. Tu pourrais peut-être...

Yolandi, pourquoi tu fais...

Je fais rien du tout, Elfrieda.

L'infirmière allergique aux téléphones cellulaires est entrée dans la chambre d'Elf et a dit OK, deux choses. Premièrement, pas de téléphone dans notre aile. Et, deuxièmement, pas de nourriture de l'extérieur. J'ai remarqué que vous lui aviez apporté un sandwich. Nous tenons à ce qu'Elfrieda prenne ses repas avec les autres patients dans la salle commune.

Nous l'avons dévisagée, Elf et moi.

Elfrieda, a dit l'infirmière, vous me promettez de venir prendre votre repas dans la salle commune, ce soir ?

Euh, ben, a dit Elf, je peux... Je peux essayer. Mais je ne suis pas sûre que vous allez réussir à me faire promettre quoi que ce soit. Elle a ri.

Je vois, a dit l'infirmière. C'est une provocation ?

Quoi ? Non, a dit Elf. Pas du tout. Je faisais juste…

Elle plaisantait, ai-je dit.

OK, super, a dit l'infirmière. On aime les plaisanteries ici. Les plaisanteries sont un signe que vous allez mieux, non ?

Ni Elf ni moi n'avons pipé mot. Nous évitions de nous regarder.

Si vous allez assez bien pour plaisanter, vous allez assez bien pour prendre vos repas avec les autres, non ? a dit l'infirmière. Nous sommes d'accord ?

Je, euh…, a dit Elf. Peut-être ?

Je suppose que oui, ai-je dit.

Je ne suis pas sûre, a dit Elf. Je ne vois pas la corrélation entre…

Ouais, ouais, ai-je dit. Le dîner. J'ai décoché un regard à Elf.

Absolument, a dit l'infirmière. Alors, plus de téléphone ? Elle me dévisageait. Plus de nourriture de l'extérieur ?

Entendu, ai-je dit. J'ai levé mes deux pouces en la gratifiant d'un large sourire.

L'infirmière est sortie et Elf et moi l'avons criblée de coups de feu imaginaires, l'avons fait sauter à coups de M16 comme nous le faisions, petites, quand le *burgermeister* débarquait à la maison pour dire à mes parents quelles Jézabel nous étions. Nous avons cessé le feu et nous nous sommes regardées.

Tu te souviens de la fois où tu es venue me sauver dans ma chambre ? J'étais toute nue et coincée entre le lit et la commode.

Elf a hoché la tête. Tu répétais tes sauts périlleux.

Tu te souviens de la fois où on est allées faire de la planche à roulettes dans le tunnel de l'hôpital et où ces jeunes crétins m'ont enfermée dans la morgue et j'ai manqué à l'appel pendant quelque chose comme six heures et c'est toi qui m'as trouvée recroquevillée sur le truc en acier inoxydable où on fait des autopsies ?

Elf a souri et a dit oh non, parle pas de cette époque-là.

Pourquoi ? J'aime bien me souvenir de ça, moi, Elf. J'aime me rappeler que tu m'as sauvée.

Yoli, a gémi Elf. Parlons de maintenant. Raconte-moi Toronto, a-t-elle dit. Elle avait des larmes dans les yeux.

Je lui ai dit que je faisais enlever mon tatouage. Nous avions le même, Dan et moi. Nous les avions fait faire à Winnipeg par un motard de la banlieue nord, au début de nos fréquentations. Et que la procédure d'élimination était plus douloureuse que je l'avais prévu et que, dans les circonstances, je me délectais de la souffrance, l'accueillais à bras ouverts. C'était pour moi une sorte d'expiation. Le motard qui nous avait tatoués était membre des Warriors du Manitoba et il vivait dans une maison avec une porte blindée qui s'ouvrait seulement de l'intérieur. Attends, a-t-elle dit, mais comment il faisait pour entrer chez lui ? Je sais pas, ai-je dit.

J'ai dit à Elf que je lui avais donné vingt dollars et un sac de marijuana en échange du tatouage et que je m'apprêtais à verser mille dollars pour le faire enlever, que la procédure prendrait un an et demi parce qu'on pouvait seulement en effacer un petit bout à la fois, sinon ça laissait un cratère grand comme ça dans la chair. Je lui ai dit que le laser était comme un ruban élastique qu'on ferait claquer dans mon dos une centaine de fois environ. Il faut que je porte des lunettes protectrices. Après, on met du Polysporin et un pansement et on me donne un bonbon à la menthe et on me dit de ne pas prendre de douche et d'éviter l'exercice pendant deux jours et de continuer à mettre du Polysporin et des pansements frais deux fois par jour pendant une semaine. Inutile de dire que je ne fais rien de tout ça.

Me tournant sur la chaise, j'ai soulevé mon chemisier pour faire voir à Elf l'empreinte de plus en plus pâle de mon tatouage. Un bouffon, un arlequin à l'ancienne. Si je me souviens bien, cela voulait dire, je pense, que Dan et moi allions pourfendre l'hypocrisie et la duplicité du monde à grand renfort de plaisanteries et de magie. Elle a souri de nouveau et fermé les yeux. Elle a dit que ça la rendait triste. J'ai dit que ça me rendait triste, moi aussi, mais heureuse. J'ai poursuivi avec Toronto, les enfants, chaque anecdote prenant dans mon esprit la forme d'un chapiteau de cirque. Je lui ai parlé de mon infortunée vie amoureuse, du courriel que m'avait envoyé Finbar, l'avocat canon, pour m'informer que c'était fini entre nous, ma vie était trop intense, trop troublée, ma famille complètement cinglée, je vivais trop sur les nerfs. Il se retirait, mettait les voiles, quelque chose d'insipide de la même eau. Il me rejetait comme un de ces poissons qu'on capture pour le sport et non pour garder.

Et là, de but en blanc, comme le volcan de Pompéi, Elf m'a demandé si je l'emmènerais en Suisse.

SIX

« Il y avait, j'imagine, quelque chose d'une cascade impétueuse dans cette façon qu'avait Mary de se jeter tête la première dans la vie pour s'y briser. J'étais là, dans les rues de Paris, et je l'entendais gronder, visible de moi seul. »

C'est ce que dit Richard Holmes à propos de Mary Wollstonecraft, venue à Paris pour « couvrir » la Révolution française, dans son livre intitulé *Carnets d'un voyageur romantique*. Holmes suit le parcours – dans la vie et même après la mort – d'artistes à la personnalité difficile et tente de les comprendre et, par le fait même, de se comprendre lui-même. En ce moment, je lis désespérément ce livre, comme si j'allais y trouver, quelque part dans ses pages, la voie menant à l'unique sortie de l'enfer. Mon père et ma sœur nous suppliaient sans cesse de lire davantage, ma mère et moi : les livres nous aideraient à vivre, apaiseraient nos peines et nos douleurs avec des mots, toujours plus de mots. Mets tout ça par écrit, me conseillait mon père quand, en larmes, je venais lui faire part de telle ou telle menue injustice et tiens, lis ça, me disait ma sœur en me lançant tel ou tel pavé quand je lui posais une question, par exemple : la vie est-elle une plaisanterie ?

Ben, non, Elf, je ne veux pas t'emmener en Suisse.

S'il te plaît, Yoli, je te demande une dernière faveur. En fait, je te supplie de me l'accorder.

Non. Et dis pas « dernière faveur ». C'est trop morbide.

Tu m'aimes ?

Oui ! Justement !

Non, mais, Yo, si tu m'aimais vraiment...

Ça marche comme ça ? Il faut être atteint d'une maladie mortelle, non ?

C'est mon cas.

Non.

Si.

Ben, non, c'est faux.

Yolandi.

Elfrieda ! Tu veux que je t'emmène à l'abattoir en Suisse. T'as perdu la tête, oui ou merde ?

Yoli, a dit Elf. Elle chuchotait. Elle a articulé les mots *s'il te plaît* et j'ai détourné les yeux.

Elf était-elle atteinte d'une maladie mortelle ? Était-elle, depuis sa naissance, génétiquement programmée pour vouloir mourir, sa malédiction personnelle ? Les moments heureux de son passé, les sourires, les chansons, les câlins sincères, les rires, les poings levés en signe de triomphe n'avaient-ils été que des détours, de simples hiatus dans son désir inné de libération et de néant ?

Je me suis souvenue d'une chose que j'avais lue, après le suicide de mon père, dans le livre d'Al Alvarez intitulé *The Savage God.* Quelque chose au sujet des écrivains et des artistes qui avaient vécu et s'étaient suicidés sous le régime totalitaire de la Russie : « Et, de la même façon que nous nous inclinons devant leurs talents et leur lumineux souvenir, nous devons nous incliner, avec compassion, devant leur souffrance. »

J'ai demandé à Elf si elle songeait à des raisons de rester en vie ou si elle cherchait seulement une porte de sortie. Elle n'a pas répondu. Je lui ai demandé si ces forces s'affrontaient en permanence dans son esprit et elle a dit que, si c'était le cas, le combat était inégal, genre Rodney King contre le service de police de Los Angeles. Je lui ai demandé si elle avait une idée du vide que son absence créerait pour moi. Elle m'a regardée. Ses yeux se sont remplis de larmes. J'ai secoué la tête. Elle n'a rien dit. J'ai quitté la chambre. Puis elle a crié mon prénom et je me suis arrêtée. Quoi ? ai-je fait.

T'es pas une salope, a-t-elle dit. Les salopes, ça n'existe pas. Je t'ai rien appris ou quoi ?

Je suis allée au poste des infirmières et j'ai demandé à parler à Janice. Elle est sortie d'un petit bureau avec des tubes de peinture et des rouleaux de papier. Art-thérapie, a-t-elle expliqué. Les patients adorent. Ouais ? ai-je dit. Plusieurs d'entre eux s'expriment mieux avec ceci, a-t-elle dit en agitant les tubes, qu'avec la parole.

Elle m'a emmenée dans une pièce où il y avait une civière et un calendrier et une chaise en bon état. Elle a désigné la chaise et je me suis assise et elle s'est approchée et a mis la main sur mon épaule. J'ai pris de grandes inspirations. Elle m'a demandé comment j'allais. J'ai très longuement secoué la tête. Je suis restée là, assise, l'index sur les lèvres pour empêcher les mots de sortir, comme le faisait mon père, et je regardais le calendrier, toujours en mars alors qu'il aurait dû être en avril, en secouant la tête. Je me suis demandé si elle allait me proposer un tube de peinture et une feuille de papier. Elle a laissé sa main sur mon épaule. Enfin, je l'ai interrogée sur les pilules. Je lui ai demandé ce qu'elles contenaient. Quel en était l'ingrédient actif? Donnaient-elles à Elf le sentiment que la vie a un sens ou l'aplatissaient-elles au point où elle s'en moquait? Enjolivaient-elles ce qui occupait déjà son esprit et arrangeaient-elles tout, de sorte que, un beau matin, Elf bondirait du lit et crierait hourra! c'est vrai, la vie n'a pas de sens, mais ça ne fait rien, et maintenant que je le sais, que c'est confirmé et que je peux arrêter d'en chercher un, je vais continuer à vivre!

Janice m'a dit qu'elle n'en savait rien. Elle m'a dit que ça ne changeait pas grand-chose puisque, de toute façon, Elf refusait de les prendre. Ouais, ai-je dit, elle en prend à la poignée ou pas du tout. Janice, qui essayait de me réconforter, m'a tapoté l'épaule en me conseillant de rentrer et de dormir un peu.

Je lui ai dit que j'allais d'abord dire au revoir à Elf, mais elle m'a dit de m'en aller et qu'elle dirait à Elf que je repasserais bientôt. Mes yeux étaient rivés au calendrier et Janice, ayant suivi mon regard, s'est avancée et l'a mis à la bonne page.

Voilà une bonne chose de faite, a-t-elle dit, et j'ai dit oui, merci.

Par accident, j'ai descendu les marches jusqu'au sous-sol, un, deux, trois, quatre, ma petite vache a mal aux pattes, et j'ai fini par m'enfermer dans un tunnel. J'ai marché un moment en poussant des portes, mais aucune ne s'ouvrait. Je me suis demandé combien de temps on mettrait à me découvrir. J'ai jeté un coup d'œil à mon BlackBerry. Pas de connexion. J'ai vu des empreintes de pas peintes sur le sol en béton. Je les ai suivies. Elles m'ont conduite à une autre porte verrouillée. Je me suis assise dans le tunnel, mon sac en plastique de Safeway sur les genoux. J'ai examiné les gros tuyaux qui couraient le long du plafond. Puis j'ai sorti mon manuscrit et je l'ai tenu dans mes mains un moment. J'ai tiré à quelques reprises sur l'élastique qui retenait les feuilles et j'ai tout remis dans le sac. Je me suis demandé si je risquais de mourir de faim dans ce tunnel. Ironie. Elf serait embêtée, non ? Jalouse ? Une façon de lui rendre la monnaie de sa pièce ?

Je me suis relevée et j'ai marché dans le sens contraire des empreintes et j'ai trouvé une autre porte. Verrouillée, elle aussi. Je suis retournée à l'endroit où je m'étais assise en suivant de nouveau les empreintes, puis, un peu plus loin, je suis tombée sur un embranchement. J'ai pris à droite et j'ai marché jusqu'à une autre porte et j'ai poussé et celle-là s'est ouverte. J'ai abouti dans une cuisine industrielle ou peut-être à la morgue. Il y avait de l'acier inoxydable partout et la pièce bourdonnait, étincelait. Je l'ai traversée et, derrière une autre porte, j'ai trouvé la salle d'attente des urgences. Un policier montait la garde sur quelque chose. Je ne sais pas ce que c'était, mais il m'a ordonné de me laver les mains. Je lui ai dit qu'elles n'étaient pas sales et il a répondu qu'il avait reçu l'ordre d'obliger tout le monde à se laver les mains. Il a montré une station de lavage des mains qu'on venait d'aménager. Je lui ai demandé s'il pouvait tenir mon sac pendant une minute et il a hoché la tête et pris le sac. Je me suis lavé les mains très lentement, avec application, et j'ai jeté un coup d'œil au policier qui tenait mon manuscrit, lequel m'a semblé en sécurité. J'aurais voulu le laisser là, mais je me suis séché les mains et j'ai repris le sac et j'ai remercié le policier de l'avoir tenu et je suis sortie dans le mauvais parking à la recherche de la voiture de ma mère.

À l'occasion, je m'assieds dans la voiture de ma mère et je serre le volant le plus fort possible, au point de faire blanchir mes jointures, et je dis *Elllllfffff* jusqu'au bout de mon souffle. D'un coup de poing, je ferais un trou dans le pare-brise si je n'avais pas peur de me fracturer la main. Et de créer un affreux cauchemar avec les assurances et un sacré courant d'air en hiver. Petite, j'avais l'habitude de m'asseoir sur mon vélo posé sur sa béquille et, n'allant nulle part, j'essayais des gros mots inédits. Je les marmonnais tout bas, à répétition, jusqu'à ce qu'ils perdent leur mordant et deviennent aussi ridicules que l'ancien mantra d'Elf, *amour*. Le coup de la voiture, c'est la même idée. C'est comme une expérience avec groupe témoin. Mon propre laboratoire de rage mobile. À force de répéter les mêmes choses, encore et encore, elles vont finir par ne plus rien dire et ma colère va se dissiper. Veux-tu bien me dire à quoi tu joues, Elf, merde ? Je me sens en sécurité dans la voiture, seule et protégée. Je vois des gens aller et venir dans le stationnement, mais eux ne me voient pas. En fait, ils me voient et ils me prennent pour une folle et ils détournent les yeux, ce qui, de mon point de vue, revient à être invisible.

En rentrant du travail, Nic s'est arrêté prendre une bière avec moi. Il m'a dit qu'il avait été incapable de joindre un quelconque membre de l'équipe de soins, sauf une travailleuse sociale qui lui a dit qu'elle n'était pas certaine qu'on dispose encore de fonds pour ce genre de services. Nic lui a dit qu'il prendrait à sa charge le salaire de cette équipe de gardes du corps. La travailleuse sociale n'était pas certaine que c'était le mode de fonctionnement prévu et Nic lui a demandé de l'éclairer alors sur le mode de fonctionnement prévu. Il m'a parlé de son kayak, de l'avancement de son projet. Il avait besoin de boulons spéciaux qu'on lui enverrait de Minneapolis par la poste. Il était relativement sûr de pouvoir s'élancer sur la rivière en mai. Mais c'est peut-être futile, lui ai-je dit. De la faire surveiller à chaque seconde de chaque jour. Il m'a donné raison, mais qu'est-ce qu'il faut faire alors ?

Nous avons bu nos bières. Il m'a dit qu'il avait reçu le livre qu'Elf avait commandé. *Exit final*, l'ouvrage qui vous apprend à vous tuer avec des sacs en plastique et je ne sais pas quoi d'autre. J'ai dit mon Dieu, jette-moi ça à la poubelle ! Il a dit que c'était impossible, que ce serait empiéter sur la vie privée d'Elf, brimer ses libertés et ses droits. On peut pas jeter le courrier de quelqu'un. J'ai discuté avec lui pendant un moment et il a dit qu'il pourrait peut-être le cacher dans un placard jusqu'à ce qu'elle cesse d'avoir des idées suicidaires. Et ensuite ? ai-je demandé. Tu vas le sortir de sa cachette et le lui offrir comme cadeau d'anniversaire ? Fous-moi cette merde dans les ordures, ai-je dit. Je ne peux pas jeter des livres, a-t-il dit. Même un livre comme ça. J'ai dit d'accord, dans ce cas-là, renvoie-le à Amazon ou là d'où il vient. Mais il n'est pas à moi, a-t-il dit. D'accord, laisse-moi m'en occuper, ai-je dit. Il a dit qu'il ne pouvait pas, que ce ne serait pas bien.

Oh mon Dieu, nous nous disputons, Nic et moi. Nous ne voulons pas nous disputer. Ou encore nous voulons nous disputer pour avoir l'impression de faire quelque chose, de progresser, de régler des problèmes. Nic et moi abordons la tâche qui consiste à garder Elf en vie sous deux angles complètement différents : un laboratoire stérile et la face cachée de la Lune. Nic est un pragmatique, un scientifique qui croit aux ordonnances, aux ordres des médecins et à leur omnipotence.

L'une de mes idées les plus récentes pour sauver la vie d'Elf consisterait à la parachuter dans un lieu exotique et brutal, Mogadiscio ou la Corée du Nord, par exemple, où elle serait forcée de survivre par elle-même comme jamais auparavant. C'était un pari risqué. Elle se jetterait peut-être devant un enfant soldat et elle se ferait descendre et ce serait la fin des haricots ou encore elle aurait une illumination et comprendrait tout d'un coup ce que ça signifie d'être en vie et ce qu'il faut faire pour rester en vie. Ses glandes surrénales se mettraient à faire des heures supplémentaires et elle serait soulevée, stimulée, traquée et chercherait désespérément à déjouer l'ennemi. Elle serait abandonnée à elle-même dans cet environnement violent, malgré la précaution que j'aurais prise de fixer une caméra sur le côté de sa tête ou quelque chose du genre pour la suivre en direct dans ses déplacements. Lorsque j'aurais la certitude qu'elle avait défini de nouveaux paramètres pour son existence, découvert une nouvelle stratégie de vie, comme l'avait dit mon père deux ou trois jours avant de mettre un terme à la sienne, que le défi, le jeu de la survie, lui avait donné des ailes, qu'elle avait enfin compris que, comme une personne normale, voyez-vous ça, elle n'avait pas vraiment envie de mourir, je la ferais évacuer par hélicoptère et nous pourrions continuer comme avant, rire, marcher, respirer, aller au spa pour un pédicure, caresser des projets pour la semaine prochaine et Noël et le printemps et la vieillesse. Nic, lui, préfère miser sur la médication et l'exercice physique et il est son aidant principal, son plus proche parent, alors Elf ne risque pas de sitôt d'être larguée d'un avion dans les faubourgs de Mogadiscio avec, pour tout équipement, la chemise qu'elle a sur le dos et une caméra fixée à sa tête.

Nos regards errent sur les banquettes rouges du restaurant et nous buvons nos bières et nous nous posons des questions et nous réfléchissons. Nous avons cessé de nous disputer. Je dis à Nic que Claudio m'a téléphoné à l'hôpital et qu'il se doute de quelque chose. L'un de nous doit impérativement le rappeler. Nic soupire et dit ouais, il le sait bien, mais que se passera-t-il si elle change d'idée et je lui rappelle qu'elle a dit des millions de fois que cette tournée était au-dessus de ses forces et Nic dit ouais, elle répète toujours ça et elle finit par faire la fichue tournée et le monde lui appartient de nouveau. Mais seulement parce qu'elle est passée au travers, dis-je. Et ce n'est pas long avant qu'elle se rende compte qu'elle ne voulait pas qu'on la sauve, au fond. Je pense que sa vie s'arrêtera le jour où elle ne pourra plus jouer.

Ouais, dit Nic. Ben, il m'appelle, moi aussi. Je ne réponds pas. Mais je me sens coupable.

C'est tellement tranquille, dans ce restaurant. Je demande à Nic s'il a lui aussi l'impression que la Terre tourne sur son axe. Il me rappelle que nous sommes dans un restaurant tournant au sommet de Fort Garry Place à

Winnipeg, au Manitoba, province du Canada, et qu'on est aujourd'hui telle ou telle date. Je le remercie. Je m'excuse de lui avoir fait des misères à propos du coup de fil et du livre et il balaie mes excuses d'un geste de la main et dit non, non. Je veux le serrer dans mes bras. Je veux le remercier d'aimer ma sœur ainsi que ses droits et libertés. Je lui demande si le serveur va arrêter ce truc, l'immeuble je veux dire, pour nous laisser descendre et il répond ouais, y a sûrement un interrupteur quelque part. Sinon, on n'a qu'à agiter les bras en l'air et à hurler plus vite, dis-je. Nous jouons au souque à la corde pour l'addition. Je m'en charge. Non, c'est moi. Nous sortons dans ce qui a toutes les apparences d'une tornade – ah, le vent des prairies – et Nic me dit que, dans les jours et les semaines suivant mon retour à Toronto, Elf a adopté un nouveau mantra.

C'est quoi ? lui demandé-je.

Yolandi, répond-il.

Moi ? Tu veux dire mon prénom ?

À la blague, elle disait qu'elle réussirait peut-être à te ressusciter par la seule force de sa volonté.

J'étais à Toronto, dis-je. Je n'étais pas morte. D'ailleurs, elle m'a dit que ses mantras sombraient inévitablement dans l'insignifiance et qu'ils commençaient ensuite à la terrifier. Et voilà que je combats de nouveau les larmes. Et que je m'excuse une fois de plus auprès de Nic. Et il me dit qu'Elf pense la même chose des jours, des jours qui recommencent sans cesse, le soleil se lève, les oiseaux se mettent à chanter, il y a un moment où tout est possible, un moment d'espoir extrêmement douloureux, et puis c'est fini, tout s'assombrit, le jour est juste un pétard mouillé, encore un. Rien ne nous délivre du tourment des jours. C'est la répétition des jours qui la tue ? demandé-je. Nic soupire. Il ne sait pas. Je trébuche sur le trottoir inégal et je jure. Il m'attrape par le coude. Deux garçons passent à côté de nous avec un canot sur la tête. Nous imaginons qu'il s'agit de garçons, mais nous voyons seulement leurs mollets poilus et leurs sneakers en ruine, des shorts de basket trop grands et des dos nus. Pas de têtes ni de bras. D'après la quantité de poils et le volume des muscles de leurs mollets et la finesse de leur taille, je dirais qu'ils ont quatorze ou quinze ans.

À votre place, je mettrais pas ce canot à l'eau, leur lance Nic. C'est trop dangereux.

Les garçons s'immobilisent et font gauchement demi-tour, canot compris, pour écouter ce que Nic a à dire.

C'est pas le projet, dit l'un d'eux. Quatre jambes brunes supportant un canot : ils forment une table de designer, un objet étrange et magnifique.

Sans blague, dit Nic. La rivière est déchaînée, en ce moment. Elle coule à une vitesse de 380 mètres cubes à la seconde et elle charrie encore des blocs de glace.

Les garçons ne disent rien, mais le canot se déplace un peu et nous les entendons, en dessous, marmonner doucement entre eux.

Faites pas ça, répète Nic. Dans une semaine ou deux, peut-être. Puis soudain, d'un magnifique geste fluide, les garçons soulèvent le canot et le retournent comme une crêpe et le posent sur le boulevard herbeux, à côté du trottoir.

Oh, salut, fait Nic. Je les salue de la main et leur souris. Les garçons, jeunes et fatigués, font triste figure.

Vers l'aval ? demande l'un d'eux, et Nic secoue énergiquement la tête.

Non, non, ni dans un sens ni dans l'autre. Pour le moment, tenez-vous loin de la rivière. Y a le feu ?

Les garçons nous disent qu'ils veulent se rendre à la réserve de Roseau River.

C'est à des kilomètres d'ici, dit Nic. Près de la frontière américaine, non ?

On est au courant, dit l'un des garçons. C'est de là qu'on vient.

Les garçons nous disent qu'ils veulent rentrer chez eux, auprès de leur vraie mère. On les a placés ici et ils détestent ça et les parents d'accueil les battent et les laissent crever de faim et des Warriors essaient de les recruter dans leur gang et ils rentrent chez eux, fin de l'histoire.

Nous avons une situation, comme diraient les policiers. Ni moi ni Nic ne savons ce qu'il faut dire ou faire. Les garçons haussent les épaules et marmonnent entre eux, puis ils reprennent leur canot en le faisant basculer sur leurs épaules.

Vous avez pas de vestes de sauvetage, dis-je. Les garçons m'ignorent.

Ouais, dit Nic. Écoutez. Attendez. Les garçons s'éloignent déjà. Ils s'arrêtent, sans déposer le canot. Nous nous avançons, Nic et moi, et nous nous plantons près d'eux, le canot faisant comme l'écran d'un confessionnal entre eux et nous.

Vous pouvez pas faire ça, les gars, dit Nic à l'avant, ou à la proue, du canot. Il parle d'une voix grave et sévère, *mano a mano*. Rien. Les garçons respirent en silence et, sur eux, le canot tangue légèrement. Nic demande si quelqu'un les attend à Roseau River.

Ouais, tout le monde. Je pense que c'est la voix du plus petit des deux. On vit là-bas.

OK, alors voici ce qu'on va faire. Je vais vous donner de quoi acheter deux billets d'autocar pour Roseau River et vous me laissez le canot. Je vais l'attacher à ma voiture et le garder chez moi et vous pourrez le prendre quand vous voudrez, quand vous serez de retour en ville, n'importe quand. Je vais vous donner mon adresse. Combien coûtent deux billets d'autocar pour Roseau River ? demande-t-il.

Pas de réponse sous le canot.

Écoutez, dit Nic. Je vais aller chercher ma voiture, là, tout de suite, et revenir ici. Alors attendez-moi. Tu veux bien leur écrire mon adresse, Yoli ?

Probablement une vingtaine de dollars, dit l'un des garçons. Vingt dollars chacun. Nic part chercher sa voiture et les garçons reposent le canot dans l'herbe et s'asseyent dessus pour attendre.

Alors, c'est comment, Roseau River ? demandé-je. Les garçons haussent les épaules et regardent du côté de la rivière. Je suis en train de noter l'adresse de Nic sur un bout de papier lorsque celui-ci s'avance et se range sur le côté. Il donne aux garçons un peu d'argent, assez pour prendre l'autobus jusqu'à Roseau River.

Vous voulez qu'on vous dépose à la gare d'autocars ? propose-t-il. Le plus petit dit OK, mais le plus vieux fait nan, on va s'y rendre par nos propres moyens. Il se penche pour prendre l'argent de Nic et ils se tournent vers l'intersection de Portage et de Main, s'éloignant de la rivière.

Hé, attendez, dis-je, vous aurez besoin de cette

adresse. Je cours derrière eux et donne à l'un des garçons une page arrachée de mon calepin. Il l'examine un moment et la glisse dans sa poche et dit viens à l'autre garçon et ils se mettent en route vers un endroit qui, dans leurs souvenirs, est préférable à celui où ils se trouvent en ce moment.

Tu crois qu'ils vont acheter des billets d'autocar ? demandé-je à Nic. Nous roulons vers sa maison, le canot fixé au toit de la voiture.

Qui sait ? répond Nic, mais il était pas question que je les laisse mettre ce truc à l'eau.

Tu penses qu'ils vont venir le récupérer ?

Probablement pas, dit Nic, mais je l'espère. Ils l'ont peut-être emprunté, si tu vois ce que je veux dire.

Tu leur as sauvé la vie, dis-je, et Nic écarte la remarque d'un geste, comme il l'a fait pour l'addition au restaurant, comme il le fait pour toute affirmation ampoulée et impossible à vérifier en laboratoire. Mon téléphone sonne et je lis un texto de Nora : *Bannie genre à vie de chez Winners pour un combat d'échantillons avec Mercedes. Will a déchiré la moustiquaire pour entrer dans la maison par effraction. Avait pas sa clé. Xxxxoooo.*

Je parlemente avec un policier. Je me suis fait arrêter rue Sherbrook pour avoir texté au volant. Je me rends chez Julie pour prendre un petit café rapide avant d'aller chercher ma mère à l'aéroport. Quelqu'un qui mérite que vous risquiez votre vie et votre portefeuille, je présume ? dit le policier. Portefeuille ? répété-je. Euh, ben, oui, ma fille. Il fallait juste que je lui envoie un petit mot rapido. Mais bon, désolée, la loi, c'est la loi, et tout ça. Combien ?

Eh bien, fait le policier, nous espérons que les automobilistes retiendront autre chose d'une leçon comme celle-ci que la sévérité de l'amende. C'est une amende administrative, symbolique, mais l'infraction est grave, potentiellement.

C'est vrai, dis-je, euh... Combien ?

Il réclame les papiers d'immatriculation de la voiture et en les voyant – c'est la voiture de ma mère – il s'écrie ça parle au diable ! Je joue au scrabble avec Lottie au club Waverley. Tu es sa fille ? Je souris aussi et dis ouais, l'une des deux. Résultat, le policier prend dix minutes pour me dire qu'il est fou de ma mère – elle me bat à plate couture, ma vieille, t'as pas idée, c'est chaque fois la même chose ! T'as déjà vu un vocabulaire pareil ? –, puis il sort son carnet pour me donner une contravention. Je fais mon travail, c'est tout, dit-il. Tu sais, toi, mon pote, t'es un trouduc, dis-je. Sept lettres, soit dit en passant, t-r-o-u-d-u-c, un scrabble pas piqué des vers.

Le policier passe sa tête par la vitre ouverte. Il faut pas traiter les policiers de trouducs, tu sais. On le dirait contrit. Nous nous entendons enfin : il me donne seulement un avertissement et en échange je promets de me ranger sur le côté pour texter et je ne dirai pas à ma mère qu'il s'est comporté en malotru.

Je sens déjà qu'elle me regarde un peu de haut à cause de mon travail, dit-il. Elle a un sacré problème avec l'autorité, ma vieille. T'as remarqué ?

Ce soir, je vais passer prendre ma mère à l'aéroport. Elle aura emprunté un bateau, un train, un avion, un taxi et un autre avion et une voiture pour rentrer. Je les vois dans ma tête, toutes les étapes de son voyage, et les efforts qu'elle déploie pour revenir auprès de nous me procurent un certain réconfort.

Assises bien peinardes sur le perron derrière sa maison, Julie et moi nous amusons à observer les pitreries d'Ombre, le chien familial qu'elle a en garde partagée avec ses enfants. Elle nous a préparé des *smoothies* avec de la menthe de son jardin et nous mangeons des pirojkis et de la salade qu'elle a réussi par magie à préparer dans sa cuisine chaotique où il y a des vélos et des guitares. Autrefois, elle jouait de la basse dans un groupe appelé Fils et Amants. Elle vient d'acheter cette maison et s'emploie à la retaper. Elle me fait voir le godemiché qu'elle a découvert derrière une armoire dans la salle de bains.

Je vais fumer un cigare, dit-elle. Dis rien à Judson. Judson, c'est le type avec qui elle sort par intermittence depuis qu'elle a quitté son mari. Faut pas que je fume. Il dit que c'est une des conditions de notre relation.

Nous rions. Nous sommes fatiguées. Trop fatiguées pour dénoncer les conditions.

Ombre est trop vieux et trop arthritique pour courir, mais il est encore très excité à l'idée de courir et Julie a donc inventé un jeu qu'elle appelle Courir pour Ombre et qui va comme suit : elle crie « remise » ou « clôture » et court elle-même jusqu'à la remise ou à la clôture, tandis que le chien reste assis dans la cour et jappe frénétiquement. Quand Julie n'en peut plus de jouer à Courir pour Ombre, elle se laisse tomber sur le perron à côté de moi et finit son cigare.

Tu crois que tu souffres encore à cause de tes

grands-parents qui ont été massacrés en Russie ? lui demandé-je.

Je souffre encore, moi ? fait-elle. C'était seulement ma grand-mère. Elle n'a pas pu courir parce qu'elle était enceinte de neuf mois. Mon grand-père s'est enfui avec les autres enfants.

Tu penses que ces choses-là nous affectent encore aujourd'hui ?

Elle hausse les épaules et tire une longue bouffée de son cigare illicite.

SEPT

Longs câlins à l'aéroport. Elle m'a manqué, je lui ai manqué. L'une de nous est légèrement bronzée et sent la noix de coco et porte un t-shirt sur lequel il y a un jeton de scrabble avec la lettre P. Nous ne savons pas ce que nous réserve l'avenir. Ça sent la peur et je me rends compte que cette odeur vient de moi. J'ai l'impression de manquer de peau, comme si étaient exposées des parties de moi qui devraient être couvertes. Et nous nous étreignons plus longtemps que d'habitude. En route vers la maison, nous nous arrêtons chez Nic, il est trop tard pour passer voir Elf à l'hôpital, et ma mère me fait le récit de sa plus récente aventure en haute mer et nous rions beaucoup, trop, et Nic s'assied sur le banc de piano d'Elf pendant que nous bavardons et, de temps en temps, il joue quelques notes discordantes et ensuite nous rentrons nous coucher. Mais il se passe une chose bizarre durant la nuit. Je rêve d'Elf. On l'a laissée sortir de l'hôpital, mais personne ne sait où elle est. Elle n'est pas chez elle. Nous ne parvenons pas à la joindre. Puis je rêve que de hautes herbes soyeuses poussent partout dans ma maison. Elles montent par les escaliers. Je ne sais pas comment m'en débarrasser et je suis inquiète. Puis, dans mon rêve, la solution s'impose à moi : ne rien faire. Et, aussitôt, l'angoisse s'évanouit et je suis en paix. Je rêve aussi que j'ai un ange de pierre comme celui de Margaret Laurence, le même, et je dois veiller sur lui, le garder en sécurité, au chaud. Dans mon rêve, l'ange de pierre dort avec moi dans mon lit, la couverture remontée jusqu'au menton, les yeux perpétuellement rivés au plafond.

Je me réveille et je téléphone au poste des infirmières à l'hôpital et je demande si Elf est encore là. On me dit que oui. Je reste couchée pendant un moment à écouter les glaces qui craquent et j'entends ma mère aller et venir dans le séjour. Je me lève pour voir si elle va bien. En m'apercevant, elle dit qu'elle souffre du décalage horaire et n'arrive pas à dormir. Assise à la table de la salle à manger, elle joue au scrabble en ligne avec un inconnu en Écosse. Je lui dis que j'ai fait la connaissance de son ami policier et elle fronce les sourcils. Il a de l'ambition, dit-elle. À ses yeux, avoir de l'ambition, c'est s'abaisser au maximum. J'entends une trompette annoncer le début d'une nouvelle partie. La sainte Bible, celle du roi Jacques, est posée sur la table, à côté de son ordinateur. Je lui demande si elle lit la Bible ces temps-ci et elle répond ouais, ben, tu sais, avec tout ça... Elle esquisse un geste dédaigneux. Je crois comprendre qu'elle veut dire : cette vie. Elle me dit qu'elle a essayé de lire *Psaumes 1*, mais que ça ne lui a pas plu. Elle n'aime pas qu'il soit toujours question des méchants qui sont comme la paille que le vent dissipe, alors à la place elle a lu *Proverbes 1*, mais elle n'aime pas beaucoup ce livre-là non plus. Il ne lui plaît pas qu'on lui ordonne de chercher la connaissance et la sagesse parce que... c'est une évidence !

Si elle lit la Bible en ce moment, me dit-elle, c'est uniquement parce qu'elle est en communication avec sa sœur morte, Mary, qui, du fond de son cercueil, j'ignore comment, lui a indiqué qu'elle devait lire la Bible plus souvent. Je hoche la tête et dis à ma mère de saluer tante Mary de ma part la prochaine fois qu'elles feront un brin de causette. Je me demande si c'est seulement pour cette raison que ma mère lit la Bible ou si, cette nuit, elle a besoin d'espoir et de réconfort et mise sur sa plus vieille amie, la foi.

Je lui demande si elle a envie de jouer quelques parties de Dutch Blitz, le seul jeu de cartes approuvé par les mennonites : au lieu d'images qui connotent le péché comme les trèfles et les cœurs et les carreaux et les piques, on trouve sur les cartes des charrues et des seaux et des charrettes et des pompes et il s'agit d'un jeu axé sur la vitesse et la concentration, et non sur la ruse, et quand ma mère sourit la pièce s'illumine.

Ma mère est assise sur la chaise orange déchirée et je suis perchée au bord du lit d'Elf. Couchée, Elf sourit, ses points de suture se sont résorbés, elle s'est lavé le visage et brossé les cheveux. Selon Janice, il y a eu un changement. Ce matin-là, nous dit-elle, elle a eu une longue conversation avec Elf, qui montre des signes d'amélioration. Ma mère demande ce qu'elle entend par « amélioration » et Janice répond qu'Elf a mangé son petit déjeuner et pris ses pilules. Par le passé, ma mère se serait réjouie de ces infimes victoires, mais, aujourd'hui, elle hoche la tête et dit hmm, donc elle fait ce qu'on lui demande. Je sais que cette nouvelle n'enchante pas ma mère. Elle croit à la bagarre, aux étincelles et au pugilat, et non à la simple soumission. Bien sûr, elle veut que ma sœur mange et prenne ses médicaments. Mais elle voudrait qu'Elf le fasse de son plein gré.

Je ne sais pas exactement ce qui est arrivé, nous dit Elf, mais, en me réveillant, j'ai eu l'impression d'être différente. Je pense que je suis prête pour la tournée. Je vais téléphoner à Claudio. Je veux recommencer à jouer au tennis. Et nous allons peut-être déménager à Paris, Nic et moi.

Si on cherche une réaction différée digne de figurer dans une anthologie, c'est la nôtre : entre les mots de ma sœur et notre réaction à ma mère et à moi, il y a un vaste espace désert semblable aux Badlands, un no man's land, des univers entiers. Ma mère et ma sœur se sourient comme si elles participaient à un concours et je me pétrifie. Tactique dilatoire, me dis-je. Je regarde par la fenêtre et je songe aux similitudes qu'il y a entre écrire et sauver une vie et à l'inévitable échec de l'imagination et des ambitions de qui cherche à créer un personnage ou une vie digne d'être sauvée. Dans la vie comme dans l'écriture comme dans tout type de création qui vise à être un succès, à être connue et inspirante.

Ah bon? dis-je. Paris? C'est génial, Elf. J'arrive pas à y croire.

Moi non plus, dit Melanie, sa compagne de chambre, derrière le rideau.

Elf se tourne vers le rideau et dit veux-tu bien te mêler de tes affaires s'il te plaît et Melanie répond qu'elle n'est pas là par affaires.

Je les laisse toutes les deux et je sors dans le couloir où, en me traînant les pieds à la manière d'un forçat, je me dirige vers l'alcôve qui est rapidement devenue mon recoin favori. Là, je peux m'asseoir et baisser les yeux sur le stationnement et les champs au-delà. Nous avons le choix, me dis-je. Nous pouvons prendre cela pour argent comptant, comme on dit, et espérer. Ou nous pouvons réunir dès maintenant cette équipe hypothétique parce qu'elle rentre à la maison. Je le sais. On va la laisser sortir. Je sais que, si elle observe les règles et dit aux infirmières et aux médecins qu'elle se sent bien, optimiste, pas suicidaire pour deux sous – vous voulez rire ? moi, renoncer à la majesté de tout ceci ? –, elle sera de retour chez elle à temps pour le repas de ce soir.

Je téléphone à Nic et il ne répond pas. Je me rends au poste des infirmières, où on m'apprend que Janice est en pause. Je demande à l'infirmière si Elf recevra son congé aujourd'hui et elle répond qui c'est, Elf ? Et je dis Elfrieda Von Riesen et l'infirmière dit qu'elle ne sait pas et qu'on ne lui a rien dit.

Je reviens dans la chambre d'Elf et je découvre ma mère qui chante une chanson en *plautdietsch*. Ça s'intitule *Du*, c'est-à-dire « Tu ». Elf lui tient la main. C'est une chanson où il est question de l'amour qui dure toujours, malgré la douleur causée par un amour si profond, une chanson qu'elle nous chantait quand nous étions petites.

Puis les événements se bousculent. Janice revient dans la chambre d'Elf. Elle sourit et nous salue et dit qu'Elf va probablement rentrer chez elle aujourd'hui, dès que le docteur l'aura vue et lui aura donné le feu vert. J'imagine le médecin dans la peau de Ben Kenobi, qui tend un sabre à Elf. À l'unisson, ma mère et moi disons super, génial, fantastique. Elf sourit à Janice avec reconnaissance.

Janice s'assied à côté d'elle sur le lit et lui demande si elle se sent vraiment assez bien pour rentrer. Nous savons toutes ce que ça signifie. Elf répond oui, absolument, elle veut retrouver Nic et sa vraie vie. Elle se peigne avec ses doigts. Elle est disposée à prendre ses médicaments et fixera un rendez-vous avec son psy pour un suivi. Elle est prête. Et elle apprécie tout ce qu'on a fait pour elle pendant son séjour. On dirait qu'elle est aux Oscars et qu'elle récite un laïus appris par cœur. Je l'embrasse sur la joue et je dis yé, c'est génial. Génial. Ma mère reste assise sans bruit, la main sur le cœur, les yeux écarquillés.

Je suis paniquée et désorientée. Janice dit qu'elle va nous laisser seules un moment, le temps qu'Elf fasse ses bagages, et je la suis dans le couloir. Je lui demande si c'est vraiment une bonne idée qu'Elf rentre chez elle et elle me répond que oui et qu'elle n'a pas le choix. Elf a été hospitalisée de son plein gré, pas contre sa volonté, et elle peut donc partir quand bon lui semble. Je lui demande si ce n'est pas trop tôt et Janice répond qu'il est très important d'habiliter les patients en les laissant prendre de grandes décisions.

Ben, dis-je, décider de se tuer serait une grande décision et personne veut qu'elle la prenne, celle-là, pas vrai? Janice est d'accord et comprend où je veux en venir, mais elle a les mains liées. Et on a vraiment besoin de ce lit. Et laissons-lui le bénéfice du doute. Voyons ce qui arrivera, dit-elle. Et elle se dit optimiste. Elle ajoute qu'Elf veut jouer au tennis avec moi dès qu'il fera un peu plus doux et je ne sais pas quoi répondre.

J'essaie encore d'avoir Nic au téléphone et cette fois il répond. Je lui dis qu'Elf rentre aujourd'hui et il est étonné. On ne lui a rien dit. Alors qu'est-ce qu'on fait? demandé-je et il répond qu'il rappelle tout de suite cette personne à propos de l'équipe. Il dit qu'il va quitter le travail plus tôt et arrêter faire des courses et nous retrouver à la maison en fin d'après-midi.

Je retourne dans la chambre d'Elf, qui est debout et cherche ses vêtements. Je l'aide à caser quelques affaires dans un sac en plastique et je me rends compte que j'ai égaré mon sac en plastique à moi, celui dans lequel il y a mon manuscrit, mais je suis étrangement calme et je me dis, pas de problème, OK, ça va.

Mais à ce moment ma mère fait hé, Yoli, c'est à toi, ça ? Elle était assise dessus. Elle jette un coup d'œil à l'intérieur et dit oh, c'est ton nouveau truc ? et je réponds ouais et elle me demande combien de mots j'ai écrits. Pour une raison que j'ignore, la question me fait rire. Je secoue la tête. Elf lui dit que la première lettre est carrément géniale. Ma mère, souriante, attend une réponse. Je n'en ai pas. Elle m'entraîne dans le couloir, une main au creux de mon dos. Elle est si petite et sent si bon le lait de coco. Elle me serre dans ses bras, là, dans le couloir, et me dit que tout ira bien. J'aime bien qu'elle me répète ces mots une fois de plus, mais je me demande parfois si elle me prend pour une imbécile. Quoi qu'il en soit, elle est ma mère, et c'est ce que disent les mères. Bob Marley aussi, mais lui il dit que ce sont les *petites* choses qui iront bien et la nuance me semble importante, même s'il cherchait seulement à avoir le bon nombre de syllabes pour aller avec la musique. Je me souviens d'avoir fredonné le refrain encore et encore, de m'être endormie avec ces paroles dans les jours qui ont précédé celui où mon père s'est mis à genoux devant un train rapide.

Ce soir, nous célébrons le retour d'Elf avec des plats indiens bien relevés et du bon vin et l'armagnac spécial de Nic, celui que ma mère lui a offert pour Noël il y a deux ans. Elf, un peu timide, sourit, resplendissante et sereine, comme si elle seule connaissait la réponse à l'énigme du Sphinx. Ses mains tremblent seulement un peu et elle porte une écharpe rose pâle autour du cou. Elle a mis un peu de maquillage sur la cicatrice au-dessus de son œil. Son pantalon est trop grand pour elle, mais Nic lui a fabriqué une sorte de ceinture dernier cri avec un bout de corde. Nic est ravi de son retour. Il l'appelle mon amour et ma chérie. Ma mère l'appelle mon p'tit cœur en sucre. Là, tout de suite, je voudrais faire passer à Elf un mot disant nous avons promis, mais je n'ai pas de marqueur assez gros pour communiquer mon message. Nic parle littérature chinoise et apprentissage du mandarin, et Elf feuillette un roman qu'il a sorti pour elle de la bibliothèque. Il n'est question ni de Paris ni de tennis.

Écoute ! ai-je envie de lui crier. Si quelqu'un doit se tuer, c'est moi. Je suis une mauvaise mère, moi qui ai quitté le père d'un de mes enfants et aussi le père de l'autre. Je suis une mauvaise femme parce que je couche avec un autre homme. Des hommes. Je m'enlise dans une non-carrière agonisante. Regarde ce foyer magnifique et l'homme adorant qui t'y adore ! Toutes les grandes villes du monde jettent allègrement des milliers de dollars à tes pieds pour t'entendre jouer du piano et tous les hommes que tu croises tombent éperdument amoureux de toi et sont hantés par toi jusqu'à la fin de leurs jours. Si tu es prête à l'abandonner, c'est peut-être parce que ta vie est la perfection même. Que te reste-t-il à accomplir ? Mais j'ai du mal à établir un contact visuel avec Elfrieda. Elle ne me regarde pas. Elle lève à peine les yeux du roman que Nic lui a refilé.

Ma mère est fatiguée depuis son retour, et de manière générale depuis le début de l'ère chrétienne, mais aussi revigorée et heureuse de voir Elf de retour chez elle. Apparemment, elle s'est perdue en mer cette fois-ci encore. Ça lui arrive chaque fois qu'elle va au bord de l'océan. Sur le dos, elle profite du soleil et se laisse bercer par les vagues et s'éloigne trop du rivage et doit être secourue. Elle ne panique pas du tout, se laisse lentement dériver et attend qu'on l'aperçoive là-bas au loin ou qu'on remarque son absence. Sa grande affaire, c'est d'aller au-delà des brisants, où tout est calme, où elle peut flotter sous le clair de lune, au large. C'est son plus grand plaisir. Notre famille tente d'échapper à tout, d'un seul coup, même à la gravité, même au rivage. Nous ne savons même pas ce que nous fuyons. Peut-être sommes-nous seulement des âmes inquiètes. Peut-être sommes-nous des aventuriers. Peut-être sommes-nous terrifiés. Peut-être sommes-nous des fous. Peut-être la planète Terre n'est-elle pas notre vrai foyer. En Jamaïque, trois pêcheurs au torse nu ont remorqué ma mère, hilare, jusqu'à la rive : elle était tombée d'un bateau banane et n'arrivait plus à y remonter.

Nic va dans la cuisine nous chercher à boire et je le suis. Et l'équipe ? dis-je à voix basse. Nous descendons au sous-sol sous prétexte d'aller prendre des bières dans le deuxième réfrigérateur et il m'informe que l'équipe en question est plus mythique qu'autre chose. Apparemment, avec les compressions budgétaires et les réformes et… Pendant qu'il me parle, mon esprit s'égare et je contemple le dos d'*Histoire de la décadence et de la chute de l'Empire romain*, un livre qui gît, abandonné, sans raison, sur le sol en béton, comme si on l'avait refermé en vitesse… Il n'y a pas vraiment d'espoir de ce côté-là, mais il explorera d'autres possibilités. Je ramasse le livre et je le tends à Nic. Des possibilités de quoi, Nic ? lui demandé-je. De quoi tu parles ? Il prend le livre, dit je sais, je t'assure, et il pousse un profond soupir. Entre-temps, il s'est arrangé avec Margaret, une amie à eux, qui viendra passer quelques heures avec Elf, et il y a aussi ma mère qui, évidemment, viendra la voir tous les jours. Je sais, dis-je, mais Elf, en principe, entreprend dans deux semaines une tournée de cinq villes. Regarde-la. Tu la crois vraiment capable de partir en tournée ? T'as parlé à Claudio ?

Dieu du ciel, dit-il. Il n'a pas parlé à Claudio. Il ne sait pas, tout ce qu'il sait, c'est que l'idée de partir en tournée la terrifie chaque fois, mais que, une fois lancée, elle se sent grisée. Je lui dis que je vais devoir bientôt rentrer à Toronto. Il faut que Will retourne à New York pour ses examens et Dan est encore à Bornéo et je ne peux pas laisser Nora toute seule, sans supervision, plus qu'un jour ou deux. Tout de suite après la fin de ses cours, elle et moi viendrons passer l'été ici. Je verrai Elf tous les jours, si elle n'est pas en tournée. Il comprend et dit qu'il a la situation bien en main et les avions, c'est pas fait pour les chiens, pas vrai ? Pareil pour les téléphones.

Nous remontons et ma mère parle à Elf de ses scores au scrabble. Elle a une moyenne de mille trois cents et des poussières et Elf, dûment impressionnée, hoche la tête en faisant semblant d'entendre tout ça pour la première fois. Ma mère explique à Elf qu'elle a épelé le mot *con* l'autre jour, au club. C'est un mot valide ! s'écrie-t-elle. On te l'a contesté ? demande Elf. Non, répond ma mère. Le jeune homme contre qui je jouais ne pouvait même pas me regarder dans les yeux, une vieille grand-mère qui utilise un mot vulgaire. Elf sourit. Mais elle ne dit pas grand-chose. Qu'y a-t-il à dire ? Comment se sent-elle ? Cette soirée impromptue est-elle, à son avis, un intermède grotesque et faux ? Se demande-t-elle ce que nous célébrons, au juste ? Qu'elle ait échoué dans son projet de mourir ? Ou est-elle sincèrement heureuse et soulagée d'être ici ?

Allons, Elf ! me dis-je. Empêche tes mains de trembler et dis quelque chose. Adresse-toi à ton peuple et dis-lui qu'il a des raisons d'avoir foi en l'avenir. Il y a, c'est vrai, les avions et les téléphones.

Je veux demander à Elf si elle a peur. J'ai de nouveau le souffle court. Je souris et tente de dissimuler ma panique et, discrètement, j'essaie d'aspirer de l'air dans mes poumons. J'aimerais ramener Elf avec moi à Toronto. J'aimerais que nous vivions tous, ma mère, ma sœur, mes enfants, Nic, Julie, ses enfants – même Dan et Finbar et Radek –, dans une toute petite ville quelque part au bout du monde, où il n'y aurait rien à voir, sinon nous-mêmes, et où nous serions seulement à quelques mètres les uns des autres. Ce serait comme une communauté mennonite en Sibérie, le bonheur en prime.

Nous partons enfin. Elf est assise au piano et ses mains se déplacent sans bruit au-dessus des touches. Quand elle se lève pour nous dire au revoir, à ma mère et à moi, elle a les larmes aux yeux. Ma mère vit à quelques coins de rue seulement et décide de rentrer à pied. Elle dit que l'exercice lui fera du bien. Elf et moi la regardons traverser la rue sans encombre, comme si elle était une enfant, et nous agitons toutes la main.

Je dis à Elf que je l'aime, qu'elle va me manquer, mais que je vais bientôt rentrer chez moi. Je pourrai la voir à Toronto quand elle viendra pour sa tournée? Peut-être, dit-elle. Mais elle y sera pendant seulement seize heures. Elle va répéter, dormir, manger, jouer, rentrer à l'hôtel, dormir, se lever tôt et reprendre l'avion. Cette fois-ci, Rosamund, l'adjointe de Claudio, voyagera avec elle. Elle me dit qu'elle m'aime aussi. Qu'elle veut en savoir davantage sur Toronto, sur la vie que j'y mène, et elle me demande de lui écrire des lettres, pas des courriels, mais de bonnes vieilles lettres qui arrivent par la poste dans des enveloppes avec des timbres. Je lui dis qu'elle peut y compter, absolument. Me répondra-t-elle? Elle dit que oui, certainement. Juré, craché.

Je la tiens par les poignets, mes doigts enserrent ses os minuscules, et je serre jusqu'à ce qu'elle dise aïe et je la lâche en lui demandant pardon. Nous ne parlons pas du sens de la vie, des cicatrices, des points de suture ni du nombre de mots que nous avons écrits ni des promesses que nous nous sommes faites en des temps reculés.

Puis je roule tout autour de la ville comme un chien qui marque son territoire, je passe sur des ponts et sous des viaducs, de la même façon que j'avais l'habitude de hanter la périphérie de la petite ville où j'ai vu le jour. C'est chez moi, ici. Tant que je patrouillerai les rues comme une sentinelle hallucinée, rien de mal ne va arriver. Bienvenue à Winnipeg, la population ne va pas changer. Je m'arrête chez Julie et je lui dis que je pars tôt le lendemain matin et je promets de lui téléphoner dès que je serai de retour à Toronto et je m'arrête chez Radek pour lui dire au revoir et le remercier de m'avoir nourrie et abritée de la tempête et quand il se gratte la tête et dit ouais, mais… je hausse les épaules et les hausse encore et je souris et je recule et je continue de le remercier pour sa gentillesse, sa grâce, son temps.

Je conduis la voiture de ma mère comme si c'était un char d'assaut et que les rues étaient un territoire ennemi et je me sens mauvaise et stupide. Je songe à prendre rendez-vous avec un psychothérapeute à mon retour à Toronto, mais je me dis que c'est au-dessus de mes moyens. Je travaillerai plus fort, c'est tout. D'ailleurs, de quoi parlerais-je à un psychothérapeute ? Quand mon père est mort, je suis allée en consulter un et il m'a suggéré d'écrire une lettre à mon père. Il n'a pas précisé ce que je devais dire dans la lettre. J'ai dit merci et je suis sortie en me disant mais mon père, là, il est mort. Cette lettre, il ne la recevra pas. Alors à quoi bon ? Je pourrais ravoir mes cent cinquante-cinq dollars pour m'acheter quelques bouteilles de chardonnay et un sac de marijuana ?

Dans l'appartement, ma mère ronfle bruyamment et un épisode de la énième saison de *Sur écoute* joue à tue-tête et une chaufferette bourdonne et les glaces craquent toujours dans la rivière en contrebas. Debout près de son lit, je la regarde pendant un moment en me demandant si son sommeil est paisible, si c'est le seul répit auquel elle a droit. Dans la chambre d'amis, je m'allonge sur les couvertures, tout habillée. Il me semble futile de me déshabiller et de me coucher en bonne et due forme puisque je me lève bientôt pour aller à l'aéroport. Je m'endors et je suis réveillée par du bruit dans le salon. Ma mère, debout, discute avec un homme.

L'histoire va comme ceci : ma mère s'est réveillée et elle est sortie sur le balcon pour jeter un coup d'œil au ciel nocturne et, pendant qu'elle était là, elle a vu cet homme, Shelby, garer sa camionnette dans le parking. Soudain, elle a eu une idée. Elle a demandé à Shelby s'il accepterait de transporter son vieil orgue électrique chez Julie afin que ses enfants puissent en jouer. Elle avait vraiment besoin de quelqu'un avec une camionnette. Elle le paierait. Il a dit pas de problème. Ils ont eu cette conversation au milieu de la nuit, elle en chemise de nuit sur le balcon, telle la nourrice de Juliette. À présent, Shelby, dans l'appartement, mesurait l'orgue en se demandant comment il allait faire pour le descendre jusqu'à sa camionnette.

Ma mère a dit ah, Yoyo, tu es debout, super.

Alors Shelby et moi avons descendu l'orgue jusqu'à sa camionnette et ma mère a tenu les portes, sa chemise de nuit battant follement dans le vent. Il s'est mis à pleuvoir. Peu après, c'était le déluge. Ma mère a couru en haut chercher un sac poubelle pour protéger l'orgue pendant le trajet nocturne jusque chez Julie. J'ai demandé à ma mère si Julie attendait cette livraison à cette heure indue et elle a répondu non, elle arrangerait tout sur place.

Shelby et ma mère et moi nous sommes serrés dans la cabine de la camionnette et nous avons apporté l'orgue chez Julie. Puisque ses enfants et elle dormaient comme des souches et ne répondaient pas à la porte, nous avons casé l'instrument dans la remise du jardin et nous avons laissé sur la porte un mot disant que nous avions apporté un orgue chez elle et qu'il était dans la remise. Nous sommes retournés à l'immeuble de ma mère et Shelby a eu droit à cinquante dollars pour sa peine. Nous lui avons dit bonne nuit et nous avons dégouliné partout dans la cuisine. La salle de bains aussi était inondée et on annonçait à la télé que la rivière allait sortir de son lit et des éclairs déchiraient le ciel.

Eh bien, a dit ma mère, voilà au moins une bonne chose de faite.

J'ai compris son besoin d'accomplir une chose, aussi bizarre soit-elle, une chose dont on pouvait mesurer l'accomplissement et qui connaissait un dénouement satisfaisant. Elle a dit qu'elle allait essayer de dormir un peu avant mon départ, mais que je ne devais pas m'en aller sans la réveiller. Comme je n'avais plus du tout sommeil, je suis descendue dans la salle d'exercices et je me suis plantée sur le tapis roulant. J'ai appuyé sur le bouton et je me suis mise à courir. Je portais de grosses bottes et un jean moulant et mes cheveux dégouttaient sur le tapis roulant et sur le sol. J'ai vu la piscine vide de l'autre côté des portes panoramiques et la liste des règlements de la piscine écrits en lettres cursives et aussi une fine ligne rouge à l'horizon. Quand j'ai cessé de courir, j'étais en sueur, à bout de souffle, et j'ai appuyé sur un bouton qui disait Refroidissement et j'ai marché lentement sur l'appareil, cramponnée aux poignées.

HUIT

Chère Elf,

Une lettre manuscrite, telle que demandée, telle que promise. Nous sommes aux prises avec une infestation de fourmis. C'est arrivé pendant mon séjour à Winnipeg. Notre propriétaire pense que c'est lié à la saleté qui règne chez nous, mais je crois que c'est davantage une conséquence du délabrement naturel de l'univers. De toute façon, nous sommes plutôt désordonnés que sales. J'ai mis de petits plateaux en plastique blanc remplis de poison dans tout l'appartement. Will est reparti à New York. Il est impatient de vous voir l'été prochain, Nic et toi. Il a réussi à garder Nora vivante, mais la maison est dans un état cataclysmique. Tout indique qu'ils sont l'un et l'autre insensibles à la notion de désordre. Il paraît que Nora a un petit ami, un Suédois qu'elle a rencontré dans un de ses cours et qui, comme elle, est boursier. En rentrant chez moi, j'ai trouvé un garçon en train de préparer une omelette dans la cuisine. Il y avait partout des sacs de plastique de Whole Foods, l'épicerie haut de gamme qui vend des aliments santé et où je ne mets jamais les pieds. Moi, je fréquente plutôt un endroit appelé No Frills. L'inconnu dans ma cuisine ne parlait pas un mot d'anglais, alors je n'avais aucune idée de ce qu'il faisait là. J'ai dû attendre le retour de Nora pour comprendre. Entre-temps, j'ai fait quelques longues promenades entre lesquelles je lui souriais en montrant des choses, en hochant la tête, etc.

Une petite pièce s'ouvre sur ma chambre. J'avais l'intention d'en faire un bureau, mais je ne m'en sers jamais parce qu'il y fait trop froid. J'écris donc à la table de la salle à manger ou au lit. J'aime bien écouter le chant des tourterelles tristes quand je me lève tôt. Ces oiseaux me rendent triste et heureuse et nostalgique de mon enfance, je suppose, de notre enfance et des prairies et de ce que j'éprouvais en me réveillant avec rien à faire, à part jouer. Savais-tu que, pendant un moment, quand j'avais neuf ou dix ans, j'avais l'habitude de me réveiller en chantant? C'était à l'époque où tu occupais la chambre aux murs en bois avec l'affiche de Mikhaïl Barychnikov qui disait *Push Comes to Shove.* Qu'est-il devenu, ce type, au fait? Et qu'est-ce qui te plaisait tant, chez lui? Sa façon de danser, son corps ou le fait que, pour son art, il avait tout abandonné en Russie sans espoir d'y retourner un jour? De toute façon, par les temps qui courent, il paraît qu'on tue les tourterelles tristes pour les manger. Tu peux croire ça? Cette nouvelle m'a fait le même effet que la mort de Joe Strummer. La musique de mon enfance. Lorsqu'on a quinze ans et qu'on se réveille en entendant le chant des tourterelles tristes *et* The Clash, on sait qu'on est au paradis. Quoi qu'il en soit, Joe Strummer est mort et les tourterelles tristes se font bouffer. Qu'est-ce que cela nous révèle au sujet de notre enfance? Qui est encore là pour nous soutenir dans notre traversée du désert?

Je ne connais pas grand monde ici. Les seuls coups de fil que je reçois, c'est une bande enregistrée qui dit: Bonjour ! Votre endettement est-il devenu incontrôlable ? La dernière fois, j'ai murmuré oui, oui, absolument, puis j'ai raccroché brusquement, comme une otage envoyant un message codé à d'hypothétiques sauveteurs. J'ai encaissé le REER que papa nous a donné il y a un million d'années et j'ai déjà englouti ma moitié du produit de la vente de la maison en loyers dans cette ville et hier mon propriétaire m'a annoncé le nouveau montant que je paierais et je ne sais même pas compter jusque-là.

Finbar, l'avocat, a recommencé à me texter. Il dit qu'il a résolu certains problèmes et que nous pouvons recommencer à nous voir, malgré mon mode de vie péripatétique. Il en pince pour mes mollets. J'ai désormais un sixième orteil. Bon, d'accord, c'est un oignon. Parfois, quand je marche beaucoup, ça palpite comme le ferait un petit pénis. J'ai aussi un truc bizarre de la taille d'une balle de golf qui pousse sur mon talon – c'est, je crois, ce qu'on appelle une déformation de Haglund. Notre chienne avait le même problème et oncle Ray lui a donné un de ses tranquillisants pour chevaux et coupé ce machin avec un couteau à éviscérer. Tu te souviens ? Tout ce que je me rappelle, c'est qu'elle a été incapable de marcher pendant deux ou trois semaines et que c'est toi qui la transportais. Sinon, tu la mettais dans la petite voiturette et tu la remorquais un peu partout. Feras-tu la même chose pour moi si cette déformation s'aggrave ? Aussi, j'ai eu un petit accident, l'autre jour. Je t'en ai parlé ? Un accrochage insignifiant, mais, compte tenu du prix des assurances en Ontario et du fait que j'ai encore un permis du Manitoba (oups), je ne suis pas certaine d'être couverte et je risque donc de devoir verser à cette femme quelque chose comme un million de dollars pour son VUS BMW totalement intact. Elle est sortie de sa voiture et a pris une photo de son pare-chocs sans une égratignure avec son téléphone cellulaire, tandis que, plantée là (avec mon short et mon blouson vert, un emballage de six canettes de Heineken à la main), j'ai dit vous êtes quand même pas sérieuse, là ?

Nora et moi menons une sorte d'expérience. Nous tentons d'établir le contact visuel avec des Torontois. C'est frustrant. Lorsqu'on les regarde, les gens sont étonnés et se détournent rapidement ou encore ils font un gros effort de volonté pour ne pas nous regarder du tout. Il y en a qui tournent ostensiblement la tête et même les épaules pour ne pas être tentées de nous regarder. Aujourd'hui, Nora et moi sommes allées faire une promenade dans notre quartier (la Petite Malte) et, parmi les soixante-huit personnes que nous avons croisées sur le trottoir, seulement sept nous ont effectivement regardées et, parmi ces sept, une seule nous a souri, et c'était peut-être moins un sourire qu'une grimace due à la mauvaise digestion. Nora et moi feignons l'indifférence, mais ça fait mal ! Nous nous sommes demandé si c'est notre façon de nous habiller ou les vibrations que nous émettons qui dissuadent les gens de nous regarder dans les yeux ou si c'est parce qu'ils nous croient désespérées ou dangereuses ou bizarres. Bon, je dois courir chercher Nora à sa répétition pour l'emmener chez le dentiste. Je vais penser à toi, m'ennuyer de toi et... flotter sur les ailes du néant.

Je demeure ton humble et obéissante servante, Y (tu vois ? je les ai lues, les lettres de tes amants poètes).

Elf ne répond pas au téléphone. Je téléphone à ma mère qui confirme que c'est vrai, elle ne répond pas. Ben, des fois, ben, non, en fait, je suppose que non. Des fois oui, des fois non, mais surtout non. Pas du tout, en fait. Une fois par-ci, par-là, mais, en gros, non, elle ne répond pas.

Je ne supporte pas d'entendre ma mère vaciller comme ça, entre espoir et désespoir. Ma mère me dit que, quand elle est chez ma sœur, elle l'encourage à répondre au téléphone, mais que c'est une guerre, et en général c'est Elf qui gagne et le téléphone sonne dans le vide.

J'entends les trompettes de son ordinateur sonner le début imminent d'une nouvelle partie de scrabble.

Chère Elf,
Aujourd'hui, je suis sortie faire une longue promenade et j'ai fini par observer les canards qui plongent tête première dans l'étang Grenadier de High Park. Je me suis demandé combien de temps ils pouvaient retenir leur souffle et j'ai compté soixante-dix-huit secondes pour l'un d'eux. Chez les humains, c'est combien ? Une minute ? Aujourd'hui, j'ai entendu une conversation édifiante à bord du tramway. Un type est monté en jurant comme un charretier, il disait vraiment des horreurs, genre qu'elle me suce la bite cette sale chienne, si cette salope pense que… et le conducteur du tramway a dit hé, ça va faire, on peut pas tenir ce genre de langage dans le tram et le type s'est arrêté et a regardé le conducteur et il a dit qu'il était désolé, sincèrement désolé, il comprenait, et il est descendu à l'arrêt suivant et il s'est remis à jurer tout de suite après.

Tu me manques. Hier, Nora et moi sommes montées au sommet de la Tour du CN. Nous essayons de comprendre notre ville du point de vue d'un oiseau. Nous avons mis une pièce d'un dollar dans de puissantes jumelles, mais nous ne t'avons quand même pas vue. Nous sommes allées au bar sur le toit du Park Hyatt, où j'ai siroté un verre de vin à douze dollars et nous avons partagé une poignée d'olives et d'amandes. Nous avons regardé vers l'ouest, avec un peu d'abattement. Tu *nous* manques. Nora m'a demandé si je regrettais d'avoir eu des enfants. Ça m'a fait un choc et je me suis sentie comme une mère indigne, comme si je lui donnais l'impression qu'elle était en train de me tuer à petit feu. Mais elle a ajouté qu'elle songeait à ne jamais tomber enceinte parce qu'elle ne supportait pas l'idée que son corps abrite un corps étranger et se transforme, à force de grossir, en une grotesque caricature de la féminité. J'espère qu'elle ne souffre pas d'un trouble alimentaire. J'ai lu quelque part que les troubles alimentaires sont souvent provoqués par des mères surprotectrices, mais moi je suis sous-protectrice en pas pour rire. Elle imagine peut-être qu'elle serait une mère surprotectrice pour compenser mes carences en la matière et c'est cette mère autoritaire imaginaire qui est peut-être à l'origine de son trouble alimentaire. Elle ne souffre pas de trouble alimentaire, du moins pas vraiment. J'essaie de me rappeler combien tu étais maigre à son âge. Tu l'es encore !

Alors pendant que nous étions dans le bar, sur le toit, un vieux monsieur tout bronzé avec une bague de la Série mondiale et des chaussures en cuir blanc sans chaussettes a dit à Nora qu'elle était magnifique. Il m'a demandé si j'étais sa sœur. Ha, ha, ô les blagues éculées que font les vieux schnocks qui draguent. Il a dit que Nora devrait être mannequin. J'ai dit c'est très flatteur, mais elle est danseuse, mes yeux assassins disaient sans ambiguïté bas les pattes, vieux cochon, je vois clair dans ton jeu. Nous sommes rentrées à pied en chantant un pot-pourri de chansons que nous connaissions toutes les deux. C'est tellement mignon de l'entendre dire des choses comme, attends… Tu connais *Torn Between Two Lovers* ? Elle me laisse même lui tenir la main pendant une minute ou deux. Elle m'a dit que j'étais étonnamment attirante pour quelqu'un qui avait un visage comme le mien, et pour un peu je me serais effondrée et j'aurais braillé de gratitude. Comme tous les jeunes de quatorze ans, elle est plutôt avare de compliments. À cause de la danse, ses pieds sont ravagés. Ils ressemblent à ceux de grand-papa Werner. Tu te souviens qu'il s'en servait pour présenter des spectacles de marionnettes qui nous faisaient hurler ? Je les lui masse et ils sont si rugueux que, après, j'ai les mains calleuses et irritées. Je l'ai interrogée sur son petit ami suédois (elle s'est récriée, il s'appelle Anders et il a, paraît-il, des abdos de rêve) et je lui ai demandé s'ils parvenaient à communiquer dans une langue ou une autre. Elle a répondu non d'un air rêveur, comme si c'était parfait comme ça. Je voulais lui demander si elle avait couché avec lui, mais je n'ai pas osé. Elle n'a même pas quinze ans. Je ne supporterais pas la réponse. Mon Dieu, quelle mère pitoyable je fais.

Alors j'ai téléphoné à Will à New York, hier soir, et il m'a dit qu'il a des rats dans son appartement. Il a pris de tes nouvelles. Tu lui manques à lui aussi ! Parlant de rats, je pense que, en plus des fourmis, nous avons des souris. Par comparaison, c'est, je suppose, un soulagement. À Toronto, on dit que les gens qui ont des souris n'ont pas de rats et vice-versa parce que les rats mangent les souris. Je me demande si les rats mangent les tourterelles tristes. Dernièrement, je fais un rêve récurrent dans lequel un rat se glisse sous mon chemisier et je n'arrive pas à le sortir de là et je dois me frapper la poitrine jusqu'à ce que la bête tombe morte et ensanglantée sur le sol et je suis crevée. On a continuellement des pannes de courant. Tu me manques terriblement.

Sans conteste, si tu n'es pas aussi heureuse qu'il est possible de l'être, tu es plus aimée qu'on l'a jamais été, Y.

(Mme de Staël a eu une formule du genre à la fin d'une lettre adressée à un quelconque chevalier, mais là c'est moi qui adresse ces mots à mon Elf.)

Écris-moi, MPPC !

P.-S. Sinon, réponds à ton téléphone, merde !

P.-P.-S. Ai parlé à maman l'autre jour. Il paraît que tu écoutes en boucle la Symphonie n° 3 de Górecki ? De quoi elle parle, celle-là ?

Répondre ou ne pas répondre au téléphone est le barème de la capacité d'Elf à affronter la vie. Elf a dit à ma mère qu'un téléphone qui sonne a pour elle des connotations hitchcockiennes et nous faisons toutes les deux ah, ouais, évidemment, hmmmm… au téléphone. J'ai parlé à ma mère cet après-midi. Elle avait du nouveau. Elle m'a dit que sa sœur Tina venait à Winnipeg pour la voir et passer du temps avec Elf. Elle vit à Vancouver et traversera le pays au volant de sa fourgonnette pour donner un coup de main à ma mère, qui est épuisée, mais refuse de l'admettre. Pourquoi ? lui ai-je demandé. Ça va si mal que ça ? Elle a répondu que ça ne va pas si mal que ça, mais que c'est pas le Pérou non plus. Je lui ai demandé comment allait Elf, au juste, et elle a répondu ben, tu sais, pareil, en fait.

Quelque part entre pas mal et pas bien, ai-je dit.

C'est à peu près ça, a-t-elle concédé. Elle ne fait pas la tournée.

Quoi ? C'est vrai ?

C'est ce qu'elle dit aujourd'hui.

Je lui ai demandé si Elf recevait mes lettres et elle m'a dit qu'elle ne savait pas, qu'elle lui poserait la question. J'ai téléphoné à Nic à son travail et j'ai laissé un message lui demandant de me rappeler. J'ai téléphoné à Will à Brooklyn et je lui ai demandé comment il allait et il a murmuré bien, bien, ouais. Il était à la bibliothèque. Quand je l'appelle, il est soit à la bibliothèque, soit en train d'occuper Wall Street. Il m'a demandé de mes nouvelles. Je lui ai répondu bien, super. Et Elf? a-t-il demandé à voix basse. Et sur le même ton j'ai dit bien, super, ouais.

Quelqu'un a décidé de scier toutes les branches de l'arbre devant la fenêtre de ma salle à manger. Tôt le matin, j'aime bien m'asseoir à ma table en t-shirt et en petite culotte pour écouter le chant des tourterelles tristes qui n'ont pas encore été mangées et écrire. Les branches couvraient la quasi-totalité de la fenêtre et empêchaient les voisins de me voir assise là en sous-vêtements. Mais voilà qu'elles tombent une à une et que je suis lentement révélée comme un casse-tête dont l'image se précise.

Chère Elf,
Quand as-tu l'intention de me répondre ? J'ai remarqué une chose à propos des hommes : quand, après avoir couché avec eux, on pleure comme une Madeleine pendant

des heures tout en refusant de leur dire pourquoi, ils sont mal à l'aise et ils se mettent un peu en colère.

Finbar et moi sommes follement incompatibles. Je couche avec lui seulement parce qu'il veut bien et qu'il est bel homme – je suis minable, je sais. Pas nette. Et je suis un modèle déplorable, mère d'une fille sexuellement active ou sur le point de l'être. Sans blague, qui a envie d'une mère qui achète des capotes parfumées dans la distributrice du Rivoli ? (J'ai été prise au dépourvu et c'est tout ce qu'ils avaient.) À vrai dire, Nora n'est pas au courant pour Finbar parce que je m'arrange pour que nos tristes sorties soient brèves et furtives et aussi espacées que des éclipses. Là, en ce moment, le seul fait de te parler de ces choses me donne envie de brailler. Je pense que je vais céder à la tentation. J'aimerais bien être amoureuse de nouveau. Je donnerais cher pour que nous nous disputions moins, Dan et moi – quand il n'est pas à Bornéo, c'est un bon père pour Nora. Tu as tellement de chance d'avoir Nic ! Il a tellement de chance de t'avoir ! Salue-le de ma part, tu veux ? Comment avance son kayak ?

Anders (le petit ami suédois de N) vient de m'apprendre qu'il a bouché la toilette et qu'il a cassé la machine à laver en y jetant tous ses vêtements d'un seul coup – pourquoi fait-il sa lessive ici ? ? ? – et maintenant ses vêtements sont emprisonnés dans la machine, qui coule sur les serviettes qu'il a mises par terre pour éponger. À cause de la barrière de la langue, il m'a expliqué tout ça à l'aide de charades et de dessins.

C'est le soir. Nora et Anders sont partis à une soirée d'anniversaire. Avant leur départ, je les ai obligés à me montrer quelques pas de danse, un truc qu'ils travaillaient à l'école et, au début, ils se sont fait prier, puis ils ont accepté de me donner une petite démonstration éclair et oh, mon Dieu, c'était fantastique. Ce sont encore des enfants et, tout d'un coup, j'ai eu devant moi des amants désabusés, mais d'une incroyable agilité, qui se pâment d'amour, meurent et sont réunis à la fin. Ils étaient si graves, si pondérés et en même temps si libres de leurs mouvements. Il faut que tu viennes les voir danser ! Quand ils ont eu fini, tout tordus pour créer une forme expressive qu'ils ont maintenue pendant un temps impossible, avant de se relever et de faire un salut adorable, j'ai applaudi spontanément – en me retenant difficilement de pleurer – et ils sont aussitôt redevenus des adolescents ordinaires et gauches qui se sont dirigés vers la porte en se traînant les pieds, en se cognant l'un à l'autre, en disant pardon, en laissant échapper des rires nerveux et en se tenant timidement la main, alors que, une seconde plus tôt, j'aurais juré qu'ils étaient les inventeurs de la passion et de la grâce. Puis il y a eu une panne de courant.

J'ai essayé de retravailler mon fichu roman avec les lumières éteintes, mais la seule touche que je parviens à atteindre dans le noir, sans me tromper, c'est « Suppr ». Un signe, peut-être. Soit dit en passant, j'ai consulté Wikipédia pour voir ce qu'on dit de la Symphonie n° 3 de Górecki. On l'appelle aussi la *Symphonie des chants plaintifs* et il y est question des liens entre une mère et son enfant. Tu l'as vue récemment ? Elle t'a dit qu'elle avait fini par retrouver sa prothèse auditive dans la sécheuse ?

Il faudrait que j'y aille et que je commence mes rondes, comme le disaient les jeunes Hiebert (tu te souviens de leur voiturette et des sacs en plastique renfermant des plants de marijuana ?) quand ils vendaient de la drogue. J'ai débouché la toilette, mais je ne sais toujours pas comment réparer la machine à laver et l'empêcher d'inonder le sous-sol et de nous entraîner tous dans le lac Ontario.

Assez parlé de bal, je vais maintenant aller m'habiller pour le dîner (je cite Jane Austen dans une lettre à sa sœur Cassandra). Yoli

P.-S. Toronto est construite sur une pente et c'est génial. Il faut la monter pour aller vers le nord et la descendre pour aller vers le sud. Autrefois, la rive du lac Ontario était beaucoup plus haute qu'aujourd'hui. Le lac serait arrivé à la hauteur de ma fenêtre du troisième étage jusqu'à il y a environ treize mille ans. Puis on l'a connu sous le nom de lac des Iroquois et, quand la digue de glace a fondu, l'eau s'est écoulée et le lac a pris sa taille actuelle. Petit par comparaison, il n'est plus que l'ombre de lui-même. Il y a dans le nord de Toronto un chemin appelé Davenport. Il longe le sentier autochtone qui suivait l'ancienne rive. Je suis certaine qu'il portait alors un autre nom que Davenport ; sinon cela voudrait dire que le mot *davenport*, c'est-à-dire *canapé*, est apparu dans les songes des membres des Premières Nations lassés de rester assis sur les rochers et dans des canots et d'imaginer quelque chose de plus confortable, avec des ressorts. Savais-tu que les diverses parties de la Terre, les continents, se rapprochent au rythme où poussent nos ongles ? Ou s'éloignent-elles plutôt ? Je ne me souviens plus. De toute façon, c'est le rythme qui m'intéresse. Et sa relation au chagrin dont on pourrait dire, dans ce contexte, qu'il passe rapidement ou qu'il dure toujours.

P.-P.-S. Parfois, quand je travaille à mon livre, je ferme les yeux et je me vois en imagination te retrouver dans un café de Winnipeg, peut-être le Black Sheep de l'avenue Ellice. Tandis que je m'approche, je te vois et tu souris. Tu nous as choisi une table près de la fenêtre, il y a une petite pile de livres de la bibliothèque à côté de toi, des livres en français, et tu m'as commandé un noisette et tu portes une minijupe mi-sexy, mi-ironique et une ample blouse d'artiste et tu fais claquer ton marqueur vert sur tes dents en me souriant comme si tu avais quelque chose à me dire, quelque chose qui me ferait rire. Aujourd'hui, il fait si chaud que je travaille avec ma porte de devant grande ouverte. On construit des condos en face, alors c'est très bruyant. Toutes les cinq minutes, un type hurle attention et après quelques secondes il y a un bruit de tonnerre et un autre nuage de poussière. Tu me manques, Elf.

Presque deux semaines se sont écoulées depuis que j'ai dit au revoir à ma sœur devant sa maison de Winnipeg et promis de lui écrire des lettres. Nous sommes maintenant en mai et c'est le jour du concert d'Elfrieda avec l'Orchestre symphonique de Winnipeg. La tournée aura lieu. Elle a une fois de plus changé d'idée. Nic m'a téléphoné hier pour me dire que la répétition générale s'était très bien déroulée et qu'Elf avait hâte au concert, même si elle était un peu vannée.

Ma mère m'a téléphoné pendant que je traversais un parc boueux en bordure du lac. Quand mon téléphone a sonné, je l'ai regardé un moment avant de répondre.

Elle a récidivé, a dit ma mère.

Je me suis accroupie dans la vase. Raconte, ai-je dit.

Ma mère a dit que sa sœur Tina et elle étaient allées chez Elf pour lui dire bonjour, même si Elf leur avait demandé poliment de la laisser tranquille pendant qu'elle se préparait pour le concert. Elles ont cogné, mais Elf n'a pas répondu. La porte était verrouillée. Ma mère a donc utilisé sa clé pour entrer. Elle a trouvé Elf gisant sur le sol de la salle de bains. Elle s'était ouvert les veines et avait bu du Javex. La salle de bains empestait l'eau de Javel. L'haleine et la peau d'Elf empestaient l'eau de Javel. Elle était couverte de sang. Elle était consciente, vivante. Elle a tendu les bras vers notre mère. Elle a supplié notre mère de l'emmener jusqu'à la voie ferrée. Ma mère l'a prise dans ses bras, pendant que Tina composait le 9-1-1, et on a ramené Elf à l'hôpital. Elle est aux soins intensifs, branchée à un respirateur, sa gorge s'étant fermée à cause de l'eau de Javel. Pour ses poignets, ça ira.

Je suis à l'aéroport. J'attends de prendre l'avion qui me ramènera chez moi, auprès de ma sœur et de ma mère. J'ai acheté chez Lush une crème pour frotter le corps d'Elf. Elle a un corps étonnant, magnifique pour une femme dans la quarantaine très avancée. Ses jambes sont fines et fermes. Elle a des cuisses musclées. Son sourire est une fête. Elle rit aux éclats. Elle me fait rire aux éclats. Elle s'étonne. Ses yeux s'écarquillent, elle n'en revient pas. Sa peau est immaculée, lisse et pâle. Ses cheveux sont si noirs et ses yeux si verts, on dirait qu'ils disent va, va, va ! Son visage, au contraire du mien, est dépourvu de taches de son, de grains de beauté, de poils, de gros os qui saillent comme des barres de fer dans un dépotoir. Elle est délicate et féminine. Elle est éblouissante et sombre et chic comme une vedette de cinéma française. Elle m'aime. Elle se rit de la sentimentalité. Elle m'aide à rester calme. Ses mains ne sont pas ravagées par le temps et ses seins ne tombent pas. Ils sont petits et fermes, comme ceux d'une jeune fille. Ses yeux sont de lumineuses émeraudes. Ses cils sont trop longs. La neige les alourdit en hiver et elle m'oblige à les lui raccourcir avec les ciseaux de couture de notre mère pour éviter qu'ils lui obstruent la vue. J'ai fait tomber par terre un plateau de bombes pour le bain jaune vif grosses comme des balles de tennis et je ne voyais pas comment j'allais pouvoir les ramasser. La vendeuse m'a dit de ne pas m'en faire. Je ne me souviens pas d'avoir payé la crème. Je rentre à la maison.

NEUF

Quand Elf est partie en Europe, ma mère a décidé de s'émanciper, elle aussi, et elle a suivi des cours à l'université, en ville, pour devenir travailleuse sociale, puis psychothérapeute. Les anciens de l'église avaient fini par faire une croix sur la famille Von Riesen. Après avoir obtenu son diplôme, elle a transformé la chambre d'amis en cabinet de consultation, et un flot régulier de mennonites en proie à la tristesse et à la colère a commencé à y déferler, habituellement en cachette. Car dans la hiérarchie des perversions, les psychothérapies venaient plus bas que la bestialité, qu'on pouvait à la rigueur comprendre dans le contexte de collectivités agricoles isolées. Parfois, les clients de ma mère n'avaient pas d'argent pour la payer. C'étaient souvent des fermiers et des mécaniciens sans le sou et des mères de famille sans revenus. En rentrant chez nous, Elf et moi trouvions parfois un quartier de bœuf congelé dans le couloir ou des poulets dans le garage ou des œufs sur le banc du vestibule. Parfois, un homme était allongé sous notre voiture dans l'entrée pour réparer la transmission ou une inconnue tondait le gazon ou arrosait les fleurs, une flopée d'enfants accrochée à ses jupes.

Ma mère jugeait impossible d'exiger d'être payée par des clients désargentés, mais tous insistaient pour la dédommager d'une manière ou d'une autre. Un jour, Elf et moi avons trouvé deux grosses balles de fusil sur la table de la cuisine. Nous avons demandé à notre mère ce qu'elles faisaient là et elle nous a répondu qu'une de ses clientes lui avait demandé de les garder pour ne pas être tentée de se les tirer dans la tête. Mais comment aurait-elle pu se tirer deux balles dans la tête ? a demandé Elf. L'autre était pour sa fille, a dit notre mère. Pour ne pas la laisser toute seule.

Elf et moi sommes sorties dans la cour et nous nous sommes assises sur les balançoires rouillées. Elf m'a expliqué la situation. Pourquoi la femme ne s'enfuit-elle pas avec sa fille ? lui ai-je demandé. Elle ne m'a pas répondu. J'ai répété la question. Pourquoi la femme ne s'enfuit-elle pas avec… Elf m'a interrompue. Ça marche pas comme ça, a-t-elle dit. En prison, il y a plus de tentatives de suicide que d'évasion. Si on courait un danger terrible, tu me tuerais avant de t'enlever la vie ? lui ai-je demandé. Ben, je sais pas, a-t-elle répondu, ça dépendrait du genre de danger. Tu voudrais que je le fasse ?

Quand elles étaient enfants, ma mère et sa sœur Tina ont décidé de faire une course à vélo et, plutôt que d'annuler la course ou de perdre du temps en contournant un énorme camion-remorque qui leur bloquait le passage, elles se sont glissées dessous et ont réussi à passer sans encombre en riant comme des folles.

Un soir d'hiver, quand Elf avait seize ans et moi dix, elle a organisé un débat politique entre candidats de partis différents. Elle a fabriqué des pupitres à l'aide de boîtes de carton et les a décorés de tout l'attirail partisan et elle a utilisé le chronomètre du scrabble de ma mère pour minuter nos interventions. Mon père était le candidat du Parti conservateur, ma mère la candidate du Parti libéral, Elf celle du Nouveau Parti démocratique et moi j'étais une communiste. Mais je ne pouvais pas dire que j'étais communiste à cause des terribles associations que mes parents traînaient depuis la Russie. Un soir, pendant le repas, Elf avait déclaré avoir le béguin pour Joe Zuken, leader des communistes à Winnipeg et ma mère avait dû utiliser la manœuvre de Heimlich pour ranimer mon père, qui s'était étouffé en entendant les mots d'Elf. Une fois tiré d'affaire, il a affirmé qu'il aurait préféré qu'elle le laisse mourir : si Elf avait l'intention de se marier (le béguin s'était déjà transformé en mariage) avec Joe Zuken, lui-même en avait terminé avec cette vallée de larmes. Quoi qu'il en soit, j'ai dû déclarer que j'étais candidate indépendante. Nous avons débattu des avantages et des inconvénients des droits des femmes et de l'euthanasie. Elf l'a emporté haut la main. Elle était bien préparée et passionnée. Elle citait des chiffres pour appuyer ses dires et n'épargnait aucun effort pour convaincre, mais toujours pondérée et respectueuse. Éloquente et drôle, elle a triomphé.

Il faut dire que les juges étaient des amis qu'elle s'était faits au conservatoire de Winnipeg et dont elle avait secrètement récompensé les efforts avec de la bière. Elle était amoureuse de l'un d'eux, ai-je compris. Il avait une corde pour ceinture et un t-shirt éclaboussé de peinture. Il était assis en tailleur, pieds nus, dans le fauteuil de lecture de mon père. Elf avait veillé à ce qu'un petit bout de son soutien-gorge bleu en dentelle dépasse de son chandail au col en V. Il ne la quittait pas des yeux, son regard ne déviait jamais, même quand il se tortillait sur son siège, et mon père a fini par se racler bruyamment la gorge et déclarer dites-moi, Votre Honneur, vous qui trônez dans le La-Z-Boy vert, entendez-vous un seul mot de ce que les autres disent ?

L'avion se pose. Ma mère et ma tante Tina m'attendent. Debout au pied de l'escalier roulant, bras dessus, bras dessous, elles me regardent flotter jusqu'à elles. On dirait deux jumelles minuscules, féroces, la mine sévère, occupées à porter une énième croix. Elles me sourient, murmurent des mots tendres en *plautdietsch*, puis je me blottis dans leurs bras, si forts. Nous nous étreignons sans rien dire. Je n'ai pas de valise, inutile d'attendre, nous nous dirigeons d'un pas rapide vers la voiture.

Ma mère roule vite, comme à son habitude, mais cette fois je ne lui demande pas de ralentir. Sur la banquette arrière, tante Tina regarde par la fenêtre. J'ai une main posée sur l'épaule de ma mère, l'autre tient la main de tante Tina, derrière, et nous formons une chaîne humaine. Les mennonites sont-ils prédisposés à la dépression ou sommes-nous les seuls ? Il y a sept ans, Leni, la fille de tante Tina, ma cousine, s'est enlevé la vie, trois ans après mon père. Du déjà-vu, en somme. Une répétition, une autre prise de vue.

Nic est à l'hôpital. Il parle au téléphone. Nous nous saluons avec de petits gestes de la main et de la tête. Julie est là, elle aussi. Nous nous embrassons et je lui dis merci à l'oreille et elle me serre fort. Nous entrons deux à la fois, pas plus, c'est interdit. Ma mère et ma tante y vont les premières. Je parle à Will au téléphone. Il me demande de dire quelque chose à Elf, mais je n'ai pas compris parce qu'il murmure. Will ? ai-je demandé. Attends, dit-il. J'attends et c'est le silence à l'autre bout du fil. Will ? Je l'entends pleurer. Dis-lui juste que je l'aime, réussit-il à dire avant de raccrocher. Quand elle sort de la chambre, ma mère est calme, elle ne va pas pleurer maintenant, elle hausse les épaules et secoue la tête et Nic passe son bras autour d'elle et elle pose la tête sur sa poitrine. Il l'entraîne vers une chaise et elle s'assied et regarde et dit pour elle-même quelques mots ou une prière en regardant le vide devant elle. Je vois sur son bras les marques laissées par les crocs du chien qui l'a mordue. Deux trous, on dirait la morsure d'un vampire. Tante Tina va nous chercher du café.

C'est à notre tour, à Julie et à moi, et nous tirons des chaises pour flanquer ma sœur et nous lui tenons une main chacune et nous ne disons rien parce que nous n'avons rien à dire. Elf a un tube dans la gorge et c'est une machine qui respire pour elle. Nous la regardons et elle nous regarde et elle hausse les épaules comme l'a fait ma mère. Combien de mots nous reste-t-il ? Elle ferme les yeux et les rouvre et sort sa main de la mienne pour se taper sur le front. Je ne comprends pas ce qu'elle veut dire. Qu'elle est folle ? Elle a oublié quelque chose ? Elle a mal à la tête ? Je l'embrasse sur la joue. La sono du service des soins intensifs diffuse une chanson de Neil Young. Il ne va pas s'arrêter de chercher un cœur d'or.

Elf se tape le nez, dessine des cercles imaginaires autour de ses yeux. Julie dit elle demande ses lunettes, c'est ça qu'elle veut dire. Non ? Elf incline légèrement le menton, un signe affirmatif. Je me lève pour aller les chercher.

Je sors de la chambre pour demander à l'infirmière si elle a les lunettes d'Elf. Elle ne les a pas. Julie se porte volontaire pour aller demander à Nic ou à ma mère s'ils les ont. Elle embrasse Elf sur la joue, lui dit à l'oreille quelque chose qui la fait pleurer, peut-être c'est toi la meilleure, Elf, puis elle sort.

Nous y voilà. Qu'Elf réclame ses lunettes me soulage. Ça signifie qu'elle veut voir quelque chose. Elle a sur les poignets des bandes d'un blanc immaculé semblables à celles que portent les sportifs. Il ne manque que le logo de Nike. On a fixé des tubes à son visage. Avec la manche de mon chemisier, j'essuie la larme qui glisse sur sa joue. Je lui dis que je l'aime. Un coin de sa bouche est retroussé pour laisser passer le tuyau. Je me souviens des leçons de respiration qu'elle avait suivies, la technique Alexander, et aussi de m'être payé sa tête. Il faut apprendre à respirer, maintenant ? Oui, a-t-elle dit, il y a une bonne et une mauvaise façon. Elle a proposé de m'enseigner à respirer correctement du plus profond de moi en utilisant mon diaphragme, mais j'ai vite perdu tout intérêt. Elle a aussi tenté de m'apprendre le piano, avec des résultats désastreux. Et aussi de m'initier à l'espagnol. Elle m'a appris à dire j'ai un petit homme quand je voulais dire j'ai un peu faim.

Je sors des soins intensifs et trouve ma mère et ma tante en train de boire du café noir à la cafétéria. Ma tante Tina est l'aînée de quelques années, mais, sinon, on dirait presque la même personne. Elles ont toutes deux des cheveux blancs comme neige coupés au carré, d'étincelants yeux de chat, un million de rides chacune, et une poigne de fer. Elles mesurent à peine un mètre cinquante. En me voyant, elles m'appellent, me font une place entre elles et tirent une chaise pour moi et passent un bras autour de mes épaules et ma tante me dit qu'elle m'aime et ma mère me dit qu'elle m'aime et je leur dis que je les aime aussi. J'ai du mal à respirer. Je suis jalouse de ma mère qui, à un moment comme celui-ci, peut compter sur sa sœur. Quand mon père est mort, Tina est aussi venue pour passer du temps avec ma mère et ma sœur et moi, et elle nous a acheté à chacune une douzaine de culottes blanches en coton pour que nous n'ayons pas à nous soucier de détails comme la lessive pendant la planification des funérailles. Quand ma mère a subi son pontage, Tina est encore venue et nous a emmenées chez Costco et nous avons poussé un chariot dans l'énorme entrepôt et nous avons acheté pour ma mère des réserves de ketchup et de papier hygiénique et de lotion Soins intensifs de Vaseline (que la société a récemment renommée Secours intensif pour mieux refléter le sentiment d'urgence propre à la vie moderne). De quoi tenir un an. Pendant la convalescence de ma mère, ma tante lui a tendrement donné son bain en riant, impudique, de la même façon que j'ai aidé ma sœur à prendre sa douche quand elle était trop faible parce qu'elle s'était laissée crever de faim. Ma mère est un Rubens, une boule de chair marquée de cicatrices, une disciple de la vie, et ma sœur un spectre. Comment l'une a-t-elle engendré l'autre ?

Nic discute avec un médecin. Je le vois par le mur vitré qui jouxte la porte de la chambre d'Elf. Il porte une chemise bleue avec un col, un pantalon qui n'est pas un jean et des sneakers noirs. Pendant qu'il parle, il a une main sur son front et l'autre en appui sur le mur vitré, ses doigts en éventail. Je veux savoir ce que raconte le médecin et je dis à Elf que je reviens tout de suite, mais comme je m'approche d'eux, je vois le docteur s'éloigner et Nic reste simplement planté là, seul, adossé au verre. En me voyant, il retire la main qu'il avait posée sur son front et me demande comment je vais. Le médecin lui a dit qu'Elf s'en tirerait probablement, mais qu'il serait fixé dans quelques heures, demain matin au plus tard. Elle s'est endommagé la gorge, explique-t-il, et elle risque de ne plus pouvoir parler du tout ou de s'exprimer avec difficulté et elle a peut-être causé des dommages internes qui restent à déterminer, mais elle vivra.

Quand j'avais quatorze ans, Elf est rentrée à la maison pour Noël. Elle étudiait à Juilliard grâce à un genre de bourse. Toutes sortes de choses stupéfiantes lui arrivaient. Elle avait un super agent et des concerts annoncés aux quatre coins du monde. Elf et moi étions assises par terre dans la salle de bains et elle pleurait, inconsolable, et je m'efforçais de la convaincre d'arrêter de pleurer et de venir manger. La table était mise et toute la famille de mon père avait déjà pris place. Nous avions des bougies, de la dinde, nous allions chanter, célébrer la naissance d'un messie auquel je croyais encore. Elf m'a dit que c'était au-dessus de ses forces, tout simplement au-dessus de ses forces. Quoi ? ai-je demandé. Le bonheur de façade, l'enthousiasme forcé, le besoin de faire toujours semblant... Tout ça lui était insupportable. Si c'est vrai que Jésus est mort sur la croix avec des clous dans les mains et les pieds pour nous sauver, ne devrait-on pas exprimer notre gratitude autrement qu'en dévorant de la dinde à la nuit tombée, au beau milieu de l'hiver ? Elle voulait me faire rire et me forcer à entreprendre une quelconque action de despérado, ouvrir la fenêtre de la salle de bains et la pousser vers la liberté. Allons réveillonner à la salle de billard, toi et moi, a-t-elle dit. Je la suppliais de sécher ses larmes et de se débarbouiller le visage et de venir nous rejoindre à table. Je lui ai dit que tout le monde l'attendait. Elle m'a dit qu'elle s'en moquait, qu'elle ne pouvait pas, je n'avais qu'à aller dire qu'elle ne serait pas de la partie. Je lui ai dit qu'elle n'avait pas le choix, c'était Noël ! Et elle a ri, puis elle a sangloté et elle m'a dit que j'étais drôle, mais que non, elle ne viendrait pas se mettre à table.

J'ai continué de l'implorer, s'il te plaît, s'il te plaît, s'il te plaît, lève-toi et lave-toi le visage et mets un peu de ton nouveau rouge à lèvres Red Alert et viens manger. Notre mère s'est approchée de la porte et a frappé doucement et dit ma puce ? Les filles ? Vous êtes là ? On passe à table. Elf s'est cogné la tête contre le mur de la salle de bains et ça m'a effrayée. Fais pas ça, lui ai-je chuchoté, et elle a recommencé. Les filles ? a répété notre mère. Qu'est-ce qui se passe, là-dedans ? Ça va ? J'ai dit ouais, ouais, ça va, on arrive. Je faisais une prise de tête à ma sœur, qui essayait de se dégager, mais je la tenais fermement. Je voulais qu'elle cesse de se cogner la tête sur les carreaux de céramique et qu'elle vienne s'asseoir à la table de la salle à manger. Je voulais voir ses yeux bizarres irradier le bonheur, tandis qu'elle nous faisait des récits hilarants parsemés de mots français ou italiens à propos de la grande ville et de salles de concert et de tout ce qu'il y a de raffiné dans le monde. Je voulais que mes jeunes cousins la regardent avec une admiration et une envie sans borne, et qu'Elf passe ensuite son bras autour de mes épaules. Je voulais qu'elle soit elle-même, grisante, vive, et je voulais m'asseoir à côté d'elle et sentir la chaleur qui émanait d'elle, son énergie, sa témérité de fille qui évoluait avec grâce dans le monde, ma grande sœur.

J'ai attendu que ma mère s'éloigne. Je tenais toujours la tête d'Elf en étau. Elle battait des jambes et poussait des cris d'animal sauvage. Je lui ai dit que je me tuerais si elle ne venait pas se mettre à table. Elle a cessé de geindre et m'a regardée en fronçant les sourcils, comme si nous étions des actrices et que, en déviant du scénario, j'avais gâché la prise de vue.

Notre père a eu un jour le projet de vendre des napperons dans des haltes routières. Il les avait conçus lui-même et en avait fait imprimer des milliers. Les napperons avaient pour but d'initier les clients à l'histoire du Canada pendant qu'ils engouffraient leurs sandwichs western. Les événements étaient présentés sous forme de bandes dessinées, réalisées par mon père, avec des mots dans des phylactères, des blagues et des devinettes. Ces napperons voulaient plaire aux enfants et aux adultes. Mais, par-dessus tout, ils avaient pour but d'éduquer une population que mon père jugeait ignorante et blasée. Qu'y a-t-il de plus intéressant que l'histoire de son pays ! s'exclamait-il. Il était sincèrement affligé de voir ses compatriotes passer sans ralentir devant les plaques commémoratives, rejeter du revers de la main les règlements sur le contenu canadien, rater les examens de citoyenneté et bousiller les paroles de l'hymne national avant les matchs de hockey. Il s'est pourtant passé des choses ici, répétait-il.

Une année, entre Noël et le jour de l'An, mon père a pris le train jusqu'à Ottawa pour mener des recherches dans les archives du gouvernement et assister aux funérailles de Lester B. Pearson. Instituteur d'une petite ville des prairies, il avait trente-sept ans. Devant l'édifice du parlement, il a fait la queue dans le froid avec des milliers d'autres pour présenter ses respects. Il a alors engagé la conversation avec son voisin. Ce dernier a fini par inviter mon père chez lui pour le réveillon du Nouvel An. C'était la première fois de sa vie que mon père assistait à un réveillon du Nouvel An. Une maison très chic, a dit mon père. Dans un quartier huppé appelé The Glebe. Mon père a été touché par la gentillesse de l'inconnu. Quand, de retour à la maison, il a raconté cette histoire, une sorte de silence est tombé sur nous. Je me souviens d'avoir eu peur que mon père se mette à pleurer. Ce que j'avais retenu de toute cette affaire, c'était que mon père avait perdu son leader et qu'il avait grand besoin d'un ami. Il avait toujours cru qu'il rencontrerait un jour son héros, Lester B. Pearson, et qu'il aurait avec lui une discussion sur le Canada. Ma mère lui a demandé s'il avait bu une coupe de champagne à la soirée et il a répondu non, oh non, Lottie, bien sûr que non. J'avais alors seulement sept ou huit ans. Lorsqu'il a relaté ces événements, des obsèques nationales et un réveillon du jour de l'An le même jour, ma mère et ma sœur et moi l'avons regardé avec respect et admiration. Mais j'éprouvais en même temps un malaise inexplicable. Je ne l'avais encore jamais vu pleurer, et d'ailleurs il n'a pas vraiment pleuré, mais j'ai senti qu'il en avait envie, et c'est toujours le souvenir qui me revient d'abord.

L'été de mes neuf ans, je crois, il m'a proposé de l'accompagner dans une grande tournée des haltes routières du Manitoba et de l'Ontario, au cours de laquelle il entendait vendre ses napperons. J'étais partante et nous nous sommes mis en route. Je me souviens d'avoir porté la même tenue pendant tout le voyage : un t-shirt en tissu éponge orange, un short et mes chaussures de sport North Star. J'avais une pile de livres du Club des Cinq. Je ne me suis pas brossé les dents une seule fois et j'ai mangé des crêpes et des tablettes Oh Henry ! trois fois par jour. Le soir, mon père et moi nous arrêtions dans des motels bon marché et je remplissais notre seau à glaçons et je suçais des morceaux de glace en regardant la télé pendant que mon père ronflait. Quand j'étais fatiguée, je mettais la chaîne sur la porte et j'ouvrais et refermais lentement celle-ci à quelques reprises pour m'assurer que la chaîne tenait.

Personne ne voulait des napperons de mon père. Quand je m'ennuyais dans la voiture, papa m'en donnait comme feuilles à dessin. Il a commencé à se décourager et, pour lui remonter le moral, je chantais des chansons idiotes comme *Cent kilomètres à pied, ça use, ça use.* Je ne voulais plus entrer dans les restaurants avec lui parce que c'était trop gênant. Il était si gentil, si sincère. Tout ce qu'il voulait, c'était faire l'éducation des Canadiens. Il était prêt à accepter une somme dérisoire en échange d'une boîte de napperons, puis même à les offrir gratis. Malgré tout, les gérants de restaurants et les propriétaires de stations-service, après les avoir examinés pendant une minute ou deux, secouaient la tête, non, ils préféraient s'abstenir.

Mes dents étaient poisseuses et mon t-shirt orange crasseux. Mon père s'est avoué vaincu et nous sommes rentrés. Nous avions été absents pendant une semaine environ. À notre retour, nous avons trouvé ma mère en train de rire dans la cuisine avec quelques amies ; Elf était au piano. C'était toujours, me semblait-il, le même scénario. Mon père a raconté les résultats de son entreprise à ma mère et à ses amies, moins avec des mots qu'avec ses yeux et ses épaules. Il est allé dans sa chambre.

Je me suis assise avec ma mère et ses amies et je leur ai fait un récit coloré de notre virée. Je les ai fait rire. Elf s'est arrêtée de jouer et elle est venue voir ce qui se passait. Je lui ai tout raconté. Elle n'a pas ri du tout. Elle a dit oh non, oh non, c'est affreux. Comment il va ?

Qui ? lui ai-je demandé.

Papa !

Elle est allée dans sa chambre à elle et sa porte est restée fermée pendant un long moment. Je pense qu'elle n'est pas sortie avant la nuit tombée parce que la sirène de la caserne de pompiers avait sonné deux fois, la première à six heures pour signifier aux enfants que c'était l'heure du repas et la seconde à neuf heures, pour leur intimer l'ordre de rentrer dormir. Je ne sais plus combien de temps mon père est resté dans sa chambre.

Mon père a forcé le conseil municipal à lui donner de l'argent pour ouvrir une bibliothèque. Les conseillers ont résisté. C'était, à leurs yeux, un gaspillage de fonds publics, une entreprise dangereuse qu'aucun homme digne de ce nom n'aurait osé proposer. Il s'est efforcé de les convaincre. Il faisait quarante degrés sous zéro. C'était l'heure du dîner. J'ai demandé à ma mère hé, où est papa ? Elle a répondu qu'il allait de porte en porte pour persuader les gens de signer la pétition en faveur d'une bibliothèque.

Pendant des semaines, mon père a arpenté les rues d'East Village avec sa planchette à pince et ses stylos à bille et il a cogné à la porte des gens pour les supplier d'appuyer le projet. Il sortait à l'heure du repas, quand tout le monde était à la maison. Il faisait noir. Il a visité toutes les maisons de la ville. Parfois, ma mère l'aidait. Quand il rentrait, les verres de ses lunettes s'embuaient aussitôt. Ma mère a tenté de le convaincre de porter des caleçons longs, c'était l'hiver le plus froid de l'histoire, mais il a refusé. Elle devait lui frapper les jambes à coups de karaté pour que son sang recommence à circuler. Pourquoi tant détester les caleçons ? lui demandait-elle.

Lorsqu'il a eu un nombre suffisant de signatures, il a apporté la pétition à l'hôtel de ville et les conseillers lui ont dit bon, d'accord, commence-la, ta petite bibliothèque. Ils lui ont donné une minuscule pièce envahie par les moisissures dans une vieille école à l'abandon et assez d'argent pour acheter quelques étagères d'occasion et des livres pour les remplir. Il était l'homme le plus heureux du monde. Il a confié à ma sœur le poste de bibliothécaire. Elle était très méthodique. Elle a fait une fiche pour chacun des livres. Elle y notait de nombreux détails. C'était une adolescente aux longs cheveux noirs et raides et aux énormes lunettes, et elle était très organisée. Ils partaient travailler ensemble. Ils avaient un million de projets.

Je regarde Elf à travers le mur vitré des soins intensifs et je lui fais un signe de la main. Elle nous voit parler de ses organes internes, Nic et moi. Elle porte le t-shirt aux couleurs d'Alarm que je lui ai offert il y a des années, à l'époque où nous vivions toutes deux à Londres, moi dans une maison sale remplie de punks et elle dans un appartement impeccable de Notting Hill avec un diplomate qui, sans être italien, prenait plaisir à appeler Venise *Venezia* et Naples *Napoli.*

Comme ça, elle va s'en tirer, dis-je à Nic. Il hoche la tête et prend une profonde inspiration et, dans ce bref instant, se formule la question qu'il faut nous poser.

Je suis dehors, assise dans l'escalier en béton devant l'hôpital, et je fais le point sur la situation d'Elf au profit de mes enfants, à l'autre bout du fil. Will a terminé ses cours et me dit qu'il accepte de rentrer à Toronto pour rester, une fois de plus, avec Nora, dont le grand récital approche, alors que je suis ici à Winnipeg. Mais, dans deux ou trois semaines, il commence à travailler dans Queens, de l'aménagement paysager pour un type que connaît son père, alors il ne pourra pas s'éterniser. Il se dit prêt à le faire, mais il me demande : Peux-tu, s'il te plaît, faire un peu la leçon à N et lui dire qu'elle ne doit pas vivre comme un animal ?

Julie est retournée au travail. Elle m'a laissé deux cigarettes emballées dans du papier d'aluminium. Je reçois alors un message de Dan, toujours à Bornéo. *J'ai besoin de toi.* Je réponds aussitôt. *Quoi ? Ça va, Dan ?* Il écrit : *Excuse-moi, fausse manœuvre. J'ai besoin de toi pour signer les papiers du divorce.*

J'efface le message et j'allume une des cigarettes de Julie et je souffle lentement la fumée en me concentrant sur ma respiration, sur des formes floues. Je m'ordonne de réfléchir, de me concentrer. Pendant un instant, je songe à texter Radek, mais je ne sais ni quoi lui dire ni comment le formuler. Je me lève et je marche jusqu'à la rivière pour jeter un coup d'œil. Les glaces ont disparu. La rivière est moins agitée. Pour qui n'a pas d'autre moyen de rentrer à la maison, il est sans doute possible de mettre un canot à l'eau sans risquer sa vie.

Je suis assise dans la « salle familiale » avec ma mère et ma tante. Nic est sorti acheter à manger. Ma mère recommande un livre à ma tante. Je connais le livre en question. Elle le qualifie de délicieux. Elle me demande si j'en ai entendu parler et je réponds ouais, mais je n'ai pas envie de le lire. Ma mère me dit que c'est un livre réconfortant et qu'on en a parfois besoin et je ne dis rien. Qu'est-ce que tu lis, en ce moment, Yoli ? me demande ma tante. *Voyage au bout de la nuit,* de Céline, lui dis-je. Un écrivain français, mort, rien à voir avec la chanteuse québécoise. Où est le tien ? demande ma mère. Mon livre réconfortant ? dis-je. Et elle dit non, ton manuscrit. Toujours dans un sac en plastique de Safeway ? Je hoche la tête et je lève les yeux au ciel. Ma tante me demande combien j'ai de mots et je lui dis que je ne sais pas, je ne sais plus comment vérifier le compte de mots sur mon ordinateur. Je ne veux pas en parler. Ma mère explique à Tina qu'elle n'aime pas les livres où la protagoniste est décrite comme triste dès la première page. OK, elle est triste ! On a compris, on sait ce que *triste* veut dire, et ensuite le reste du livre est en gros une description du million de motifs que la protagoniste a d'être triste. Lâche-nous ! Reviens-en ! Tina hoche la tête d'un air sagace et dit oui, puis elle ajoute quelques mots en *plautdietsch,* sans doute quelque chose comme pour ça oui, s'il y a des gens qui s'y connaissent en tristesse, c'est bien nous. La tristesse, c'est ce qui soude nos os. Mon téléphone vibre et je consulte le texto. C'est Nic qui m'apprend qu'il est à la cafétéria et qu'il vient de parler à Claudio. Claudio s'est occupé de tout, des salles de concert, des assurances, bref, il a tout annulé. Tina y va de sa propre variation sur le thème de la tristesse. J'écris à Nic *bien, il est en colère?* Nic répond *non, inquiet, obligeant, peut-être tendu, va venir de Budapest pour la voir.*

Ma mère dit que mes histoires de rodéo la rendent triste parce que je suis si remplie de tristesse que j'invente des héroïnes adolescentes tristes. Pourquoi est-ce qu'elles n'obtiennent jamais le ruban de la première place? demande-t-elle. Je lui réponds non, non, tout le monde est rempli de tristesse, je suis pas la seule, et écrire m'aide à me dépatouiller avec ma tristesse, alors y a pas de quoi fouetter un chat. Je texte Nic *quand?* Il répond *immédiatement. Demain.* Claudio publie un communiqué dans lequel il invoque l'épuisement, demande qu'on respecte l'intimité de la famille. Ma mère dit ah, OK, mais quand même... Je me pose des questions sur toute cette tristesse, sa source... et je comprends enfin qu'elle parle de moi, mais aussi d'Elf, et je lui réponds que ma tristesse ne me vient pas d'elle, que mon enfance a été joyeuse, une île sous le soleil, qu'elle a été une mère exemplaire, qu'elle n'y est pour rien.

Je suis seule avec Elfrieda. Le soleil disparaît. L'avant-veille de son suicide, mon père a pris ma main dans les siennes et il a dit Yoli, j'ai l'impression que les lumières s'éteignent. Il était midi et nous étions assis au bord d'une fontaine, dans un parc.

Nic a passé des heures avec Elfrieda et maintenant il est rentré. Il est furieux parce qu'une voisine a vu Elf partir en ambulance, couverte de sang, et qu'elle en a parlé à d'autres voisins, et un journaliste a téléphoné à Nic pour lui poser des questions sur l'état de santé d'Elf. Ma mère et ma tante sont également rentrées pour se reposer. J'ai dit à Elf que nous allions tous nous retrouver au Colosseo pour le dîner et que je regrettais qu'elle ne puisse pas nous accompagner. Comme elle est toujours intubée, elle ne peut pas répondre, mais, si elle en était capable, que dirait-elle ? Je lui demande si elle pense que sa vie s'améliorera un jour. Je lui demande si son cœur est brisé. Si la vie est pour elle une torture. Je lui dis que je l'aiderais si je pouvais, mais que je ne peux pas. Je ne veux pas aller en prison. Je ne veux pas la tuer. Dans la pénombre de sa chambre, je blottis mon visage dans mes mains. J'ai peur et quand je pense à ma peur mes genoux se remettent à trembler, mais le bruissement de son respirateur est à la fois réconfortant et rythmique. Je lui propose de chanter et un des coins de sa bouche se redresse, à peine. Je ne sais pas quoi chanter. Je réfléchis un moment et Elf me regarde, l'air de dire ça vient ? Qu'est-ce que ce sera ? Je chante « I Don't Know How to Love Him » de *Jesus Christ Superstar.* Je suis morte de trouille. Elf et moi avions l'habitude de la chanter à tue-tête, cette chanson, ballade passionnée interprétée par Marie-Madeleine à propos de son nouveau béguin, Jésus. C'est une prostituée blasée, et elle n'en revient pas de l'effet que lui fait ce barbu qui va pieds nus. Elle a envie de lui et s'efforce de banaliser son désir de sortir avec lui en soutenant qu'il est juste un homme comme les autres, après tout. Je chante doucement la chanson, tandis que la lumière s'estompe et qu'Elf disparaît dans l'obscurité de sa chambre vitrée. Enfin, il fait tout à fait noir dans la pièce et j'ai arrêté de chanter et on n'entend que le bruissement du respirateur artificiel. Elf saisit le bloc-notes posé sur sa poitrine et écrit quelques mots avant de me le passer. *Comment tu fais pour continuer?* a-t-elle écrit. Pendant une minute, je contemple les mots en plissant les yeux. Pour mieux voir, j'approche le bloc-notes du minuscule voyant rouge du respirateur. Je le lui rends. Elle secoue la tête et remet le bloc-notes sur sa poitrine. Nous fermons les yeux toutes les deux et le temps passe. Cinq minutes? Une demi-heure?

Elf, dis-je, t'es réveillée? Ses yeux restent fermés. Elf, dis-je. Elle ne répond pas. Je consulte mon téléphone. Pas de messages. J'observe les infirmières à travers la vitre. Dans leur espace vivement éclairé, elles discutent et rient et prennent des notes, mais je ne les entends pas. Elf, dis-je. Ouvre les yeux. Toujours pas de réaction. Je pose doucement ma tête sur son ventre, là où il y a le piano de verre. Elf, dis-je à voix basse. Je ne sais pas quoi faire.

Nous gardons le silence.

Elf, dis-je de nouveau à voix basse. As-tu une idée de ce que Nic ressent? Sais-tu ce que tu fais? Tu tues des gens.

Elf remue légèrement et met sa main sur ma tête. Je me redresse et je la regarde. Ses yeux sont ouverts. Pour une fois, elle a l'air préoccupée. Elle secoue la tête, non, non, non.

Ça te rend heureuse de penser que Nic ou maman va trouver ton cadavre? Je continue de murmurer. Je suis devenue sa tortionnaire et j'ai tellement honte. Je suis en colère et j'ai peur. Je ne veux pas que les infirmières m'entendent. Elf tord ma main et ça me fait mal. Ses mains, endurcies par le jeu quotidien, sont encore fortes. Je lui rends la pareille et, malgré le tube enfoncé dans sa gorge, elle laisse entendre un petit bruit.

Une infirmière entre dans la chambre et fait oh, elle ne m'avait pas vue assise là dans le noir. Elle est nouvelle et nous nous présentons. Elle allume et constate que nous pleurons, Elf et moi, alors elle s'excuse avant d'éteindre de nouveau. Je suis bouleversée par ce petit geste de compassion. Elle propose de repasser plus tard.

Non, non, dis-je. Ça va, maintenant.

Je ne regarde pas Elf. Je la sens me supplier de ne pas partir et je ramasse mes affaires et je dis OK, ben, à plus tard, je sais pas quand. Je ne la regarde pas, elle ne peut pas parler, elle ne peut pas protester à cause du tube et je sors de la chambre.

Je me rends jusqu'au stationnement et ensuite je reviens en courant vers Elf. Je fais irruption dans la chambre et je me confonds en excuses et elle m'ouvre les bras. Blottie contre elle, je reprends mon souffle. Je me redresse au bout d'une minute ou deux et elle tape sur son cœur. Tu m'aimes? dis-je. Elle fait signe que oui. Mais elle a autre chose à dire. Je ramasse le bloc-notes et elle écrit qu'elle est désolée, elle aussi. Elle ne veut tuer personne, sauf elle-même. Je sais, dis-je, je hoche la tête. J'ai peur de mourir seule, écrit-elle, et je hoche de nouveau la tête. Puis elle écrit et encercle le mot *Suisse* sur la feuille et me la tend. Je souris et plie le papier jusqu'à ce qu'il ait la taille d'une pilule et je le mets dans mon sac. Laisse-moi réfléchir, dis-je. Laisse-moi le temps de réfléchir.

DIX

Je roulais dans l'avenue Corydon vers le restaurant où je devais retrouver Nic et Tina et ma mère. J'avais oublié lequel. Dans l'espoir que la mémoire me reviendrait à la vue d'une enseigne, je roulais lentement, à la vitesse d'un char allégorique, en examinant toutes les possibilités. Mais je pensais à la mort. Si seulement je pouvais mettre la main sur quelques barbituriques... Et du Séconal? Une certaine combinaison prise avec du lait... ou avec autre chose que du lait. Je ne me souvenais plus de la recette mortelle. Il y a longtemps, à l'époque où je tentais de gagner ma vie comme journaliste, je m'étais rendue à Portland, en Oregon, pour écrire un article de magazine sur le suicide assisté. Pendant que j'étais là-bas, on avait repêché le cadavre de ma cousine Leni dans le fleuve Fraser, où elle avait une fois pour toutes fait le grand saut dans le vide. Une combinaison de médicaments. Lesquels, déjà? Avais-je réservé au Colosseo à six heures ou à sept heures? Avais-je songé à demander si nous pouvions nous asseoir sur la terrasse? Le Séconal était-il l'ingrédient actif? Il faudrait que je consulte mes notes de Portland, à supposer que je les aie conservées.

Nic travaillait dans le domaine de la science médicale. Il réussirait peut-être à concocter les médicaments nécessaires à partir des trucs qui traînaient au bureau. Hé, Nic, tu pourrais pas mettre au point un petit cocktail qui l'assommerait pour de bon ? Nous pourrions peut-être aussi recruter un médecin disposé à faire une razzia dans le stock de l'hôpital. Si c'est un docteur qui pique des médicaments, ce n'est peut-être même pas un vol. Devoir professionnel. Ou encore un pharmacien compréhensif? Un gang, peut-être. Il y a à Winnipeg un millier de gangsters qui ont accès à des drogues illicites. Ou à des armes à feu.

Très bien, le cerveau est un organe conçu pour régler les problèmes et si le problème c'est la vie et l'impossibilité de la vivre, un cerveau rationnel et fonctionnel cherchera un moyen d'y mettre fin. Non ? Je ne savais pas quoi faire. C'était comme si on me lançait des fléchettes sur la tempe à intervalles de cinq secondes. J'étais naïve et égoïste et en proie à la frayeur quand je disais il faut que tu vives, il faut que tu aies envie de vivre, il faut absolument que tu vives. C'est l'impératif suprême, la toute première règle de l'univers. Autrefois, notre famille a connu des crises normales, par exemple un bébé né en dehors des liens du mariage (bon, d'accord, deux). Autrefois, notre famille était une famille typique et on ne songeait à s'y entretuer que dans l'abstrait. À présent, je ne pouvais ni penser ni écrire. Mes doigts me haïssaient. En me mettant au lit, j'avais peur de les trouver, à mon réveil, refermés autour de ma gorge.

J'ai garé l'auto de ma mère dans une rue transversale, près du restaurant, et j'ai téléphoné à Finbar et je lui ai laissé un message. Si j'aidais ma sœur à mourir, serais-je accusée de meurtre ? J'ai raccroché. Puis j'ai rappelé et laissé un autre message. Non pas que j'aie l'intention de tuer ma sœur, ne va pas te faire d'idées fausses, je m'interroge juste sur les conséquences judiciaires et tout ça. Tu peux m'aider ? Je me suis rendu compte que je ne savais même pas quel genre de droit il pratiquait. Le droit du divertissement, peut-être ?

J'ai fermé les yeux et tenté de mettre de l'ordre dans mes pensées. Qu'est-ce que l'amour ? Comment est-ce que je l'aime ? J'agrippais le volant comme mon père avait l'habitude de le faire, comme s'il remorquait une planète nouvellement découverte, une planète recelant le secret de l'univers.

C'était le Séconal, j'en étais certaine ! Le bon médicament. Et il faut prendre cent pilules pour que la dose soit mortelle. Il faut vider la poudre dans quelque chose de crémeux, du yogourt, par exemple, et tout manger. Sinon, il y a aussi le Nembutal, plus cher, mais plus facile à prendre parce qu'il se vend sous forme liquide. Il suffisait d'en siffler un verre et voilà, c'était dans la poche, aurait dit tante Tina. Je me suis demandé si mon cœur risquait de céder à cause de la peur. Pourquoi l'impuissance plongeait-elle les médecins dans un tel malaise ? Et si on m'arrêtait et qu'on m'accusait de meurtre ? Et si on me mettait en prison ? Où vivrait Nora ? À Bornéo ? Et si Elf ne voulait pas vraiment mourir ? Que dirait ma mère ? Mon téléphone a sonné et m'a fait sursauter. Un texto de Nora : *Si Will vient, dis-lui qu'Anders peut coucher à la maison.* J'ai répondu : *Il NE peut PAS coucher à la maison !* Nora de nouveau : *T'as dit que c'était d'accord si on répétait jusque tard et qu'il y avait plus de métro.* Moi : *D'accord, mais il dort sur le canapé.* Nora : *Texte Will et dis-lui de pas obliger Anders à dormir dans la salle de lavage.* Moi : *C'est pas une si mauvaise idée ! Il y a un vieux futon et des piles de linge sale, de quoi se construire des forts.* Nora : *Maman !* Moi : *T'as seulement quatorze ans, N.* Nora : *Presque quinze. Mon Dieu. Mon anniversaire… Tu te souviens ? Tu deviens sénile ou quoi ?*

Nous avons soupé comme dans un film de Buñuel. J'ai gardé un œil sur ma mère, son visage, ses mains, m'attendant presque à voir des yeux coupés au rasoir, des giclées de sang. Nous étions sur la terrasse ensoleillée d'un restaurant italien bondé, ma mère était une pietà, elle était la Marie de Michel-Ange et je couvais des idées de meurtre. D'un air las, Nic versait de la sangria dans un millier de verres, la sœur de ma mère agrippait des mains et les serrait, parlait trop vite et demandait c'est quoi, Twitter ?

Elle a interrogé Nic sur le voyage de camping qu'il avait entrepris l'hiver précédent et, de fil en aiguille, nous en sommes venus à parler de *Construire un feu* de Jack London. Nous avions des théories différentes pour expliquer que, à la fin de la nouvelle, le chien abandonne l'homme qui se meurt. Et, pour certains, le mot *abandonne* n'était pas tout à fait le bon. Ma mère et ma tante n'avaient pas lu la nouvelle, mais, après mûre réflexion, elles en sont venues ensemble à la conclusion que le chien était parti chercher de l'aide. Nic était d'avis que le chien avait compris que l'homme allait mourir de froid et qu'il devait le laisser seul, les chiens et les chats préférant mourir seuls. Le chien s'est donc retiré par respect, question de laisser l'homme tranquille. Je ne croyais à ni l'une ni l'autre de ces théories. C'est un chien, ai-je dit, il sent que l'homme se meurt ou qu'il est déjà mort. Alors qu'est-ce qu'il peut faire ? Rien. C'est fini. Il s'en va. Il doit trouver de la nourriture et un abri, voilà le plus urgent. Son instinct de survie prend le dessus. Je veux dire, pas de… Jack London s'est-il suicidé ? J'ai regardé les autres d'un air contrit.

Nic arborait un singulier sourire. Il pleurait. Sa main dissimulait ses yeux. Sa montre était trop grande pour lui, le bracelet glissait sur son poignet et il devait parfois rectifier la position de son bras pour empêcher la montre de tomber tout à fait.

Ce soir-là, j'ai fait un tas de choses, mais je n'étais toujours pas plus près de savoir si j'allais tuer ma sœur ou pas. J'ai mis ma mère et ma tante au lit avec leur Kathy Reichs et leur Raymond Chandler. Elles avaient enterré quatorze frères et sœurs. Leur famille avait autrefois été assez nombreuse pour composer deux équipes de baseball. Des seize enfants, il ne restait qu'elles deux. Elles avaient enterré des filles, des maris, des parents. La mort avait façonné leur conception du monde, qu'elles voyaient jonché de cadavres, des jungles de la Bolivie jusqu'aux hauts plateaux de la Mongolie-Extérieure. À voix basse, ma tante m'a dit quelque chose en *plautdietsch* et je l'ai remerciée. *Schlope schein,* les mots qu'elle nous répétait à Leni et à moi avant que nous nous endormions, quand nous étions petites, de nouvelles venues sur la planète, avant que ma cousine peigne en vert lime les murs de son appartement et se jette dans les eaux glacées du fleuve Fraser.

Je suis sortie sur le balcon et j'ai téléphoné à Radek et je lui ai laissé un message. Excuse-moi d'être une pauvre tarte, lui ai-je dit. Si t'as envie de faire de moi une méchante dans ton opéra, te gêne surtout pas. J'essaie de me souvenir du mot tchèque que tu utilises souvent, mais ça ne me revient pas. Alors bref… en résumé… je suis vraiment, vraiment désolée. J'ai respiré pendant un moment, voulant ajouter quelque chose, puis j'ai raccroché.

J'ai roulé jusque chez Nic, mais je ne suis pas sortie de la voiture. Il avait attaché de minces fils au toit de sa maison et les avait ancrés au sol à l'aide de sacs de sable. Ils étaient tendus, ces fils, comme les cordes d'une basse. Je me suis dit qu'il s'en servait pour faire pousser quelque chose, une tige de haricot qui monterait jusqu'au ciel ou encore du houblon pour sa bière, à supposer que le houblon soit un truc qui pousse à la verticale et s'enroule autour d'une ficelle.

Je suis allée chez Julie et je l'ai rejointe sur la galerie. Je ne sais pas quoi faire, ai-je dit. Mais elle va s'en tirer ? a fait Julie. Ben, ouais, je pense. T'aurais pas du vin ?

Nous avons bu le vin et parlé tard dans la nuit. Ses enfants dormaient. Nous avons marché jusqu'à la rivière, au bout de la rue, et vu des choses, des poissons peut-être, surgir de l'eau et y retomber, comme si c'était la chaleur de l'eau qui les faisait sursauter. Regarde, ai-je dit en montrant au loin l'hôpital Sainte-Odile, ses tours et ses ailes et sa croix géante. Je me demande laquelle est sa fenêtre, ai-je dit. Nous sommes rentrées chez Julie et nous avons jeté un coup d'œil aux enfants. Ils étaient toujours dans leurs lits, dormaient toujours.

Tu peux pas faire ça, a dit Julie quand nous avons retrouvé nos chaises sur la galerie. Je sais, ai-je dit. Vraiment, je peux pas ? Non, a-t-elle dit. Pas vraiment. Non. Parce que je risque de me faire prendre ? Ouais, a-t-elle répondu, mais c'est pas la vraie raison. Parce que je risque de me sentir coupable jusqu'à la fin de mes jours ? Je sais pas, a-t-elle dit, j'en suis pas sûre. Tu le ferais avec Nic et ta mère ?

Ouais, je suppose, ai-je dit, mais…

Alors vous vous rassembleriez autour d'elle et elle prendrait le je-sais-pas-quoi et elle mourrait…

Ouais…

Et c'est le je-sais-pas-quoi dont t'as entendu parler à Portland ?

Ouais…

Et, ensuite, comment tu expliquerais ça aux policiers, par exemple ?

Je sais pas, ai-je dit. Qu'elle a fait ça toute seule, que c'est elle qui a pris le je-sais-pas-quoi.

Ouais, a dit Julie, mais vous l'auriez pas *empêchée* de se tuer.

Je sais…

Et, en plus, c'est vous qui lui auriez fourni le je-sais-pas-quoi.

Ouais, je sais…

Alors vous seriez complices ou quelque chose comme ça.

Hmm, ouais, ai-je dit, je sais… Julie nous a resservies et nous sommes restées un moment sans rien dire.

Je sais, ai-je dit, Nic et ma mère pourraient lui dire adieu et je resterais seule avec elle et je lui donnerais le je-sais-pas-quoi, alors je serais la seule responsable… Ils seraient blancs comme neige. Je sais pas…

Mon instinct me dit que tu dois pas faire ça.

Ouais, mais elle, elle va le faire. Ça, je le sais *instinctivement.*

Mais peut-être pas… je veux dire, elle va peut-être… Ça peut changer.

Peut-être, ouais.

Julie est rentrée pour répondre au téléphone. Je l'ai attendue sur la galerie. J'ai chassé les images mentales du corps brisé de mon père sur les rails en examinant chaque détail de la galerie de Julie. La porte, la peinture jaune écaillée, la moustiquaire déchirée, les vélos, les planches à roulettes, le sac de terre fraîche, le minuscule éléphant en céramique. Je me suis demandé en quoi consisterait un signe, un signe indiquant la bonne voie. J'ai décidé que si personne ne s'avançait sur le trottoir au cours des dix prochaines secondes, ce n'était probablement pas une bonne idée d'emmener Elf en Suisse. Il était très tard, cependant, et il faisait froid. Qui se baladerait dehors dans des conditions pareilles ? En silence, j'ai compté jusqu'à dix. Un chat est passé. Pas concluant, comme signe. Consultant mon téléphone, j'ai constaté que Dan m'avait envoyé un courriel avec *Remords* comme objet. Mon pouce s'est promené au-dessus de diverses touches, puis j'ai tout effacé et j'ai de nouveau commencé à compter jusqu'à dix, mais Julie est sortie avant que j'aie terminé et elle m'a servi du vin.

Il était tard. Les voisins éteignaient leurs lumières. Dans les ruelles, on fracassait des bouteilles. Nous avons décidé de rentrer et de jouer un air sur l'orgue que ma mère avait inexplicablement livré chez Julie au beau milieu d'une nuit pluvieuse, quelques semaines plus tôt. *Memory of a Free Festival* de David Bowie.

Nous avons plus ou moins chanté ensemble, bafouillé les paroles, poursuivi tant bien que mal. Le son de l'orgue se mariait à merveille au ton élégiaque de la chanson. Nous la connaissions par cœur, mais pas très bien. Nous nous sommes retenues, l'avons chantée de façon comique, sans conviction. Je pense que nous voulions nous abandonner à elle, la chanter pour de vrai, avec assurance, conformément à nos souvenirs, mais il était si tard, les enfants dormaient, nous étions fatiguées et il était si tard.

Dans le stationnement souterrain de l'hôpital Sainte-Odile, j'ai engueulé un homme accompagné de sa femme qui tenait un enfant dans ses bras. J'avais déposé ma mère et ma tante devant l'entrée de l'aile des soins intensifs et je tentais de garer la voiture dans un espace très restreint. J'ai entendu un type dire hé, c'est quoi, ton problème ? Je suis sortie de la voiture et je lui ai demandé ce qu'il voulait dire. Il a dit que j'étais vraiment proche de sa voiture, que si j'égratignais ou touchais sa voiture avec ma portière, mon rétroviseur ou autre chose, ça allait barder.

Ça va barder ? ai-je répété. Viens-tu de me dire que ça va barder si je touche ta voiture de merde ?

Le type se tenait là avec sa femme et son enfant et ils me regardaient fixement tous les trois. Je me suis mise à parler très fort. Je ne criais pas, mais je tenais des propos déments. Je lui ai dit que j'étais sur le point de monter voir si ma sœur était morte ou vivante, que les espaces étaient très étroits, il l'avait pas remarqué, ça, et que je n'avais pas touché sa voiture, non, absolument pas, ma voiture était exactement entre les lignes, regarde, non mais regarde, et avait-il déjà aimé quelqu'un plus qu'il aimait son auto ou sa propre personne ?

Je me suis tournée vers sa femme et je lui ai demandé

comment elle avait pu se marier avec un type comme ça, comment elle pouvait partager le lit de ce monstre, comment elle avait pu concevoir avec lui un enfant, celui qu'elle tenait dans ses bras, et je lui ai dit que ma mère était là-haut et cherchait à comprendre pourquoi sa fille voulait mourir et que ma tante était aussi là-haut et cherchait à comprendre pourquoi sa fille avait voulu mourir et qu'on doit parfois se poser des questions sur autre chose que les voitures.

Je m'étais rapprochée d'eux et je poursuivais mon interrogatoire insensé. Comment avait-elle pu se marier avec cet homme ? Vous voyez pas que ma voiture touche pas la vôtre ?

Ils me regardaient fixement. La femme a fait un pas en arrière avec son enfant et elle a dit quelque chose à son mari, qui a fini par secouer violemment la tête d'un côté, comme s'il cherchait à faire sortir de l'eau de son oreille, puis il est allé les retrouver, elle et l'enfant.

Je les ai regardés s'éloigner. Je me suis accroupie à côté de ma voiture, mais pas de la leur, et je suis restée dans cette position le temps de reprendre mon souffle. Puis je suis entrée et j'ai pris l'ascenseur et j'ai appuyé sur un bouton, celui qui me conduirait auprès d'Elf et des autres. La femme de l'homme était dans l'ascenseur, mais pas son mari ni son enfant.

Je suis désolée, lui ai-je dit, à propos de tout ça. J'ai gesticulé dans une autre direction. Je suis sûre que vous avez vos propres problèmes. Je suis vraiment désolée, OK ?

Elle ne lâchait pas des yeux les chiffres des étages qui s'allumaient et s'éteignaient tour à tour. Je voulais lui dire qu'elle devait me dire que tout allait bien, qu'elle devait me pardonner. C'est comme ça qu'on fait. J'ai répété que j'étais sincèrement désolée. Le stress, ai-je murmuré. Elle fixait les chiffres. Nous montions. Elle a fini par sortir sans avoir dit un mot. Je l'ai vue s'éloigner dans le couloir, faire passer son lourd sac d'une épaule sur l'autre, puis les portes de l'ascenseur se sont refermées.

Ma tante se tenait dans le petit vestibule attenant au service des soins intensifs, en survêtement violet et en Reebok blancs lustrés. Ils étaient si petits qu'on aurait dit ceux d'une enfant. Un crayon à la main, elle faisait un sudoku. En me voyant, elle a posé le journal sur une chaise et m'a prise dans ses bras. Elle m'a dit que ma mère était avec Elfrieda, que Nicolas était passé, mais qu'il avait dû se rendre au travail pour régler un problème de valve, qu'Elfrieda était réveillée et qu'on avait débranché le respirateur. Elle m'a dit qu'elle allait se chercher un café, j'en voulais un ? Elle m'a demandé comment j'allais. Je lui ai raconté ce que j'avais fait, que j'avais dit à une femme innocente qu'elle avait conçu son enfant avec un monstre, entre autres choses, et elle m'a dit que ça ne faisait rien, que c'était compréhensible.

Mais c'est exactement ce que je voulais que la femme me dise, ai-je dit.

Ma tante a hoché la tête et m'a dit que la femme me le dirait, mais sans doute pas tout de suite, peut-être pas avant des années, et seulement en silence, dans ses pensées, alors je ne l'entendrais pas, mais un beau jour, en marchant dans la rue, je sentirais une sorte de légèreté descendre sur moi et j'aurais le sentiment de pouvoir marcher des kilomètres et ce serait le moment où la femme du stationnement aurait soudain compris dans quel état lamentable j'étais, que ça n'avait rien à voir avec elle ou son mari ou son enfant, et tout serait oublié.

Le pardon, en quelque sorte. Tu comprends ? a fait ma tante.

OK, ai-je dit, je marche dans la rue, je sens la légèreté descendre sur moi... je marche et...

C'est ça, oui, a dit ma tante. De la crème, mais pas de sucre, hein ?

Elle est partie chercher du café dans sa tenue sportive et j'ai regardé ma mère et ma sœur à travers le mur vitré. Elf avait les yeux fermés, et ma mère lui faisait la lecture. Je ne voyais pas le livre. Elle portait un chandail neuf avec des oies en vol dessus, elle avait dû l'emprunter à ma tante. Ma sœur était si maigre que j'ai cru pouvoir distinguer les contours de son cœur. Je suis retournée dans la salle d'attente et j'ai pris le sudoku de ma tante et j'ai essayé de le finir. Comment diable fonctionnent ces putains de casse-tête ? me suis-je demandé, mais à haute voix, et un homme m'a regardée en gonflant les narines. Je me suis endormie sur la chaise et, quand je me suis réveillée, ma mère et ma tante étaient parties.

Je suis allée voir Elf et elle était toute seule dans la chambre et regardait le plafond. Je me suis assise à côté d'elle et je lui ai pris la main. Elle était sèche et je me suis rappelé que, la prochaine fois, il faudrait que j'apporte de la crème. La pièce sentait le poil brûlé. J'ai incliné la tête au maximum, comme si on roulait en voiture et que je voulais éviter de vomir, et je n'ai rien dit. Elf m'a dit que nous formions un tableau.

Tu parles ! me suis-je écriée.

Elle m'a dit que sa gorge guérissait. Elle m'a demandé si je connaissais le tableau d'Edvard Munch intitulé *L'Enfant malade*. Non, ai-je dit, mais c'est celui-là ? Elle a dit ouais, qu'il avait été inspiré à Munch par l'agonie de sa sœur. Je lui ai dit qu'elle n'agonisait pas. Regarde-toi, tu as retrouvé la parole. Elle m'a demandé pourquoi fallait-il que nous soyons des humains. J'ai de nouveau incliné la tête, comme si le sol l'attirait.

OK, OK, a-t-elle dit. Arrête ça. T'as l'air vaincue.

J'ai dit ben, pour l'amour du ciel, Elf, je devrais avoir l'air de quoi, à ton avis ?

J'ai besoin que tu sois forte, a-t-elle dit. J'ai besoin que...

Tu veux rire, là ? ai-je dit. T'as besoin que je sois forte, moi ? Oh mon Dieu. Oh mon Dieu. Non mais, regarde-toi !

OK, a dit Elf. Chuuut. S'il te plaît. Taisons-nous. Je suis désolée.

T'es-tu déjà demandé de quoi j'ai besoin, moi ? ai-je dit. Tu t'es rendu compte, juste une fois dans ta vie, que c'est moi qui suis la plus effroyablement de travers et que j'aimerais pouvoir compter sur le soutien de ma sœur, de temps en temps ? T'as déjà pris l'avion toutes les deux semaines pour te précipiter à mon chevet parce que j'ai le moral à zéro et que j'ai envie de mourir ? Tu t'es jamais aperçue que *je vais pas bien, moi*, que j'ai honte de chacune de mes actions, que je me suis fait engrosser par deux types différents, que j'ai à mon actif deux divorces et deux aventures qui ont été ou qui sont encore des cauchemars, mais aussi des clichés, que j'ai pas un sou, que j'écris un petit livre merdique sur les bateaux que personne ne veut publier et que je couche avec des hommes qui… qui pissent la nicotine dans leurs draps par tous les pores de leur peau et qui laissent des contours, comme des morts…

Quoi ? a demandé Elf.

Tu t'es jamais rendu compte que mon père à moi aussi s'est suicidé, que j'ai du mal à m'en remettre et que j'essaie de donner un sens à ma pitoyable existence et que souvent je me dis moi aussi que c'est juste une farce ridicule et que la seule réponse intelligente serait de me suicider, mais je me retiens de passer à l'acte parce que ça implique quelques trucs pas trop ragoûtants ? Comme si t'étais Virginia Woolf ou un de ces types à la con beaucoup trop cool pour vivre ou trop lucides ou trop conscients de la dimension tragique de la vie ou je sais pas quoi, que t'essayais de laisser derrière un héritage bidon d'artiste brillante et damnée et…

Yolandi, a dit Elf, je t'ai dit…

T'as dans ta vie un gars extraordinaire qui t'aime comme un fou, une carrière extraordinaire, le respect du monde entier, de l'argent en veux-tu, en v'là, sans compter que tu peux t'arrêter quand tu veux dans une aura de mystère et d'excentricité et partir vivre à Paris dans le Marais ou dans ce stupide… *arrondissement**… Non, ne dis rien, ne me corrige surtout pas avec ta maîtrise supérieure du français, t'es venue au monde avec cette beauté qui ne s'estompe jamais, t'as une maison extraordinaire qui semble se nettoyer toute seule…

J'ai une femme de ménage, Yo, a dit Elf. Soit dit en passant, ta compréhension du désespoir est en dessous de tout.

Une femme de ménage exceptionnelle, OK? Ta mère est convaincue que tu chies de l'or.

Yoli, a dit Elf.

Bon, OK, papa est mort. Qu'est-ce que tu veux? Il t'aimait! T'as... En fait, c'est quoi, ton gros problème?

En plus, a dit Elf, j'ai une sœur extraordinaire. Mais peux-tu... chuuut.

Je suis pas extraordinaire! ai-je dit. Je suis un désastre ambulant! Tu peux pas comprendre ça? Tu peux pas comprendre que j'ai besoin de ton aide? Que si t'es sur la terre, c'est pour être ma grande sœur, merde?

Yoli, a-t-elle dit. Elle s'est assise sur son lit et s'est mise à chuchoter d'un ton dur, le visage livide. Tu comprends rien de rien, OK? Mon aide, tu l'as depuis le début. Il a fallu que je sois parfaite pour te permettre de faire toutes tes gaffes de merde et tu ne t'en es pas privée. Il fallait bien qu'une de nous montre de l'empathie, tu connais, c'est un beau mot, t'aurais intérêt à l'apprendre, une de nous devait faire preuve d'un peu d'empathie, merde, pour papa et ses arpents de tristesse existentielle. Qui a fait ça? Toi? Maman? Non! Moi. Juste pour que tu puisses butiner avec désinvolture...

Je sais même pas de quoi tu parles, ai-je dit. Tu te prends pour Jésus-Christ, maintenant? T'as rien eu à faire. T'as choisi de faire partie de son équipe.

Parce que personne d'autre ne voulait, a dit Elf.

Ça veut pas dire que nous sommes incapables d'empathie, maman et moi, ai-je dit. Ça veut dire qu'on a choisi la vie ou ce qui en tient lieu. C'est juste que t'es plus comme lui que nous... ce qui, pour des millions de raisons, est une bonne chose pour toi, mais ça veut pas dire qu'on s'en foutait.

Ah, comme ça, tu dis que je suis condamnée.

Je dis pas que t'es condamnée ! C'est toi qui dis que t'es condamnée. Tout ce que je dis, c'est que t'as jamais été obligée d'être qui que ce soit. Et depuis quand tu as ce langage ordurier ?

Bien sûr qu'il a fallu que je sois quelqu'un, a dit Elf. La dynamique familiale, tu connais ? Et tu penses pas que j'ai une peur bleue ?

Ben alors, à quoi ça rime, tout ça ? Qu'est-ce que tu fous ici ? Une frappe préventive, en quelque sorte ? Tu fais ce dont tu as le plus peur pour surmonter ta peur de le faire ? J'ai peur de me suicider, alors tiens, je pense que je vais me suicider pour pouvoir continuer à vivre sans peur... Attends ! C'est un peu différent, dans ce cas-ci. La logistique est un tantinet...

Yoli, j'essaie juste de te faire comprendre l'incroyable pression que j'ai subie pour...

Puisque c'est comme ça, arrête ! Cesse d'être parfaite ! Ça veut pas dire qu'il faut crever, espèce d'imbécile. Tu pourrais pas être comme le reste d'entre nous, normale et triste et bourrée de complexes et vivante et rongée par les remords ? Grossir, te mettre à fumer et à mal jouer du piano ? Ce que tu veux ! Tu pourras te consoler à l'idée que tu vas finir par avoir ce qui te fait le plus envie dans la vie...

Quoi ?

Mourir !

Yoli.

Alors pourquoi t'attends pas juste que ça t'arrive ?

Sois un peu patiente et ton vœu va être exaucé. C'est garanti. Ce que je veux dans la vie, moi, est complètement inatteignable et tout le monde le sait.

Quoi donc ? a demandé Elf. La légalisation de la marijuana ?

Le grand amour, ai-je dit. Et pourtant, je m'accroche de façon déraisonnable, tout en sachant que c'est impossible, mais qui sait ? Je veux être sûre. Je vis d'*espoir*.

Ben, Yoli, ta logique est tordue. Tu te contredis. T'es à peu près certaine que ton rêve, le grand amour, quoi que cela signifie, ne va jamais se réaliser, mais tu t'attardes, au cas où. Moi, je sais que mon prétendu rêve, soit mourir, va se réaliser et donc, suivant ton argumentation, je devrais être libre de partir. Plus rien à découvrir. Pas de grandes surprises dans les coulisses, rien à espérer.

C'est pas ce que j'ai dit !

C'est exactement ce que tu as dit.

Écoute, ai-je dit. Tu crois pas que maman a déjà assez souffert avec papa et toute cette merde ? C'est quoi, le projet ? T'aimes bien l'idée perverse de foutre une pagaille encore plus grande ?

C'est cruel, Yoli. Ça va au-delà de…

Tu meurs juste d'envie d'être demandée en rappel. C'est ça, hein ?

Je ne suis pas parfaite, a dit Elf. Je ne voulais pas…

Ouais, ça, tu peux le dire ! Si t'étais parfaite, tu resterais avec nous. Question de voir comment la vie évolue, ce que deviennent les enfants, et t'es-tu déjà demandé ce que tout ça fait à Will et à Nora ?

Tais-toi, Yoli, a dit Elf. Bien sûr que si. Je pense à eux tout le temps.

Foutaise ! Si t'avais pensé à eux ne serait-ce qu'une seule fois...

Arrête, Yoli.

Arrête quoi ? ai-je demandé. De tenir des propos sensés ? De dire la vérité ? C'est le bon sens qui te rend folle ?

À ton avis ?

Nous avons cessé de parler pendant un long, un très long moment. Une éternité. Des infirmières sont venues attacher et détacher des machins. Pendant que nous nous taisions, des centaines de milliers de bébés ont vu le jour. Les continents ont continué de s'éloigner les uns des autres à la vitesse où poussent les ongles.

Écoute, Yoli, tu ne pourrais pas juste me parler ?

De quoi ? lui ai-je demandé.

De n'importe quoi, a-t-elle répondu.

D'accord, ai-je dit, mais quand tu me demandes de te parler, c'est comme si t'avais en tête un scénario secret que tu veux que je suive et quand je m'en écarte – parce que je sais même pas de quoi il s'agit – tu dis non, non, tais-toi. Tu veux pas que je te parle du passé parce que c'est trop douloureux à cause des bons moments, la vie, quoi, et que ça risque de te faire changer d'idée, et tu veux pas non plus que je te parle de l'avenir parce que t'en vois pas, alors à quoi bon – OK, je vais parler du moment présent. Je viens d'inhaler. Le soleil est caché par un nuage. J'ai exhalé. Tu es au lit. Une seconde passe. Une autre. Oh... et encore une autre ! J'inhale de nouveau.

Elle a soulevé sa main et je l'ai prise. Je l'ai tenue, comme si nous avions remporté de haute lutte un jeu stupide, un concours de crachats, par exemple, mais au niveau du Championnat mondial. Et c'est à ce moment que Claudio s'est encadré dans la porte avec, dans les bras, un extravagant bouquet de fleurs. *Ciao !* Il portait une écharpe bleue à motifs nouée à plat sous son manteau en laine. Ses chaussures de cuir noir étincelaient. Yolandi, tu es magnifique ! (J'adore Claudio.) Il m'a embrassée sur les joues. Elfrieda, ma chérie, et il l'a embrassée sur le front, juste au-dessus de la nouvelle cicatrice. Je suis désolée, Claudio, a-t-elle dit. Il lui a parlé en italien, *ma cosa ti è successo, tesoro,* mais elle a secoué la tête, non, pas ça, comme si la langue de son cœur jurait en ce lieu ou qu'elle lui rappelait la beauté et l'amour et le rire et que toutes ces choses étaient à présent pour elle des balles de revolver, des dents acérées et des tessons de verre et de petits jouets en plastique bon marché sur lesquels on marche au milieu de la nuit.

Nous sommes tous là, ensemble, Elfrieda, et c'est tout ce qui compte. Il a posé le bouquet sur la table de chevet et a pris la main d'Elf. Grâce à toi, j'ai échappé à Budapest. Il a dit qu'il aimait la beauté, l'élégance de Budapest, où tout tombait en ruine et pourrissait, où tout était héroïque et triste, mais que, quand il y restait trop longtemps, il se mettait à déprimer. Et il a ajouté qu'il avait des rendez-vous, des déjeuners et des dîners et qu'il commençait à avoir l'impression de tomber en ruine et de pourrir, et qu'il se sentait triste. Il nous a dit qu'il s'était assis dans une source thermale qui jaillissait des entrailles de la terre, comme il l'avait fait, jeune homme, au milieu de l'architecture art nouveau, et qu'on avait l'impression de prendre un bain dans une cathédrale. Le ciel était rose. L'air embaumait le lilas. De gras gangsters russes arborant de tout petits maillots jouaient aux échecs, tandis que leurs épouses aux cheveux décolorés affichaient des mines renfrognées, les bras et le cou enguirlandés d'or et d'argent. Barbares !

Claudio parlait un bon anglais, où persistait un soupçon d'accent italien. Ces Russes sont les descendants de ceux qui ont massacré les mennonites, me suis-je dit. À présent, ils portaient des bikinis pour hommes. Puis il nous a dit que, du haut d'un des ponts qui enjambent le Danube, il avait vu un type assis au bord du fleuve. Il est bleu ? ai-je demandé. Non, j'ai bien peur qu'il soit crasseux et pas bleu du tout. Il est magnifique ? ai-je demandé. Eh bien, oui, on pourrait le qualifier de magnifique.

C'est vrai, a dit Elf.

Eh bien, il y avait là ce vagabond... Les appelez-vous « *hobos* » ?

Tu savais que *hobo* est un acronyme tiré de *Homeward Bound* ? ai-je demandé à Elf.

Oui, a-t-elle répondu. D'après Woody Guthrie. Je m'étonne que tu le saches.

Je sais aussi qu'il y a un musée des *hobos* à Britt, en Ohio, ai-je dit. J'aime beaucoup le bulletin qu'il publie, en particulier les billets de l'Homme de nulle part et de Mary la Folle. Quand quelqu'un meurt, ils disent qu'il a sauté dans le train de l'Ouest.

Elf a souri. Curieux, a-t-elle dit.

Hmm, eh bien, a poursuivi Claudio, je vois sous moi cet homme qui, assis sur le rivage, regarde l'eau, le ciel, tout ce qui l'entoure. Il a une canette de bière à la main. Puis il se lève et ramasse une bouteille vide posée à côté de lui et descend un escalier en béton qui va jusqu'au fleuve, le bas de son pantalon se mouille, il regarde autour de lui pour être sûr que personne ne l'observe. J'ai cru qu'il allait sauter à l'eau et se noyer, mais il n'est pas allé plus loin. Il s'est penché et il a rempli la bouteille avec de l'eau du fleuve. Puis il est remonté et il s'est assis à la même place. J'étais si soulagé. Je l'observais du haut du pont, le cœur battant. Puis je me suis dit oh là là, il va boire l'eau du fleuve. Non, pourtant, il est simplement resté là pendant un moment, avec sa canette de bière et sa bouteille d'eau du fleuve, à regarder autour de lui. Puis, lentement, il a versé un peu de l'eau du fleuve dans sa canette de bière. Et puis il en a bu une gorgée. Témoin de la scène, je me suis dit c'est affreux, ne bois pas ça. Évidemment, il a continué de boire et, pour une raison que j'ignore, cette scène m'a profondément bouleversé et j'ai eu envie de quitter Budapest.

Il a bu l'eau du fleuve ? a demandé Elf.

Oui, il a ajouté de l'eau sale du fleuve à sa bière pour la faire durer plus longtemps, a répondu Claudio.

Et ça t'a semblé pathétique ? a demandé Elf.

Oui, terriblement triste.

Il aurait pu se noyer, à la place, ai-je dit. Ça aurait mieux valu, tu crois ?

Bien sûr que non, mais je ne voulais quand même pas qu'il boive l'eau du fleuve.

Ben, a dit Elf, je suppose qu'il a fait…

… un choix, ouais, ai-je dit. Je pense qu'il n'aurait pas dû être obligé de faire ce choix.

Je ne veux pas boire l'eau du fleuve, a dit Elf.

Je préférerais boire l'eau du fleuve plutôt que de me noyer dedans, ai-je dit.

Ça se comprend, a dit Elf.

Alors, ce que tu dis, c'est que t'as ton orgueil, mais pas moi, et qu'une personne qui a un caractère d'exception et de l'intégrité et tout ça aimerait mieux se jeter dans l'eau du fleuve plutôt que se résigner à la boire ? Qu'est-ce que tu fais du courage qu'il faut pour comprendre que t'as besoin de cette bière et l'accepter et aussi de la faire durer ? Et de la grâce qu'il faut pour accepter le don de la vie ?

Claudio s'est excusé et a dit qu'il n'avait pas l'intention de nous contrarier, que c'était simplement une scène dont il avait été témoin.

Elf a dit qu'elle avait laissé tomber tout le monde.

Pas du tout, a dit Claudio. Tous les musiciens ont déjà d'autres, comment dites-vous déjà, engagements, et ils t'envoient tout leur amour... Antanas et Otto et Ekko et Bridget et Friedrich.

Comment va Friedrich ?

Oh, pareil, des ennuis avec les femmes, l'argent... Claudio a ri mais il avait l'air affligé.

Tout le monde m'en veut ?

Jamais de la vie ! Je m'occupe de tout, Elfrieda. N'y pense même plus. Nous avons des assurances pour ce genre de situation, comme tu le sais fort bien. Ce n'est rien de plus qu'un léger inconvénient, une vétille dans le grand ordre de l'univers. Il a gesticulé. Pffft. *Non è niente.* Il a prononcé d'autres paroles rassurantes, puis il a dit qu'il devait partir. Il devait retourner à l'aéroport. Quand il s'est penché pour embrasser Elf, elle l'a serré contre elle.

Je te raccompagne, ai-je dit.

Ciao, Claudio, a dit Elf, mais on aurait plutôt dit un sanglot. *Ciao, ciao.*

Claudio et moi étions dans le couloir, à côté d'un gros sac en toile à moitié rempli de draps tachés de sang.

On marche un peu ? ai-je proposé. Il a brièvement passé son bras autour de mes épaules et demandé comment je me sentais, pour de vrai.

Oh, me demande pas ça, ai-je dit. Je vais me mettre à pleurer. Mais merci. Et toi, comment ça va ? Descendons au rez-de-chaussée.

Eh bien, compte tenu des circonstances… Je suis navré, Yolandi. J'en suis malade.

Ouais… Elle va probablement se tirer d'affaire, ai-je dit. Pas pour la tournée, mais…

Non, je suppose que non, a dit Claudio. Quel dommage… Pour elle, je veux dire, et pour tout le monde.

Ouais.

Quoi qu'il en soit, Yoli, ne te fais pas de souci à ce sujet. Comme tu le sais, nous avons subi de nombreuses épreuves, Elfrieda et moi, et il faut s'y attendre, mais ce n'est rien.

Si. Va bene.

Ah, tu aimerais que nous parlions en italien ?

Non. Oui, je veux dire, mais…

Non, non, je comprends, a-t-il dit.

Nous avons marché lentement le long de portes numérotées. Dans l'embrasure de l'une d'elles, une femme âgée en chemise de nuit serrait dans ses bras une grosse horloge murale ronde. Elle avait un sac à main vert coincé sous un bras. Quelle heure est-il ? a-t-elle demandé.

Pardon ? a fait Claudio.

Quelle heure est-il ? a-t-elle répété en montrant l'horloge.

Presque quatre heures et demie, a répondu Claudio.

Quoi ? a-t-elle dit. Quoi ?

Il est quatre heures et demie, ai-je dit.

Il est quatre heures et demie ? s'est-elle écriée. Quatre heures et demie !

Oui.

C'est ton mari ? m'a-t-elle demandé en désignant Claudio.

Non, ai-je répondu.

Ton père ?

Non.

Ton frère ?

Non. C'est mon ami. Claudio s'est présenté et lui a tendu la main, mais elle serrait l'horloge dans ses bras et n'a pas pu l'imiter.

Surtout, n'essayez pas de me voler mon sac, a-t-elle dit. Elle a reculé dans l'ombre de sa chambre.

Non, non, bien sûr que non, a dit Claudio. Le prenant par le bras, je l'ai doucement éloigné de la femme.

J'ai la clé de ma maison dans ce sac ! l'avons-nous entendue crier. Elle s'était avancée dans le couloir. Elle tenait toujours l'horloge. Claudio et moi nous sommes retournés et nous avons hoché la tête en souriant, puis nous avons continué d'avancer. Baisse le ton, Milly, baisse le ton, lui a dit une infirmière.

Elle ne va jamais rentrer chez elle, ai-je dit à Claudio.

Non ? Pourquoi ? a-t-il demandé.

Parce que sa maison a été vendue, ai-je répondu. C'est son neveu qui me l'a dit. En sortant d'ici, elle ira dans une maison de retraite.

Mais elle a gardé la clé, a dit Claudio.

C'est tout ce qu'il y a dans son sac. Elle ne le lâche jamais, même pour dormir. Pareil pour l'horloge.

Yoli, a dit Claudio. Pour les concerts qui restent, nous allons lui trouver un remplaçant, nous avons le temps. Dis-lui de ne pas s'en faire, de ne s'inquiéter de rien. De rien du tout. Claudio s'est arrêté, il a posé ses mains sur mes épaules et il m'a dit qu'il était désolé. Yolandi, a-t-il dit, ta sœur est une personne comme il s'en fait peu. Je n'ai jamais rencontré quelqu'un comme elle. Tu dois la garder en vie. Tu dois tout essayer. Absolument tout.

Je… ouais, d'accord… je… nous… Claudio essuyait les larmes de ses yeux. Je lui ai tapoté l'épaule. Ça va aller… Elle va s'en tirer, ai-je dit. Je le crois sincèrement. J'ai esquissé un sourire forcé.

Claudio m'a serrée dans ses bras. Il a dit qu'il devait se sauver, qu'une voiture l'attendait, mais que nous nous reverrions. Son téléphone a sonné. *Arrivederci,* Claudio, ai-je dit. Et merci, merci pour tout, *grazie* pour les fleurs magnifiques.

Quand je suis rentrée dans la chambre, Elf a dit je sais. Ne sois pas en colère, et arrête de me faire la morale, tu veux ? Le don de la vie… On croirait entendre un vieux mennonite, comme l'autre, là, comment il s'appelle, déjà ?

Je ne suis pas en colère, ai-je dit. Et je suis une vieille mennonite. Toi aussi, d'ailleurs. Tu es tellement pleine de ressentiment.

C'est vrai, a dit Elf. C'est très vrai.

Ouais, mais pourquoi, au juste ?

Elf n'a rien dit.

Hé, ai-je dit. J'ai rêvé que je quittais tout le monde,

que, par un bel après-midi ensoleillé, tous ceux que je connaissais et aimais s'étaient réunis pour me dire adieu en agitant la main. En les voyant tous réunis, là, en me souvenant de leur amour, j'avais plus du tout envie de partir, mais j'étais coincée.

Tu m'as vue dans ce rêve ? m'a demandé Elf. Oui, ai-je répondu. Évidemment, t'étais là, tu souriais et tu agitais la main. Elf m'a demandé si j'avais lu *L'Amant de Lady Chatterley.* J'ai dit non. Voici la première phrase, a-t-elle dit, avant de la réciter : « Nous vivons dans un âge essentiellement tragique ; aussi refusons-nous de le prendre au tragique. »

OK, ai-je dit. Intéressant. Et la suite ?

Lis donc le livre, a-t-elle dit. Je n'arrive pas à croire que c'est pas déjà fait. Au lieu de parcourir le bulletin du musée des *hobos,* t'aurais peut-être intérêt à aller voir du côté des classiques.

Je lui ai dit que j'avais l'impression d'avoir avec elle une conversation genre *Karaté Kid.* Cherchait-elle à me transmettre un peu de sagesse ou quelque chose comme ça ? Tu me sermonnes encore sur mes lectures, ai-je dit. C'est bien. Elf m'a dit que sa gorge lui faisait mal, qu'elle ne pouvait plus parler. Ouais, OK, bien sûr, ai-je dit.

Tu me crois pas, a-t-elle murmuré.

Ouais, ouais, bien sûr que je te crois.

Nous sommes restées sans rien dire. Elf oscillait entre la veille et le sommeil ou un état qui ressemblait au sommeil. J'étais assise sur la chaise à côté d'elle. Je me suis vue foncer tête première dans les murs vitrés et les fracasser en mille miettes. La veille de sa mort, mon père a rêvé qu'il était gamin et qu'il avait traversé des murs de béton en faisant des sauts périlleux. Encore et encore et encore et encore et par ici la sortie !

J'avais pris avec moi mon manuscrit, toujours dans le sac de Safeway. Je l'ai sorti et j'ai écrit *Une vie de ressentiment* sur la page titre. Puis j'ai raturé les mots et écrit à la place *Adoration de la tristesse* (sentiment qui serait, selon Chateaubriand dans son *Génie du christianisme,* la plus noble entreprise de la civilisation ou un truc du genre, et tant pis pour ces fouineurs mennonites qui m'ont dit en psalmodiant sur un ton moralisateur et avec des faces de mi-carême que le suicide de mon père était *mal*), puis *Tessons,* puis *Sans titre.* Puis *À juste titre.* Puis j'ai tout rayé et fait un croquis d'Elf dans son lit.

J'ai regardé Elf dormir et les infirmières s'affairer et rire entre elles derrière leur comptoir. Je savais qu'elles étaient mécontentes de devoir s'occuper d'Elf, auteur d'un suicide raté. Une cinglée. Avec elle, elles se montraient brusques et aucun médecin ne venait jamais nous parler. Je suis allée au comptoir et j'ai demandé à dire un mot au psychiatre d'Elf. On m'a dit qu'il avait été appelé pour une urgence. Je suis descendue au rez-de-chaussée pour aller retrouver ma mère et ma tante et texter Nora à Toronto. Je ne les ai pas trouvées à la cafétéria et Nora ne m'a pas répondu. Je suis remontée aux soins intensifs et le médecin d'Elf était là. Il se tenait devant le comptoir des infirmières. Il portait une visière, façon joaillier. Il portait des socquettes. C'était lui, le psychiatre. Je me suis avancée vers lui et je me suis présentée et je lui ai demandé s'il s'était entretenu avec Elfrieda dernièrement.

J'ai essayé, a-t-il répondu, mais elle refuse de parler.

Des fois, c'est vrai. Mais elle accepte d'écrire des choses.

Je n'ai pas le temps de lire quand je travaille, a-t-il dit. Il a souri et deux des infirmières ont rigolé comme si elles se trouvaient à côté d'Elvis dans *Des filles… encore des filles.*

Ouais, ai-je dit. Ha. Mais je veux dire…

Écoutez, a-t-il dit. Je n'ai aucune intention d'échanger un bloc-notes avec elle et de faire le pied de grue pendant qu'elle griffonne. C'est ridicule.

Je sais, ai-je dit. Je comprends. C'est parfois laborieux, mais, je veux dire, vous êtes psy, non, vous devez déjà avoir vu ce genre de choses ?

Je comprends le phénomène, bien sûr, a-t-il dit. Je n'ai tout simplement pas le temps.

Non ? ai-je demandé.

Écoutez, a-t-il dit, si elle veut aller mieux, elle va devoir faire des efforts pour communiquer normalement. Voilà tout ce que je dis.

Je sais, ai-je dit, c'est… Mais elle est une patiente en psychiatrie, non ? Elle n'a pas droit à certaines excentricités ? Ça ne représente pas, euh… un défi pour vous ? Dans le domaine, genre, de la psychothérapie ? J'aurais cru que vous accueilleriez à bras ouverts cette occasion d'appliquer vraiment tout ce que vous avez étudié à…

Excusez-moi, mais qui êtes-vous, déjà ?

Sa sœur, je vous l'ai déjà dit. Je m'appelle Yolandi. Je crois sincèrement que le silence est pour elle une façon de se déclarer incapable d'affronter la réalité. Vous voyez ce que je veux dire ? Ce n'est pas dirigé contre vous. C'est sa façon de…

Bien sûr que je sais ce que vous voulez dire, a-t-il fait. Je ne suis pas certain d'être d'accord, mais, évidemment, je comprends. Tout ce que je vous dis, c'est que je n'ai pas le temps de jouer à ce jeu ridicule qui…

Jeu ridicule ? ai-je dit. Excusez-moi, mais venez-vous de dire que c'était un jeu ridicule ?

Il s'éloignait de moi. Attendez ! ai-je dit. Attendez, attendez. Un jeu ridicule ? Le psy s'est arrêté et a pivoté sur ses talons pour me regarder en face.

Une seule visite et vous refusez de l'aider ? ai-je dit. Et vous êtes, à ce qu'on dit, un psychiatre reconnu… Vous la laissez tomber comme une merde, sous ses propres yeux ? Ma sœur est vulnérable. Elle est torturée. C'est votre patiente ! Elle supplie qu'on lui vienne en aide, mais elle s'accroche à un tout petit vestige de pouvoir sur sa vie. Même un étudiant de première année en psychiatrie comprendrait l'importance de cette posture. Et vous… Vous n'avez donc aucune curiosité professionnelle ? Vous êtes encore vivant, oui ou merde ?

Je vais devoir vous demander de baisser le ton, a dit une des infirmières de l'intérieur de son bunker. Elle braquait une mitrailleuse semi-automatique sur ma tête. Pendant ma diatribe, le psychiatre a écarté les jambes et croisé les bras et il m'a toisée. Il a souri à l'infirmière et haussé les épaules en ayant l'air de s'amuser, comme si j'étais une vague géante sur laquelle il se ferait une joie de surfer plus tard ce jour-là, après avoir descendu un pichet de margarita avec ses potes.

Êtes-vous donc si hostile et impatient et imbu de

vous-même que vous n'allez même pas la laisser communiquer avec vous à l'aide de mots écrits sur un bout de papier ? ai-je dit. Pourquoi vous ne pouvez pas juste faire votre travail ? Je ne veux pas discuter, mais êtes-vous franchement en train de me dire que vous refusez de l'écouter ?

Bon, a-t-il dit, ce n'est pas la première fois qu'un membre de la famille d'un patient passe sa frustration sur moi. OK ? Vous avez fini ? Je suis désolé. Il s'est éloigné avant de disparaître dans une pièce quelconque.

Parce que, ai-je crié derrière lui, si vous ne l'aidez pas, qui va le faire ?

Je me suis excusée de mon esclandre auprès des infirmières. Je suis si en colère, ai-je dit. Je suis si désespérée. Je suis si terrifiée. Je suis si en colère. Je sais pas quoi faire. J'ai répété ces trois expressions. Les infirmières ont hoché la tête et l'une d'elles a dit oui, ça se comprend. Votre sœur ne collabore pas et...

Je l'ai interrompue. Ah non, ai-je dit, s'il vous plaît. Ne mettez pas ça sur le dos de ma sœur, s'il vous plaît. Je ne peux pas l'entendre, ça, en ce moment. Ce n'est pas un monstre. Je murmurais. Je faisais de gros efforts pour ne pas hausser le ton. Là, je ne peux pas entendre ça. Je n'ai pas dit que c'était un monstre, a dit l'infirmière. J'ai dit qu'elle ne... J'ai drapé mes mains autour de ma tête, comme si j'essayais de nouveaux écouteurs. J'avais perdu la boule. Je les ai remerciées de ci ou de ça et je suis sortie du service des soins intensifs.

J'ai descendu six étages, mais, au deuxième, mon téléphone a sonné et j'ai dit allô. Hé, Yolandi, a dit la voix à l'autre bout du fil. C'est Joanna. (Quelqu'un de l'orchestre.) Je voulais juste te dire combien je suis désolée pour Elfrieda et je me demandais si nous pouvions faire quelque chose. J'aimerais lui envoyer un truc. Seulement, je ne sais pas quoi. Des fleurs ?

Imaginez un psychiatre assis au chevet d'un être humain brisé, lui disant je suis là pour vous, je suis résolu à vous soigner, je veux que vous retrouviez la santé, je vais vous rendre la joie, je ne sais pas comment, mais je vais trouver un moyen, je vais utiliser cent pour cent de ma compétence, de ma formation, de ma compassion et de ma curiosité intellectuelle pour vous rendre la santé – le bien-être, la joie. Je suis à votre service et je ne ménagerai aucun effort. Je vous le promets. Si j'échoue, ce sera ma faute, pas la vôtre. C'est moi, le professionnel. C'est moi, le spécialiste. Vous souffrez beaucoup, en ce moment, et mon travail et ma mission consistent à vous débarrasser de cette douleur. Je vais me consacrer entièrement à vous. (J'entendais Joanna dire Yolandi ? Yolandi ?) Je sais que vous souffrez. Je sais que vous avez peur. Je vous aime. Je veux vous guérir et je ne vais pas cesser de vouloir vous aider. Vous êtes ma patiente. Je suis votre médecin. Imaginez un médecin qui vous téléphonerait à toute heure du jour et de la nuit pour vous dire qu'il a lu quelque chose de nouveau sur tel ou tel sujet et qu'il est très excité à l'idée des applications possibles dans votre cas. Imaginez un médecin qui vous appelle pendant une réunion importante et qui vous dit excusez-moi de vous déranger, mais j'ai beaucoup réfléchi à vos problèmes et j'aimerais essayer quelque chose de complètement nouveau. Il faut que je vous voie immédiatement ! Je suis déterminé à vous sortir de là ! Je pense que cette nouvelle chose pourrait vous être utile. Je ne vous abandonnerai pas.

Yolandi ? a fait Joanna. Ça va ?

Désolée, ai-je dit, salut. Je suis désolée. Désolée.

Ça…

Ouais, des fleurs. Super, merci.

ONZE

J'ai composé le numéro du téléphone cellulaire de ma mère, mais elle n'a pas répondu. J'ai aperçu un aide-soignant qui, dans une autre vie, avait été chanteur d'un groupe punk des environs. Il empilait des plateaux en sifflotant à côté d'une affiche qui énumérait les symptômes de la bactérie mangeuse de chair.

Je suis sortie sous le soleil et j'ai décidé de suivre la rivière jusque chez ma mère. En fait, j'ai essayé de m'y rendre en longeant la rivière, mais j'ai été arrêtée par un groupe de jeunes gens qui empilaient des sacs de sable autour d'un immeuble. La rivière déborde encore, ont-ils expliqué. Pour eux, c'était en quelque sorte une célébration. Un congé scolaire.

Ma mère et tante Tina n'étaient pas là, mais elles avaient laissé un mot disant qu'elles étaient allées à East Village pour rendre visite à la Signora Bertolucci, de son vrai nom Agata Warkentine, mais que tous, sauf Elf, appelaient Mrs. Ernst Warkentine. À East Village, on omet le nom de jeune fille d'une femme jusque dans les notices nécrologiques pour veiller à ce qu'elle soit pour l'éternité (et même après) uniquement connue comme la femme de son mari. Elles avaient pris la fourgonnette de ma tante. Je me suis alors rappelé que j'avais laissé la voiture dans le stationnement souterrain de l'hôpital et j'ai donc rebroussé chemin, non pas en longeant la rivière, cette fois, mais bien en empruntant les rues poussiéreuses de la ville.

Je suis montée au sixième pour voir Elf, mais Nic était là et ils se regardaient les yeux dans les yeux avec intensité et le rideau était à moitié tiré et les infirmières ont fait semblant de ne pas me remarquer ou encore elles se dépêchaient de composer le 9-1-1 pour qu'on vienne m'expulser et plus vite que ça et cette fois je suis descendue jusqu'au stationnement souterrain pour prendre la voiture et la rapporter chez ma mère. Une partie de moi espérait que la femme que j'avais engueulée aurait écrit dans la poussière de la lunette arrière qu'elle me pardonnait, mais non.

Ma mère et ma tante n'étaient toujours pas rentrées de chez la Signora Bertolucci. J'ai fait quelques recherches sur l'ordinateur portatif de ma mère. J'essayais d'en savoir plus sur ces médicaments, le Séconal et le Nembutal. J'ai examiné les diverses vedettes-matières que proposait Google pour aider les gens à se suicider. J'avais peur que la police remonte la piste jusqu'à moi pour m'interroger et suive mon historique de recherches sur cet ordinateur. J'ai persisté. Je me suis arrêtée une seconde en voyant : « Peut-on aider quelqu'un à mourir grâce à la magie ? » Et, comme je n'ai pas cliqué sur le lien, j'ai été contente de moi, fière de moi. Elf m'aurait félicitée, elle aussi. Un peu de rationalité, Yolandi ! Le téléphone a sonné. C'était ma mère. Elle était à l'hôpital. Je lui ai demandé comment allait Elf. Elle m'a répondu qu'on lui faisait des prises de sang. Pour quoi ? Elle n'en était pas certaine. Mais il y avait autre chose. Ma tante avait perdu connaissance.

À l'hôpital ? ai-je demandé.

Ben, non, elle a d'abord perdu connaissance à East Village, chez Mrs. Ernst Warkentine, mais elle a vite repris ses esprits et je l'ai obligée à s'allonger un moment et ensuite elle a mangé quelque chose et après elle a semblé rétablie. Mais là…

Vous êtes à l'hôpital ? ai-je demandé.

Oui, nous sommes venues directement ici pour voir Elf, mais, en route, à Deacon's Corner, Tina, dans la fourgonnette, est encore tombée dans les pommes.

Quoi ? C'est tellement bizarre…

Je sais. Alors j'ai foncé tout droit aux urgences et on l'a admise. On lui a plâtré le bras. Elle se l'est cassé en perdant connaissance.

Tante Tina ?

Oui, elle a des douleurs dans la poitrine. Elle est en cardiologie aiguë, au cinquième.

Sans blague ?

Oui, alors…

OK, ai-je dit.

J'ai raccroché. J'ai tout de suite rappelé ma mère pour m'excuser. Je voulais dire OK, j'arrive. Ma mère a ri. J'ai ri un peu. Je savais qu'elle retenait ses larmes. Je lui ai répété que j'arrivais et elle a murmuré quelques mots que je n'ai pas bien saisis. Avait-elle dit pour ce que ça va changer ? Ma mère s'était rendue mille fois au service des urgences pour ses propres problèmes cardiaques et pulmonaires, mais, à ma connaissance, c'était la première fois que Tina s'y retrouvait.

En route vers l'hôpital, j'ai réfléchi à mon explosion démente dans le stationnement. C'est mon passé, ai-je dit à voix haute dans la voiture, même s'il n'y avait personne d'autre. J'avais tout compris. J'étais Sigmund Freud. À l'église, des mennonites au cou engoncé dans leur col trop serré m'avaient accusée d'avoir commis des actes déraisonnables et m'avaient vouée aux feux de l'enfer, alors que je n'avais rien fait. J'étais une enfant innocente. Elf était une enfant innocente. Mon père était un enfant innocent. Ma cousine était une enfant innocente. On ne peut pas se planter ostensiblement sur le parvis de l'église et agiter les bras dans les airs et effrayer les gens en proférant des menaces et des accusations juste parce que sa famille a été massacrée en Russie et que, tout petit, on a dû s'enfuir et se cacher dans un tas de fumier. Ce comportement, fréquent en chaire, serait, dans la rue, considéré comme de la folie. On ne peut pas terroriser les gens et les faire se sentir mesquins et merdiques pour ensuite affirmer que s'ils cherchent à se détruire eux-mêmes, c'est parce qu'ils sont la proie du mal. Tu ne sentiras jamais la paix descendre sur toi dans la rue. Tu ne t'envoleras jamais.

Une crise cardiaque est le produit d'un souvenir douloureux. J'ai lu ça quelque part, peut-être dans le bulletin du musée des *hobos,* où toutes les notices nécrologiques se terminent par ces mots : *On se verra au bout de la route !* Elfrieda rappelait-elle à ma tante le suicide de sa propre fille ? La souffrance qui l'avait précédé et l'impuissance et la terreur qu'elle avait ressenties en essayant de le prévenir ? Ou la crise cardiaque est-elle le produit d'artères bouchées et de tissus adipeux autour de la taille et de deux paquets de cigarettes par jour et des gras trans plutôt que du souvenir de la douleur et de l'horreur et d'un insupportable chagrin ? Parce que, peut-être, l'un engendre l'autre. Les cardiologues et les psys devraient unir leurs forces et fonder de nouveaux hôpitaux. Je vais lancer une pétition comme mon père pour obtenir sa bibliothèque et ma sœur pour faire que Stevie Ray Vaughan soit déclaré le plus grand guitariste du monde. Je suis à peu près certaine que les continents se ressouderont avant que la cardiologie et la psychiatrie unissent leurs forces.

Le survêtement de ma tante et ses minuscules chaussures de sport étaient casés dans un sac en plastique sur lequel était écrit *Propriété de l'hôpital Sainte-Odile.* Préférant comme d'habitude garder leurs peurs pour elles, les deux sœurs plaisantaient en *plautdietsch.* En me voyant, elles ont dit ah, c'est bien, te voilà. Nous nous disputons à propos d'un mot. Sa signification. Je leur ai demandé quel mot c'était et elles se sont remises à rire.

Il y avait déjà des choses d'écrites sur le plâtre de Tina. Des numéros de téléphone. Et un verset de la Bible. L'infirmière est venue et a fait des choses à ma tante avec des seringues et des tubes. Je lui ai demandé si ma tante avait fait une crise cardiaque et elle a répondu non, mais elle a eu un accident coronarien dont la nature restait à déterminer. Elle nous a fait voir un croquis des artères de ma tante. Deux d'entre elles étaient gravement obstruées. Ma tante a dit qu'elle avait désespérément besoin d'un café du Starbucks du rez-de-chaussée et l'infirmière a dit peut-être plus tard, mais pas maintenant.

J'ai dit à ma mère et à ma tante que j'irais voir Elf et que j'apporterais ensuite une tournée générale de café du Starbucks. Elles ont loué mon plan avec exubérance, avec une exubérance excessive, comme si j'avais trouvé le moyen de prendre la Bastille. Je suis montée au sixième pour apprendre la nouvelle à Elf, lui dire que tante Tina avait eu un accident coronarien à l'étage en dessous. Elf a écarquillé les yeux et s'est tapoté la gorge.

Tu peux pas parler ? ai-je dit.

J'étais irritée, en proie à une rage affolée que je parvenais mal à dissimuler. Elle a secoué la tête. Je lui ai demandé où était Nic et elle a de nouveau secoué la tête.

Je suis sortie demander à l'infirmière ce qui empêchait ma sœur de parler. Elle a répondu qu'il y avait eu des complications, mais que, avec un peu de chance, Elf recouvrerait la voix dans un jour ou deux. C'est à cause de l'eau de Javel ? L'infirmière a baissé les yeux, les a posés sur sa planchette à pince. Elle ne voulait pas que je parle de l'eau de Javel. Nous n'en sommes pas certains, a-t-elle répondu. Qu'est-ce que ça peut être, sinon ? ai-je insisté. Un choix personnel ? Elle m'a dit d'en parler au médecin. Je voudrais bien, ai-je dit, mais je crois qu'il a pris une ordonnance restrictive contre moi. L'infirmière refusait de me regarder en face. Nous formions une famille contaminée, dérangée.

Je suis retournée dans la chambre d'Elf et je me suis plantée au pied de son lit. Pendant un instant, je me suis imaginée dans la peau du bourreau venu lui proposer un dernier repas et une cigarette. Le monde s'est un peu assombri, hein ? Elle a cligné des yeux. T'es d'accord ? Elle a de nouveau cligné des yeux.

Je suis restée là un moment à examiner mon manuscrit. J'en ai lu une page, ça ne m'a pas rendue heureuse, et j'ai mis la feuille à l'envers sur le ventre plat d'Elf. Puis une autre et encore une autre. J'ai continué de lire et de poser doucement des feuilles sur le corps de ma sœur et elle restait parfaitement immobile, respirait à peine pour éviter de les faire tomber. J'ai fini par lui dire que j'allais redescendre voir Tina et apporter aux deux sœurs du café du Starbucks. Elle a hoché la tête et un peu roulé les yeux parce que j'avais dit Starbucks. C'est tout ce qu'ils ont ici, ai-je dit. J'ai repris mes feuilles. Elf a souri et m'a touché la main. Elle l'a tenue pendant quelques secondes. Je me suis rendu compte que j'avais oublié la crème hydratante. J'ai compris qu'elle me demandait de dire à notre tante qu'elle l'aimait, qu'elle espérait qu'elle se remettrait. J'ai dit à Elf que je transmettrais ces choses à notre tante et elle a hoché la tête. Je voulais lui dire : imagine si maman perdait sa sœur. C'est horrible, non ? Mais ce n'était pas si désastreux, c'était seulement un épisode comme un autre et, après avoir pris à partie la psychiatrie, la cardiologie et l'évangélisme mennonite en servant à chacun un sermon bien senti, j'étais lessivée.

En route vers le Starbucks du rez-de-chaussée, j'ai reçu un coup de fil de Finbar. Il m'a demandé de quoi je parlais, pour l'amour du ciel. Tu veux tuer ta sœur ? a-t-il dit. Je suis avocat, pour l'amour du ciel. Ne me dis pas des choses pareilles. Non, pas du tout, ai-je dit. Je me demandais juste si je devrais. Yolandi, a-t-il dit, tu es épuisée, à bout. Tu ne peux pas tuer ta sœur. Tu ne peux rien faire de plus pour elle que ce que tu fais en ce moment. Je lui ai dit que je ne faisais rien pour elle en ce moment et il a dit que j'étais là, que c'était tout ce qui comptait. Il m'a demandé s'il pouvait m'être utile. Je lui ai demandé de passer devant mon appartement à Toronto pour voir si Will et Nora étaient encore en vie et peut-être aussi de cogner à la porte et de leur demander s'ils allaient bien et pourquoi Nora ne répondait pas à son téléphone. Même si je connaissais déjà la raison. Elle avait empoisonné Will et traîné son corps dans un placard et elle passait son temps à avoir des relations sexuelles non protégées dans toute la maison avec son petit ami, le danseur suédois de quinze ans, et dans ce débordement d'activités elle n'avait ni le temps ni l'envie de parler à sa vieille mère triste et rouspéteuse. Compte sur moi, a-t-il dit. Il m'a promis de me rappeler plus tard.

À ma grande surprise, j'ai rencontré dans la salle d'attende de l'aile de cardiologie des membres d'une famille d'East Village que je connaissais. Ils regardaient la télé. Ils m'ont demandé ce que je faisais là. Je leur ai répondu que ma tante était là, à titre de patiente. Tina Loewen ? ont-ils demandé. Elle n'habite pas à Vancouver ? J'ai répondu ouais, mais là elle est ici en visite. Elle est venue pour un événement, un événement coronarien, ai-je dit. Ils n'ont pas ri.

Nous avons bavardé un peu. Ils m'ont dit que le frère de la femme subissait une intervention cardiaque, un remplacement de valve. De la routine. Moins d'une semaine après sa sortie, il courrait ses cinq kilomètres quotidiens.

Ils avaient foi dans les médecins. Ils croyaient aussi aux danses de la pluie et aux sacrifices humains comme moyen d'apaiser les dieux. Probablement. Le chirurgien du frère était le plus doué de la ville, ils l'adoraient. Ils m'ont dit que leur aîné, un garçon de mon âge, avait fait son doctorat en économie à Oxford. Cool, génial, ai-je dit. Je me suis rappelé que le garçon en question, Gerhard, m'avait taquinée sans merci quand, en première année, j'avais fait pipi dans mon pantalon. Il nous traitait de lesbiennes, Julie et moi, parce que nous nous tenions par la main durant la récréation. Il ornait ses jeans et ses cahiers de croix gammées. Et aujourd'hui, a dit sa mère, il est analyste stratégique à Londres. En gros, il est payé pour penser, a-t-elle dit. Imagine ! Chaque fois qu'il prononce une conférence, on lui propose dès le lendemain, paraît-il, une bourse pour se rendre dans telle ou telle université. C'est tentant, a-t-elle dit en riant. Mais il doit d'abord penser à sa femme et à ses enfants. Elle a une carrière à elle qui la tient très occupée, conservatrice à la Tate Modern et ambassadrice au Rwanda, et les enfants sont inscrits dans de bonnes écoles – où ils ne côtoient rien de moins que des membres de la famille royale – qu'ils n'ont aucune envie de quitter.

Ahhh…, ai-je réussi à articuler.

Tu sais, il a vu ta sœur Elfrieda jouer avec le Philarmonique de Londres et il a dit que c'était la chose la plus stupéfiante qu'il ait entendue de toute sa vie. Heureusement, l'Église a enfin jugé opportun d'accepter les instruments de musique dans la communauté. Soit dit en passant, nous avons toujours cru qu'il fallait la laisser jouer du piano. Ta mère et moi, nous nous croisions parfois au bureau de poste, nous rigolions ensemble à propos du piano caché et je lui disais toujours de ne pas lâcher, de continuer de payer des leçons à Elfrieda parce qu'elle avait un véritable don. Dieu approuverait, même si les anciens étaient d'un autre avis. Penser que, d'une certaine façon, j'ai contribué à sa célébrité ! Je crois que Gerhard avait un petit faible pour elle. Pas vrai, mon chou ? Elle s'adressait à son mari.

Hmm ? Hein, quoi ? a-t-il fait.

Elle a roulé les yeux. Et toi, qu'est-ce que tu fais de bon ? a-t-elle demandé.

Oh, je sais pas trop, en fait, ai-je dit. Pas grand-chose. J'ai surtout appris à être une bonne *loser*.

À ce moment, ma mère est entrée dans la pièce. Elle avait l'air aussi fatiguée qu'un humain peut l'être sans être mort. Elle a salué ces gens d'une façon amicale, mais lasse. Ils ont parlé en *plautdietsch* pendant un moment. Ils lui ont dit qu'ils étaient désolés pour Tina. Merci, a dit ma mère. Elle va se remettre. (Elle a alors placé une expression en *plautdietsch* que les deux autres ont approuvée.) Les docteurs ne pensent pas qu'elle aura besoin d'une intervention. Peut-être juste d'un médicament pour le cœur.

Puis Nic est apparu. Il venait d'apprendre, pour Tina. Il portait une chemise bleue faite d'un mélange de polyester et de coton avec d'énormes cernes de sueur sous les bras. Il avait de la sauce tomate ou du sang sur le menton. Son col était à moitié relevé. On aurait dit un enfant qui avait insisté pour s'habiller tout seul avant l'école.

Bonté divine, a-t-il dit avant de nous prendre chacune dans ses bras. Ma mère a une fois de plus tout expliqué. Zut, a-t-il fait. Elf est encore aux soins intensifs, a dit ma mère. Ouais, a confirmé Nic, j'en arrive. Attendez, ont dit les gens d'East Village, Elfrieda est aux soins intensifs ? Qu'est-ce qu'elle a ?

Elle s'est ouvert les veines et elle a bu du poison, a dit ma mère. Nic et moi la regardions sans rien dire. Sa gorge s'est obstruée, mais elle n'est pas morte, a poursuivi ma mère. Pas cette fois. Elle va probablement s'en sortir, elle aussi. Tout le monde va finir par survivre. Et vous, qu'est-ce qui vous amène ici, ce soir ?

Nic et moi avons laissé ce délire se poursuivre pendant un moment avant de mettre le holà. Allez, m'man, rentrons. T'as besoin de repos. J'ai su, à l'instant où les mots ont quitté ma bouche, qu'elle résisterait. Elle était déchaînée, combative en diable et prête à piétiner les moindres vestiges d'espoir ou de bonté. Je ne suis pas fatiguée, a-t-elle dit. Mais tu as peut-être besoin de repos, toi. Soit elle avait pris la mouche, soit elle me lançait un merveilleux, un puissant défi.

Nic a dit qu'il allait dire bonjour à Tina, puis qu'il irait tenir compagnie à Elf pendant encore un moment, peut-être pour lui faire la lecture ou jouer doucement de la guitare pour elle. Des nouvelles du médecin ? a-t-il demandé. Aucune, a répondu ma mère. Je l'appellerais, mais je ne crois pas que son téléphone fonctionne au club de golf Quarry Oaks.

Il y a un problème avec sa gorge, ai-je dit. Ouais, a confirmé Nic, il était au courant. Il m'a demandé ce que je croyais que ça voulait dire. Je sais pas trop, ai-je répondu, mais elle a peut-être une infection et ça lui fait mal quand elle parle. Nous avons gesticulé pour combler les vides. Il faut téléphoner aux enfants de Tina, a dit ma mère. Ouais, on va d'abord aller manger une bouchée, puis on va rentrer et les prévenir. Elle est stable, non ? C'est ce qu'ont dit les infirmières, non ? Ouais, a admis ma mère. Ils vont la garder cette nuit en observation. Nic a dit qu'il m'appellerait plus tard s'il y avait du nouveau pour Elf. J'ai tiré sur la manche de ma mère comme une enfant de quatre ans. Allez, viens, on s'en va, ai-je dit. Allons-y, Alonzo ! a-t-elle dit.

J'ai salué les gens qui avaient réussi et je leur ai

demandé de dire bonjour à leur fils de ma part. Tous nos vœux de prompt rétablissement à Tina et à Elf ! ont-ils lancé dans le sillage de ma mère.

Elle n'a pas entendu et s'est contentée d'un geste de la main. À la revoyure !

Nora m'a textée de Toronto : *Un bonhomme en costume est venu cogner à la porte et m'a demandé si j'allais bien. Il a dit qu'il était ton ami. T'es témoin de Jéhovah, maintenant ? Comment va Elf ?*

Nous avons roulé dans l'avenue Corydon vers l'immeuble de ma mère. Comment tu vas ? m'a-t-elle demandé. Bien, bien, ai-je répondu. J'avais envie de lui dire que j'avais l'impression de mourir de rage et que je me sentais coupable pour tout et que quand j'étais petite je me réveillais tous les matins en chantant, que j'avais hâte de sauter du lit et de sortir de la maison pour entrer dans le royaume magique qu'était mon monde, que la poussière que révélaient les rayons de lumière me procurait une joie authentique, que ma majestueuse bicyclette dorée avec son siège banane me coupait le souffle, qu'elle était mienne, qu'il n'y avait jamais eu dans le monde d'âme plus libre que moi à neuf ans et que, à présent, au réveil, je me rappelais que le libre arbitre était une illusion, je prenais de profondes inspirations et je comptais jusqu'à dix pour contrer les crises de panique et je priais pour que mes propres mains n'aient pas réussi à m'étrangler pendant mon sommeil. Nora a texté : *Nous avons maintenant des fourmis charpentières.* J'ai répondu : *Parfait. Demande-leur de réparer la porte que tu as cassée.*

Ma mère m'a tapoté la jambe, pas de texto au volant,

ma puce, a-t-elle dit. J'ai gardé le silence, puis elle a dit quelque chose comme ça fera son temps, ça aussi, et j'ai eu envie de tourner le volant vers les voitures qui venaient en sens inverse. Qu'est-ce que tu vas dire maintenant ? lui ai-je demandé. Ce qui ne tue pas rend plus fort ?

Eh bien, a-t-elle dit en riant, je sais que tu abhorres les clichés pour des raisons idéologiques, mais oui, celui-là me semble approprié, tu ne trouves pas ?

Non, ai-je dit. Tout va finir par s'arranger et si ça s'arrange pas c'est que c'est pas la fin.

C'en est un autre ? a-t-elle demandé.

Ouais, mais je crois que je me suis mal exprimée. Et pourquoi tu dis « pour des raisons idéologiques » ? L'originalité n'a rien à voir avec l'idéologie.

OK, a-t-elle dit, mais c'est une idéologie de croire à l'originalité, non ?

Je suppose que oui. Savais-tu que les gens sont plus heureux quand ils arrêtent d'essayer de l'être ? On a fait une étude là-dessus.

À qui le dis-tu, a répondu ma mère.

Mon téléphone sonnait sans cesse : des hommes me réclamaient des divorces, des enfants voulaient que j'autorise le sexe chez les jeunes d'âge mineur et que je tue des insectes à trois mille kilomètres de distance.

Alors, qu'est-ce qui arrive à Rhonda, la fille de rodéo, cette fois-ci ? a demandé ma mère. Elle a encore… quoi… quatorze ans ?

Non, cette fois-ci c'est le livre livre, mon vrai livre.

Mais oui, évidemment. De quoi ça parle, déjà ?

Oh, je sais pas, ai-je dit. T'es pas obligée de faire semblant que ça t'intéresse. T'es crevée.

Non, Yoli, a-t-elle dit, je veux savoir et, si ça se trouve, ça va me changer les idées pendant une minute ou deux.

C'est l'histoire d'un pilote de navire.

Quoi ? a fait ma mère. Un quoi ? Je pensais que tu parlais de sœurs ?

Ouais. Ça aussi, mais, au début, il est question d'un pilote de navire. C'est l'homme – ça peut aussi être une femme, j'imagine, mais, dans mon livre, c'est un homme – qui aide les grands bateaux à sortir du port et dès qu'ils sont en sécurité en haute mer il descend le long d'une petite échelle de corde et retourne chez lui dans un petit bateau qui a suivi le grand. Mais, dans mon livre, le temps est si mauvais que le pilote peut pas descendre dans le petit bateau, le capitaine le lui interdit, l'échelle est trop fragile, c'est beaucoup trop dangereux, ils ont mal évalué la progression de la tempête, qu'ils croyaient encore à deux jours, alors le pilote doit faire le voyage à bord du navire jusqu'à Rotterdam, sa première escale.

Oh, a fait ma mère. Ben, c'est fascinant.

OK, ben, c'est pas fascinant, ai-je dit. J'ai juste envie d'écrire une histoire qui se termine pas par un rodéo, tu comprends ?

Oh, mais c'est tellement excitant, les rodéos.

Ben, pas cette fois-ci, maman. J'ai placé toute l'excitation au début.

Alors qu'est-ce qui arrive après qu'il a quitté le port ?

Il rate un rendez-vous capital ce soir-là et après tout va de travers.

Mais qu'est-ce qui l'empêche d'appeler la personne avec qui il a rendez-vous et de remettre la rencontre à plus tard ?

Ben, je sais pas trop pourquoi, mais, ouais, y a peut-être là un petit problème de vraisemblance vu qu'il devrait pouvoir prévenir, mais si c'est comme ça, y a pas de crise et donc pas de livre.

Exactement, a dit ma mère. Il a oublié son téléphone cellulaire ?

Ben non, parce que le bateau a tout un équipage et des technologies de communication et tout ça. Il n'aurait qu'à s'en servir.

OK, mais, a dit ma mère, peut-être qu'il l'appelle, la personne avec qui il a rendez-vous, mais qu'elle ne reçoit pas le message à temps. Ils se ratent d'une manière ou d'une autre, tu sais ?

Ouais, c'est plus logique, je pense. Mais j'aime l'idée de ce type qui n'est pas capable de descendre du bateau et qui n'est pas du tout prêt pour un voyage à Rotterdam.

OK, hmm, a fait ma mère. Et les sœurs, dans tout ça ? Il les rencontre à bord du navire ?

Non, ai-je dit. Les sœurs, il les imagine en contemplant la mer, assis sur le pont.

Ah ! OK, des souvenirs de sœurs.

Plus ou moins, ouais. Il réfléchit et… Hé, tu entends ?

Quoi ?

Un cliquetis. Bouge pas.

J'ai rangé la voiture devant un « crème-atorium » appelé la Marble Slab[1] (Seigneur Jésus !) et coupé le moteur. Je suis sortie et j'ai fait le tour de la voiture en l'examinant d'un air mystifié, comme si j'avais sous les

---

1. Littéralement : dalle de marbre. *(N.d.T.)*

yeux la dernière installation de Damien Hirst. Je suis remontée dans la voiture et j'ai mis le contact. Rien. Le moteur est resté silencieux. C'est bizarre, a dit ma mère. T'en fais pas, ai-je dit. J'ai songé à Anatole France disant avec colère à son *amour** qu'il allait se mordre les poings au sang. J'ai essayé encore. Et encore. Rien du tout.

La voiture est morte, ai-je dit.

Ma mère a secoué la tête et souri. Elle s'est mise à rire. Je l'ai regardée. J'ai pris sa main et j'ai laissé tomber la clé inutile dans sa paume. Je lui ai souri et elle a continué de rire pendant un moment.

Eh bien, celle-là, c'est la meilleure. Son corps tremblait. Ça devient tordant, notre affaire.

Elle a proposé de sortir de la voiture et de marcher jusque chez Kristina, le restaurant grec voisin de Fresh. Ouais, ai-je dit, bonne idée, surtout pour la marche.

Au restaurant, nous avons eu une conversation étonnamment optimiste sur les hommes et la sexualité et la culpabilité et les enfants. Il y a d'autres sujets ? Nous avons bu toute une bouteille de vin rouge. Nous avons aussi parlé de Nic. Tu crois que ça va ? ai-je demandé à ma mère. Eh bien, ça dépend de ce que tu entends par « aller ». Disons qu'il tient le coup.

Je suppose que oui, ai-je dit. Je sais juste pas comment il fait.

Comment ? a répété ma mère. Et *toi*, tu tiens le coup ?

Je suppose que oui, ai-je dit. Et *toi*, tu tiens le coup ?

Nous avons ri de nous-mêmes, puis nous nous sommes arrêtées. Le souffle, l'énergie, l'émotion et la maîtrise de soi sont trop précieux en ce moment pour qu'on les gaspille. Mon téléphone a sonné et ma mère a répondu :

Questions sans réponses, comment pouvons-nous vous aider ? (Elle était peut-être un peu pompette.) C'était Jason, son mécanicien de River City Auto, et il a dit qu'il allait faire remorquer la voiture et voir ce qui n'allait pas.

Nous sommes rentrées main dans la main. Elle m'a enseigné à synchroniser nos pas comme des militaires. Un petit saut, tu vois ? Elle m'a montré. Puis, quand on est désynchronisées, on recommence. Elle m'a fait essayer. De retour à l'appartement, elle a parlé à des gens au téléphone à propos d'Elf et de Tina (Oui, elles sont toutes les deux à l'hôpital. Le même hôpital, oui), tandis que j'effectuais des recherches sur le Nembutal. Est-ce que « supprimer l'historique » empêche la police de voir les recherches qu'on a faites ?

Jason m'a téléphoné et m'a annoncé que la transmission était irrémédiablement foutue et qu'il était inutile de sauver la voiture, elle n'en valait plus la peine. Il a suggéré d'autoriser une organisation de « jeunes à risque » à passer la prendre et à s'en servir comme cobaye dans le cadre d'un atelier où on tente de les pousser à choisir un métier autre que la criminalité à la petite semaine. On verserait cinquante dollars à ma mère et la voiture disparaîtrait pour de bon. Je lui ai dit de rester en ligne et j'ai demandé à ma mère si elle était prête à dire adieu à sa voiture. Elle était au téléphone et elle a haussé les épaules, ouais, pourquoi pas ? J'ai dit à Jason pas de problème et qu'ils gardent l'argent. Il m'a demandé de passer au garage prendre le contenu de la voiture avant qu'il téléphone aux jeunes en difficulté.

Je suis sur le balcon et je lis sur mon ordinateur portable que le Nembutal est un pentobarbital et qu'il se vend sous les noms de Sedal-Vet, Sedalphorte et Barbital. On s'en sert pour endormir les animaux et il faut se rendre au Mexique pour s'en procurer, mais pas dans de petites villes frontalières comme Tijuana parce que les douaniers se méfient désormais de ceux qu'on surnomme les « touristes de la mort ». Il faut plutôt s'enfoncer loin à l'intérieur des terres, dans des lieux isolés. Et là il faut dénicher l'animalerie la plus proche et y entrer et demander le produit. J'ai trouvé amusant que certaines personnes qui racontent les efforts qu'elles ont déployés pour s'en procurer recommandent à leurs lecteurs d'éviter les ruelles dangereuses. Quelle est la pire chose qui puisse leur arriver ? Se faire descendre ?

Une dose de Nembutal coûte environ trente dollars et il faut deux bouteilles de cent millilitres pour s'assurer une fin expéditive et certaine. Et il faut avaler au préalable des médicaments contre la nausée, des pilules contre le « mal des transports », pour éviter de vomir le Nembutal. Ce sont des antiémétiques. Il faut en prendre un comprimé toutes les heures pendant douze heures avant l'ingestion du Nembutal. Ils sont en vente libre dans les pharmacies sous les noms de Compazine ou de Dramamine. Le Nembutal provoque la mort au bout de trente minutes ou, pour les personnes plus corpulentes, de quarante-cinq minutes à une heure. C'est sans douleur. On s'endort rapidement et on n'a le temps ni de faire un laïus ni de finir son verre.

Le problème, ai-je lu en ligne, était moins de trouver le produit que de le faire passer de l'autre côté de la frontière. Alors, me suis-je dit, je dois emmener Elf au Mexique au lieu d'apporter du Nembutal à Elf. Par ailleurs, le seul fait d'ouvrir le flacon pour elle suffirait à me rendre coupable d'homicide involontaire. Selon des auteurs anonymes, il suffit d'une simple suggestion à une personne souhaitant la mort – bon, ben, qu'est-ce que tu dirais qu'on aille le chercher, ce flacon ? – pour se rendre potentiellement complice d'un homicide involontaire.

J'ai éteint l'ordinateur et fermé les yeux. J'ai entendu des sirènes sur le pont Osborne, mais j'ai imaginé une plage, une hutte au toit en chaume, des palmiers ondulant doucement sous la brise antillaise, ma sœur obtenant enfin ce qu'elle voulait, Nic, ma mère (mon père aussi, même s'il était mort, car, en imagination, rien ne m'empêchait de voir aussi des morts, si tel était mon bon plaisir), moi, mes enfants, nous la tenions dans nos bras, la touchions, lui souriions, l'embrassions, lui disions adieu, lui disions Elfie, toi, tu as eu une incroyable influence sur nos vies, tu nous as comblés de joie et tu as gardé nos secrets et tu nous as fait rire tellement fort et tu vas nous manquer terriblement, *adios, CIAO !* Ces mots, nous les prononcions ensemble, à haute voix, et Elf, en paix, partait à la dérive sur un doux nuage d'amour éternel.

J'ai téléphoné à Nic, mais, quand il a répondu, je me suis complètement dégonflée. Mon intention était de lui proposer un voyage au cours duquel nous tuerions sa femme. Je lui ai plutôt demandé s'il pouvait nous prêter sa voiture pour quelques jours, celle de ma mère ayant rendu l'âme. Il a dit que nous pouvions la garder aussi longtemps que nécessaire pour nous rendre à l'hôpital et tout le reste. De toute façon, il préférait se déplacer à vélo. Je lui ai demandé s'il était encore à l'hôpital. Il a dit ouais.

Et ? ai-je fait.

Pareil. Elle a mangé un peu. Sa gorge va mieux. Et Tina dort dans son aile. À l'ouest, rien de nouveau. Il m'a demandé comment j'allais et soudain je me suis étranglée. Yoli ? a-t-il fait. Ça va, ai-je dit. Excuse-moi.

Puis il m'a dit qu'il avait l'intention d'aller en Espagne, après tout. J'ignorais qu'il avait le projet d'aller en Espagne. Il a dit qu'il avait songé à tout annuler, mais là, c'était décidé, il partait… le lendemain.

Demain ? C'est rapide.

Je sais, a-t-il admis. Elf a dit que je devais y aller. Juste pour… tu sais.

Ouais, non, tu devrais…

Et il est trop tard pour me faire rembourser le billet. Je pars avec mon père, tu sais, depuis des années il caresse le projet de…

Combien de temps ?

Dix jours.

Ben, OK, super…

Je sais. Le moment est mal choisi. Mais c'est le rêve de mon père. Et elle ne risque pas de rentrer avant mon retour, le médecin a été catégorique.

Ben…

Mais toi, Yoli, tu as l'intention de rester en ville au moins jusque-là, pas vrai ? Tu seras là pour…

Oui, je reste. Non, vas-y. Dieu sait que t'as besoin d'un peu de répit.

Toi aussi, tout le monde, en fait, mais…

Non, vas-y. Il le faut, il le faut.

Pourtant, l'idée de déambuler dans Barcelone et de photographier des œuvres de Gaudí pendant qu'Elf est à l'hôpital me semble absurde.

Je sais, mais tout est absurde en ce moment, et si tu te reposes pas bientôt, tu risques de craquer, mon ami…

Ben, a-t-il dit, oui, je suppose.

T'es pas tout seul. On est tous là, ai-je dit. Dans les avions, tu sais, on nous dit de prendre de l'oxygène pour nous avant de nous occuper des enfants.

J'imagine…, a-t-il dit.

Tu dois y aller. C'est pour ça qu'on a forcé ma mère à partir en croisière. Il faut se reposer de temps en temps, sinon on va tous finir dans l'aile psychiatrique, couchés avec Elf.

Ça me plairait bien, a dit Nic. Tu as vu le journal d'aujourd'hui ? Dans le cahier des arts, il y a un article où on annonce qu'Elf a annulé sa tournée pour cause d'épuisement. On ajoute que la famille demande qu'on respecte son intimité.

On a fait ça, nous ? Y a quelqu'un qui leur parle ?

Aux journalistes ? a fait Nic. Non, pas à ma connaissance. C'est Claudio qui s'occupe de tout. C'est lui qui leur a dit qu'elle était épuisée. Son communiqué.

Il fallait qu'il leur dise quelque chose. Tu dois vraiment y aller, Nic. Sans blague. Il faut que tu y ailles.

Mais ce type, Danislov ou quelque chose du genre, le hautboïste slovaque qui vit à Winnipeg… Il est venu lui rendre visite à l'hôpital, hier.

Ah, ça veut dire que tout le monde va être au courant. Il lui a parlé ?

C'est sans importance, a dit Nic. La vérité, c'est la

vérité. Je veux juste… J'espérais être en mesure de la protéger.

C'est ce que t'as fait, ai-je dit. Tu l'as protégée. Tu l'as toujours protégée. Il pleurait à présent. Il pleurait comme un homme, en ravalant tout.

Ça va. Je faisais de gros efforts pour ne pas pleurer. Il faut craquer chacun son tour et pas tous à la fois, sinon tout serait perdu. Ça va, ai-je dit en enfonçant mes poings dans mes yeux.

Ça pourrait être n'importe où, a-t-il dit. Je me moque bien de l'Espagne. En ce moment, je pourrais partir pour le Montana ou ailleurs, à peu près n'importe où. Il y a des jours, je voudrais avoir quatre ans et marcher dans les rues de Bristol avec Mamou.

C'est ainsi que Nic appelait sa mère. Le mot m'a fait sombrer, moi aussi. Nous avons fini par raccrocher sans nous dire au revoir.

DOUZE

Jason m'avait suggéré de passer au garage le soir même, avant la fermeture, à neuf heures. J'ai salué ma mère, qui était encore au téléphone, et elle m'a soufflé un baiser. J'ai marché jusqu'au garage, à trois coins de rue, et j'ai trouvé un homme en train de regarder dans la voiture de ma mère. Tout ce que je voyais de lui, c'était son dos arrondi et des cheveux bruns clairsemés. J'ai dit salut et il s'est redressé. Il portait un t-shirt sur le devant duquel était imprimé un exemplaire défraîchi des *Souterrains* de Jack Kerouac. Je me suis alors rendu compte que c'était le Jason que j'avais connu en première année à l'Université du Manitoba, le type qui, dans le cours de littérature canadienne, n'arrêtait pas de m'emprunter mes notes et portait un pantalon de velours côtelé jaune et qui, en guise de dédommagement, me fournissait en herbe. On le surnommait Triste Jason parce que sa petite amie l'avait quitté et qu'il était incapable de se concentrer.

Je me suis dit que c'était peut-être toi quand tu m'as donné ton nom au téléphone, a-t-il lancé. C'est pas comme si les Yolandi couraient les rues.

Et ensuite je n'ai plus pensé qu'à moi en plus jeune, à la personne que j'étais avant de devenir tous ces autres moi : une future divorcée dans la quarantaine qui a maladroitement quitté son mari pour des raisons qui lui avaient semblé valables à l'époque, une amante totalement dénuée de discernement, une fille adulte qui reproche à sa mère sa propension à utiliser des clichés, une sœur qui ne saurait pas dire ce qu'il faut même si la vie de quelqu'un en dépendait et songeait par le fait même à commettre un homicide, un écrivain qui faisait semblant de s'y connaître en navigation maritime et une « touriste de la mort ». Je suis restée là à pleurer dans le garage de Triste Jason jusqu'à ce qu'il s'approche de moi avec hésitation et me prenne délicatement dans ses bras tachés de graisse et me dise hé, ça va, pleure pas, c'est juste une voiture.

Jason lui-même était en instance de divorce, sa femme ayant cessé de le voir sous un éclairage romantique, et en ce moment il fréquentait pour ainsi dire une clownesse qui travaillait pour le Stampede de Calgary et dont le travail consistait à éloigner les taureaux des cowboys tombés de leur monture. Je lui ai dit que je m'occupais moi aussi des rodéos, en un sens, que j'étais divorcée, ou presque, que je vivais à Toronto, que j'étais en visite dans ma famille et que, en ce moment, les choses n'allaient pas très fort pour moi, mais tu sais, demain et demain et... Il a proposé d'acheter six canettes de quelque chose et d'aller jusqu'au canal de dérivation pour refaire connaissance et regarder la rivière monter et observer les aurores boréales que la CBC annonçait aux limites de la ville. Ben, elles n'avaient pas lieu que là, a-t-il admis, mais il fallait s'éloigner des lumières de la ville pour bien les voir.

En un instant, Jason et moi étions devenus des personnes que nous n'aurions jamais pu imaginer dans nos cours de littérature canadienne, un siècle plus tôt. Nous étions si vieux. Le mot *non* a inondé mes sens et tous mes instincts les plus sûrs et j'ai dit ouais, bonne idée. Dans la voiture, je lui ai demandé s'il fumait encore de l'herbe et il a répondu non, plus tellement. Ben, dernièrement, oui, à cause de cette rupture, mais sinon pas vraiment. Nous avons roulé dans les ténèbres du sud-est manitobain.

Nous nous sommes rangés près du canal de dérivation, sous les étoiles, et nous avons bu de la bière et parlé du passé. Ça te tue pas un peu, tout ça ? a-t-il demandé. J'ai avoué que oui. Nous gardions l'œil ouvert pour voir les aurores boréales, mais il n'y en avait pas. Je me suis calée dans le siège du passager et j'ai mis mes pieds sur le tableau de bord et j'ai fermé les yeux. La voiture sentait la vanille. Jason avait quelque chose comme un million de désodorisants accrochés à son rétroviseur. Il m'a dit qu'il était désolé pour les poils de chien. Il faisait vraiment très noir. Nous n'écoutions pas de musique. Les mains posées sur les cuisses, il regardait droit devant lui. Il a baissé la vitre et m'a demandé si j'avais trop froid. Je lui ai demandé s'il avait déjà été dans une ville portuaire comme Rotterdam. Il a répondu ouais, en fait, il s'était bien amusé, là-bas, vraiment bien amusé.

Je me suis excusée d'être bizarre. Il m'a dit pas de problème, c'était le souvenir qu'il avait gardé de moi. Il m'a tout doucement embrassée sur la joue. Les yeux encore fermés, j'ai souri. J'ai pris sa main et je l'ai posée sur ma cuisse et il s'est informé de mon mari ou de mon petit ami ou tu sais. Il a caressé ma jambe. Pareil que toi, ai-je dit, ce qui se passe entre nous deux, c'est rien. Il a cessé de me caresser et de m'embrasser. J'ai ouvert les yeux et je me suis excusée encore une fois de dire ce qu'il ne fallait pas, des stupidités. Je lui ai dit que ça faisait du bien de parler. Il n'a rien dit, mais il a hoché la tête et je me suis mise à l'embrasser et il ne m'a pas arrêtée. Je lui ai demandé s'il se souvenait d'être venu dans mon appartement insalubre du village Osborne avec une valise pleine de couteaux. Oh, a-t-il dit. J'avais l'intention de te découper en morceaux ? Non, j'ai dit non, tu as fait la cuisine ! Ouais, a-t-il dit, il s'en souvenait. Nous avons été maladroits et directs. Je me suis assise sur ses genoux et, à tâtons, j'ai cherché le levier à côté du siège et j'ai tiré dessus. Il est brusquement tombé à l'horizontale, la lune éclairant un côté de son visage. Désolée, désolée, ai-je dit. Je me suis imaginé que nous étions jeunes et obsédés par le sexe et très heureux.

Après, il m'a demandé pourquoi je lui avais parlé de Rotterdam et je lui ai dit que j'essayais d'écrire un livre dans lequel, à la fin, un homme est abandonné en mer, impuissant, tandis qu'une femme reste sur le rivage, blessée et furieuse. Il m'a dit que c'était super bon, très intéressant, et je l'ai remercié. Puis, sur le chemin du retour, il a dit je veux surtout pas te vexer, mais qu'est-ce qui empêche cet homme d'expliquer à la femme qu'il est prisonnier sur le bateau ? À notre époque, avec toutes les technologies modernes ? Un texto ou je sais pas quoi ? Je sais, ai-je dit, mais, pour une raison ou pour une autre, c'est impossible. OK, a dit Jason, mais laquelle ? Je lui ai dit que j'avais un problème structurel et il m'a dit que, à son avis, ma structure était remarquable et fonctionnait parfaitement bien et j'ai fait ha ! ha ! merci, la tienne aussi. (Pouah.)

Je pense que le plus important, a-t-il dit, c'est que ça décoiffe.

Quoi donc ? lui ai-je demandé.

L'histoire, a-t-il répondu. Il faut que ça aille très vite, le pied au plancher, pour pas que ça soit ennuyeux. En plus, c'est dur, écrire, non ? Ce que tu veux, c'est commencer, faire le travail et sortir de là au plus vite. Comme quand je nettoyais des fosses septiques pour Renee.

En y réfléchissant bien, je me suis aperçue que c'était le meilleur conseil sur l'écriture qu'on m'ait donné depuis des années. De toute ma vie. Quand il m'a déposée et demandé si nous pouvions nous revoir pendant que j'étais en ville pour prendre un café, voir un film, je lui ai dit que je ne savais pas combien de temps je resterais. Je ne lui avais pas parlé d'Elf. Cool, a-t-il dit. On se fait signe. Nous nous sommes embrassés. Une fois dans le vestibule, je l'ai salué d'un geste de la main à travers la vitre teintée en souriant et en m'adressant d'une voix à peine audible un avertissement monosyllabique. Stop.

Je suis montée chez ma mère en gravissant les marches deux à deux et en répétant l'incantation – stop, stop, stop – à chaque pas furieux et en me souvenant de ce que mon ami m'avait récemment dit à Toronto : dans dix ans, la honte sera le truc à la mode – en parler, la disséquer, la bannir. Nous nous sommes un peu disputés à ce sujet parce que je lui ai dit qu'il était ridicule d'espérer échapper à la honte par la parole, que la honte était nécessaire, qu'elle nous empêchait de répéter les actes honteux et qu'elle nous poussait à demander pardon et à manifester de l'empathie envers les êtres humains et à éprouver la douloureuse haine de soi qui motive certains d'entre nous à écrire des livres dans une futile tentative d'expiation, et la honte nous aidait aussi, ai-je dit à mon ami, à ruiner nos relations amoureuses et les relations amoureuses en ruine sont la force vitale des livres et des films et des pièces de théâtre, alors d'accord, débarrassons-nous de la honte, mais autant dire adieu à l'art. Mais là, tandis que je gravissais les marches en portant mes mains et mes doigts à mon nez pour vérifier si j'empestais le sexe ou l'huile à moteur, j'ai eu envie d'une vie sans honte.

J'ai trouvé ma mère en train de jouer au scrabble avec une Roumaine dont le pseudo était Tueuse d'hommes. Les parties étaient chronométrées et il fallait qu'elle joue vite. Mais Yoyo, a-t-elle dit au moment où je passais derrière elle, Nic part pour l'Espagne demain. J'ai hoché la tête et dit que j'étais au courant.

Dans ma chambre, j'ai cherché sur Google « acheter du Nembutal en Espagne », mais je n'ai trouvé que des références au Viagra injectable. Puis j'ai cherché « euthanasie pour malades mentaux » et découvert que, en Suisse, c'était un droit reconnu par la loi, mais rarement exercé. En Suisse, il est permis d'aider quelqu'un à mourir, à condition que le geste ne soit pas motivé par l'intérêt personnel. Et la loi ne s'applique pas qu'aux citoyens suisses. Ah ! Je comprenais mieux pourquoi Elf m'avait suppliée de l'emmener là-bas.

J'ai soupesé mes options. Toutes étaient pénibles. Emmener Elf au Mexique et acheter du Nembutal dans une animalerie d'une ruelle au centre d'une ville somnolente et non touristique et veiller à ce qu'elle débouche le flacon elle-même, sans l'encourager d'aucune façon. Bien que, dans de telles circonstances, la notion d'*encouragement* soit un peu floue. Faire approuver ce projet par Nic et ma mère. Ou : emmener Elf en Suisse et agir dans le respect de la loi, sauf que la démarche risque d'échouer si les médecins décident qu'Elf ne souffre pas assez pour être euthanasiée. Faire approuver ce projet par Nic et ma mère. Soudain, je me suis sentie optimiste. Mais je me suis demandé si je ne devais pas assurer mes arrières en disant à Elf que je songeais à l'emmener au Mexique ou en Suisse, tout en l'encourageant à continuer de vivre. Si je lui parlais du projet Nembutal, elle n'aurait plus qu'une idée en tête. S'il persistait en elle un mince espoir, un désir de vivre de la taille d'une amibe, cette nouvelle avenue aurait pour effet de l'éliminer aussitôt. En plus, rien ne l'empêchait, une fois sortie de l'hôpital, de se rendre par elle-même au Mexique ou en Suisse, sauf qu'elle vivrait seule les derniers instants de sa vie et que Nic, à supposer qu'il ne soit pas de mèche, remarquerait qu'elle manquait à l'appel et que de l'argent avait été retiré du compte bancaire et il tenterait de l'empêcher de mener son projet à bien. Que ferait-elle alors ?

J'ai entendu les trompettes annoncer la fin de la partie de ma mère avec Tueuse d'hommes et le couvercle de son ordinateur se refermer. Puis elle est apparue dans l'embrasure de la porte. Comment ça va, ma puce ? a-t-elle demandé. Qu'est-ce que tu fabriquais ? Moi ? J'ai eu des relations sexuelles non protégées avec ton mécanicien et j'ai fait des recherches sur les moyens de mettre fin à la vie de ta fille. Pas grand-chose, ai-je dit. J'ai vidé la voiture et j'ai travaillé un peu.

Ma mère m'a alors parlé des mines canadiennes au Honduras, un vrai scandale. Ce soir-là, c'était le motif qu'elle avait trouvé pour exprimer sa rage envers le monde.

Demain, ce serait autre chose, des jardiniers musulmans d'Oshawa détenus à Guantánamo sans avoir été jugés et se morfondant dans leur cellule, ou toute autre situation ignoble, quelle qu'elle soit, mais contre laquelle le commun des mortels ne peut rien. Les mines détruisent les villages, a-t-elle dit. Détruisent les collectivités. Dépouillent le sol de toutes ses richesses. Le premier ministre Harper laisse faire et de temps en temps les riches propriétaires de ces mines les survolent en hélicoptère en se bidonnant. Je sais, ai-je dit. C'est incroyable. C'est horrible.

Absolument ! a-t-elle dit. Nos impôts servent à financer en toute légalité la destruction systématique du peuple hondurien et personne ne…

Je sais, ai-je dit. C'est vraiment… c'est épouvantable. Je sentais ma paupière droite tressaillir. Je me suis allongée sur mon lit et j'ai fermé les yeux. J'ai passé en revue les symptômes de la dépression dont j'avais vu la liste sur une affiche collée au fond d'un autobus de la ville dans le cadre d'une campagne de sensibilisation aux maladies mentales. Un sentiment d'irréalité, ai-je songé. Oui.

Désolée, ma puce, tu es fatiguée. Je sais.

Toi aussi, non ?

Je suppose que oui.

J'ai saisi le livre posé à côté de moi sur le lit et je l'ai feuilleté. Hé, écoute ça, ai-je dit. Tu as entendu parler d'un Portugais du nom de Fernando Pessoa ?

Il joue pour les Blue Jays ?

Non, c'est un poète, ce livre est de lui, mais il est mort. Il s'est tué.

Mon doux Seigneur, a-t-elle dit. Encore un.

Mais écoute ça : « De mon quatrième étage donnant

sur l'infini, dans l'intimité plausible de la fin du jour qui se produit sous mes yeux, penché à la fenêtre pour le début des étoiles – mes songes accordent leur rythme à la distance offerte pour des voyages vers des pays inconnus, ou supposés, ou simplement impossibles. »

C'est plutôt bien tourné, a dit ma mère.

Elle a changé de sujet. Elle m'a dit que le sourire d'Elf était comme celui de mon père. Cela m'étonne chaque fois. Parfois, j'oublie et là, ouf !

Je sais, ai-je dit. Elle a un sourire incroyable.

Yoli, a dit ma mère.

Ouais, ai-je répondu. Je l'ai prise dans mes bras. Soudain, elle sanglotait, toute tremblante. Une sorte de gémissement, semblable à une mélopée funèbre, que je ne lui connaissais pas. Je l'ai serrée aussi fort que possible et j'ai embrassé ses cheveux doux et blancs.

C'est un être humain, a murmuré ma mère.

Dans l'embrasure de la porte, nous sommes restées longuement enlacées. Je lui ai donné raison. J'ai dit oui. Elle a enfin repris son souffle, recouvré l'usage de la parole. Elle ne supportait pas de voir Elf dans l'aile psychiatrique. Cette prison, a-t-elle dit. Ils ne font rien. Si elle ne prend pas ses pilules, ils ne lui parlent pas. Ils attendent et ils la harcèlent et ils la harcèlent et ils attendent et ils la harcèlent. Elle a recommencé à pleurer, cette fois tout doucement. C'est un être humain, a-t-elle répété. Oh, Elfrieda, mon Elfrieda.

Nous sommes allées nous asseoir sur le canapé. Je lui ai tenu la main en m'efforçant de trouver des mots de réconfort. Je me suis levée et je lui ai dit que j'allais nous préparer de la tisane. J'ai apporté deux tasses de camomille dans le salon. Ma mère était allongée sur le canapé avec un roman policier sur la poitrine. Maman, ai-je murmuré, tu devrais aller te coucher. L'hôpital demain matin, à la première heure. On libère pas tante Tina demain ? Ma mère a ouvert les yeux.

À l'hôpital, on reçoit son congé. Mais, pour répondre à ta question, oui.

J'aimerais mieux être libérée que recevoir mon congé, ai-je dit.

C'est vrai que ça semble plus agréable, a-t-elle convenu.

Je me suis mise au lit et j'ai réfléchi un moment. J'ai répondu au texto de Nora à propos de l'avocat : *C'est mon ami. Il s'appelle Finbar. Visite de routine. Je ne suis pas T de J.* Ensuite, j'ai répondu au texto de mon ex : *Ouais, je les signerai demain entre deux visites à l'hôpital. Décidément, mon vieux, tu choisis bien ton moment.* Puis Nora de nouveau : *Et débarrasse le comptoir des miettes.* J'ai texté Will : *Si le Suédois veut dormir chez nous, laisse-le faire. Le cœur a ses raisons.* Il a répondu : *T'as bu ?* Enfin, j'ai entendu l'eau de la douche éclabousser toute la salle de bains et je me suis répété un rideau de douche, acheter un rideau de douche et je me suis laissé gagner par le sommeil.

Cette nuit-là, j'ai rêvé que je vivais dans un petit village appelé Dur à cuire et, pour une raison que j'ignore, j'avais été chargée de préparer une bande sonore. J'ai été convoquée dans la maison d'un couple de vieux de Dur à cuire et ils m'ont fait asseoir devant leur antique piano Heintzman et ils ont dit eh bien, vas-y, joue. J'ai dit non, pas moi, il vaudrait mieux demander à ma sœur. Ils m'ont tapoté le dos et souri. Ils m'ont apporté un pichet d'eau glacée et un verre. Le village était entouré de balles de foin censées former un mur ou une barrière. Elles étaient censées assurer la sécurité des habitants de Dur à cuire. Lorsque j'ai dit mais ce sont seulement des balles de foin, les vieux, de gentilles personnes qui vaquaient à leurs occupations quotidiennes, ont dit t'en fais pas pour ça, concentre-toi seulement sur la bande sonore. Je leur ai demandé où nous étions, dans quel pays, et ils ont montré le piano, m'ont rappelée à mes devoirs. Pas le temps de papoter.

Au point du jour, Nic m'a téléphoné pour me demander si je pouvais le reconduire à l'aéroport. Après, je n'aurais qu'à apporter la voiture à ma mère, qui pourrait s'en servir à sa guise. Normalement, il prendrait l'autobus, mais il avait un peu de retard et il avait peur de rater son vol et si je ne venais pas il allait probablement se recoucher avec un sac d'herbe et s'endormir à force de pleurer.

Je suis allée chez lui et il m'a dit que la portière du côté conducteur était défectueuse et devait rester fermée en tout temps. Pour s'installer derrière le volant, je devais entrer par la portière du passager, contourner le levier de vitesse et tout ça. J'ai dit à Nic que je la ferais réparer parce que je ne croyais pas ma mère capable de pareilles acrobaties. En route vers l'aéroport, il s'est frotté le visage en se demandant à haute voix ce qu'il faisait. Il a mis un pied sur le tableau de bord et posé son coude sur son genou et sa tête dans sa main et il a fermé les yeux.

Tu vas bien t'amuser, ai-je dit. Ça va te faire du bien de voir ton père. Vous allez vous retrouver à Montréal ?

Je ne vais pas m'amuser, a-t-il dit. Mais ça va me

changer les idées. Non, je le retrouve à Madrid. Je voudrais qu'Elf soit avec moi.

Exactement, ai-je dit. Ça va te changer les idées. Tu vas prendre tes courriels, hein ?

Constamment. Alors s'il se passe quelque chose...

Ouais, je te tiens au courant, t'en fais pas. Qu'est-ce qu'elle a dit, l'infirmière, hier ?

Pas grand-chose. Seulement qu'Elf resterait là pendant encore un bout de temps. Nous avons roulé un moment en silence en regardant droit devant nous.

Dis, lui ai-je demandé, elle t'a déjà parlé de la Suisse ?

C'est-à-dire ? Non, je pense pas. Pourquoi ?

Seulement qu'elle aimerait y aller un jour ou quelque chose comme ça ?

Non, a-t-il répondu. Jamais. Elle veut aller à Paris.

Vivre là-bas avec toi, tu veux dire ?

Je pourrais trouver du travail, a-t-il dit. Et nous parlons français tous les deux...

Ce serait génial, ai-je dit. Alors elle te parle de ça ? De partir vivre là-bas quand elle ira mieux ?

Souvent, a dit Nic. Je sais pas quand on pourra y aller, mais ça nous fait du bien d'y penser. Il faut juste qu'elle se sorte de ce pétrin. Il faut qu'elle trouve les bons médicaments. Trouver les bons dosages et les bonnes combinaisons... Ça peut prendre des mois.

Ou des années, ai-je dit. À condition qu'elle accepte de les prendre.

Ce qui n'est généralement pas le cas, a-t-il dit.

Ce qui n'est généralement pas le cas, ai-je confirmé.

Il a sorti un livre de son sac et a écrit quelque chose sur une des pages.

Qu'est-ce que tu lis ?

Thomas Bernhard, a-t-il dit. *Le Naufragé.*

T'es pas drôle, Nic.

Je sais, mais c'est toi qui m'as posé la question. Oh, tu peux lui donner ça ? Il a pris une liasse dans son sac à dos. Des courriels pour Elf. D'admirateurs. D'amis. C'est Claudio qui les a envoyés. Nic s'est détourné pour regarder par la vitre. Nous approchions de l'aéroport, suivions les petits avions dessinés sur les panneaux, au milieu de zones industrielles et de clubs sans fenêtres réservés aux hommes et de nids-de-poule géants.

On répare quelque chose dans cette ville, des fois ? ai-je demandé. Nic n'a rien dit. À l'aéroport, nous nous sommes une fois de plus remerciés réciproquement pour tout ce que nous faisions pour Elf. Nous nous sommes serrés dans nos bras et dit *goodbye, au revoir**, *adios.* Il avait seulement pris un sac à dos qui semblait à moitié vide. Je me suis demandé s'il s'était donné la peine d'apporter autre chose que son Bernhard et ses auteurs chinois préférés. Combien de jours, déjà ? ai-je lancé derrière lui. Il essayait de franchir la porte tournante avec son sac à dos. Il a levé les deux mains, comme s'il était en état d'arrestation. Dix.

Je suis retournée chez ma mère. Je me suis garée dans le stationnement des visiteurs et j'ai gravi les marches au pas de course. Prête ? ai-je demandé. Nic est parti ? a-t-elle répondu. Ouais, il rentre dans dix jours. La portière du côté conducteur est brisée, mais je vais essayer de la faire réparer cet après-midi. Puis je me suis souvenue des papiers du divorce que j'avais accepté de signer. Après seize ans de mariage, ça pouvait pas attendre un jour de plus ? me suis-je demandé.

À l'hôpital, nous n'avons pas trouvé Elf. L'infirmière des soins intensifs a dit qu'elle avait été transportée dans l'aile psychiatrique 2 de l'édifice Palaveri à l'autre bout du campus, si c'est comme ça qu'on appelle le domaine d'un hôpital. Nous sommes descendues voir tante Tina au cinquième et elle dormait, mais elle était branchée à plus d'appareils qu'avant. Elle était pâle, sa bouche béante esquissait un rictus marquant l'étonnement. Peut-être. L'infirmière nous a dit que la situation était moins rose que la veille. On voyait d'infimes pattes de mouche sur son plâtre, des pense-bêtes, à première vue. *Annuler club de lecture. Annuler tai-chi. Annuler coiffeuse.* Elle ne sortirait pas ce jour-là, en fin de compte.

L'infirmière se demandait si les enfants de Tina allaient venir de Vancouver et ma mère a dit oui, ma nièce et le mari de Tina sont en route, mais qu'est-ce qui se passe, au juste ?

Elle a dit que Tina devrait subir une intervention d'urgence, dans un jour ou deux, pour prévenir un infarctus du myocarde foudroyant. On la préparait pour une opération à cœur ouvert en lui injectant un quelconque fluide et en la gardant au repos. Pendant ce temps-là, on cherchait un chirurgien. L'infirmière, cependant, semblait tout à fait détendue. Ce sont des choses qui arrivent, a-t-elle dit à ma mère. Votre sœur est forte et, pour le reste, en très bonne santé. Une intervention de routine, en somme. Dans quelques semaines, elle sera probablement en mesure de rentrer à Vancouver au volant de sa fourgonnette.

Nous avons laissé ma tante dormir et nous sommes parties à la recherche d'Elf. Nous avons pris un ascenseur jusqu'au sous-sol et, déconcertées et furieuses, nous avons emprunté un énième tunnel d'hôpital. Malgré son épuisement, ma mère a une fois de plus tenté de m'entreprendre au sujet des mines du Honduras. Chaque pas la tuait, mais il n'y avait nulle part où se reposer. Qu'un tunnel lisse et vide, semblable au gros intestin d'un affamé. Un peu affolée, je marchais devant elle, cherchant du coin de l'œil la porte qui nous conduirait à l'aile psychiatrique 2. Je l'ai appelée et c'est l'écho qui m'a répondu. M'man an an an an. Elle s'était immobilisée au milieu du tunnel, minuscule, haute de trois centimètres, et elle a posé les mains sur ses hanches. À cause de l'éclairage de secours, tout baignait dans une lueur orangée. Au pas de course, je suis revenue vers elle et je lui ai demandé comment elle allait. Elle a hoché la tête et souri et pris de profondes inspirations.

Et je t'ai même pas parlé des quantités d'eau qu'elles utilisent, haleta-t-elle. Elle voulait parler des compagnies minières.

Franchement, je sais pas quelle porte il faut prendre, ai-je dit. Elle a de nouveau hoché la tête en souriant, tel un commandant mortellement blessé qui, brave et silencieux, ordonne à ses hommes de poursuivre sans lui, puisqu'ils ont une guerre à gagner. Comme les mots qui figurent sur la tombe de Yeats, au pied du Benbulben dans le comté de Sligo. *Contemple d'un Œil détaché la Vie, la Mort. Cavalier, passe ton chemin.* Tout ce que nous pouvions faire, c'était avancer à tout petits pas très lents vers ce qui nous attendait, une porte, par exemple.

Nous nous sommes arrêtées et nous avons regardé autour de nous et nous avons attendu que ma mère reprenne son souffle. Bientôt, j'ai cessé de parler parce qu'elle répondait toujours avec un peu trop d'enthousiasme, et que ça la fatiguait de dépenser ici ses pauvres munitions. Enfin, nous avons aperçu une porte qui disait Sortie et, de l'autre côté, nous avons trouvé refuge dans une cage d'escalier. Nous avons dû grimper plusieurs volées de marches pour quitter le sous-sol et trouver enfin l'ascenseur qui nous conduirait vers l'aile psychiatrique 2 et vers Elf, au quatrième.

Lorsque les portes se sont ouvertes, au quatrième, j'ai aperçu… Radek ! Son violon était accroché à son dos, telle une bonbonne d'oxygène pour la plongée sous-marine. Je lui ai demandé ce qu'il faisait là et il a répondu qu'il venait voir Elfrieda. Il fallait absolument qu'il lui dise l'importance que sa musique avait eue pour lui.

Oh, ai-je dit. J'aurais pu lui faire le message. Mais merci.

Il a regardé ma mère. Je m'appelle Radek, a-t-il dit en tendant la main. Ma mère a dit qu'elle était enchantée et elle nous a laissés là, devant les ascenseurs. La rumeur veut que ta sœur soit au service de psychiatrie, a-t-il expliqué. On parle même de suicide, c'est sérieux.

Qui t'a dit ça ?

Je voulais juste faire sa connaissance, a-t-il ajouté, mais on m'a dit que les heures de visite étaient terminées. Il m'a demandé comment j'allais et il a posé sa main sur mon épaule.

Pendant un moment, j'ai cru que tu étais venu ici pour moi, ai-je dit. J'avais oublié que tu as tourné la page.

Ce n'est pas plutôt toi qui as tourné la page? a-t-il répondu.

Tu avais l'intention de lui offrir une sérénade avec ton violon? lui ai-je demandé. J'ai souri dans l'espoir de dissimuler la rosserie, la jalousie que trahissait ma question.

Je voulais seulement lui offrir mes vœux de prompt rétablissement, la remercier.

Je sais, ai-je dit. Je comprends. Je lui dirai.

Et toi? a-t-il demandé.

Ça va.

Vraiment? Ce ne sont que des rumeurs, alors.

Il faut que j'y aille. Je suis désolée pour… tu sais, tout ça. Ce que j'ai dit.

Ton tour viendra, a-t-il dit.

Qu'est-ce que ça veut dire? lui ai-je demandé. J'avais commencé à m'éloigner.

Je voulais parler de ton bonheur, a-t-il répondu.

Ah! OK, on aurait plutôt dit une menace. Mais merci, Radek. Je suis désolée.

Moi aussi, je suis désolé.

Je me suis dirigée vers lui et je lui ai serré la main. Je suis certaine que ton livret d'opéra va être fantastique.

Et ton livre de bateaux aussi. Ou… de rodéo?

De bateaux.

C'est ça, oui, de bateaux.

Nous nous sommes souri. Nous nous sommes dit au revoir.

Ma mère était assise près de la porte de la chambre d'Elf, à côté du poste des infirmières, où elle tentait de rassembler le courage d'être enthousiaste, de jouer les ambassadrices de l'espoir, tout en reprenant son souffle. Je suis entrée dans la chambre et je me suis assise à côté d'Elf sur son lit et j'ai dit hé, je suis là. La pièce était déserte : seulement deux lits, dont l'un était vide, et deux petits bureaux avec de petites chaises. Il y avait aussi une petite fenêtre de forme allongée, recouverte d'un grillage, et Jésus mourant sur une petite croix au-dessus de la porte. Elf était immobile, petite elle aussi, silencieuse, face au mur. J'ai mis ma main sur sa hanche osseuse comme un amant dans la nuit. Elle a murmuré salut, mais sans se retourner. C'est toi, Girouette ? a-t-elle demandé. Je lui ai dit que Nic était parti pour l'Espagne en matinée, même si elle était déjà au courant, et que maman reprenait son souffle dans le couloir, que l'état de tante Tina s'était détérioré et qu'elle devrait subir une intervention. Je lui ai demandé comment elle se sentait. Elle n'a pas répondu. J'ai des messages d'admirateurs pour toi, ai-je dit. J'ai déposé la liasse sur le bureau vide. Elle n'a pas répondu.

Elf, ai-je dit, Nic sait que tu veux aller en Suisse ? Lentement, elle s'est tournée vers moi et a fait signe que non.

Il ne me laisserait pas faire, a-t-elle murmuré. Il ne m'emmènerait pas. Ne lui dis rien.

OK, mais moi je… Je sais pas quoi faire.

Pourquoi tu m'emmènerais pas ? a-t-elle demandé. S'il te plaît, Yoli. Elle ne plaisantait pas. Ses yeux étaient deux pistolets. J'ai secoué la tête, non, j'ai des doutes. Et m'man ? Tu lui en as parlé, à elle ? Elf a de nouveau fait signe que non et m'a agrippée par le bras.

Yolandi, a-t-elle dit. Écoute-moi. Écoute-moi bien, OK ? Il ne faut pas que Nic et maman soient au courant. Ils ne me laisseraient pas partir. Nic croit encore qu'on va trouver une sorte de médicament capable de me guérir et maman, elle… je ne sais pas en quoi elle croit, en Dieu peut-être, à la loi des probabilités, je ne sais pas, mais elle ne va jamais renoncer. Je t'en supplie, Yoli. T'es la seule qui me comprend. Non ?

Tu proposes qu'on parte pour Zurich en catimini ? lui ai-je demandé. Seulement nous deux ? Ça marchera jamais.

Pourquoi ?

Parce qu'il faut d'abord que les médecins de là-bas arrivent à la conclusion que t'es saine d'esprit !

Je *suis* saine d'esprit, a-t-elle dit. Donc, tu t'es renseignée ?

J'ai jeté un coup d'œil dans Google.

Et c'est plein de bon sens, non ? a fait Elf.

Ça, je sais pas, ai-je dit. Je ne pouvais pas la regarder en face. Ses yeux étaient immenses. Ses ongles me faisaient mal.

Yoli, a-t-elle dit. J'ai peur de mourir seule.

Ben, si tu mourais pas du tout, alors ? ai-je dit.

Yoli, a-t-elle dit, c'est comme si je te suppliais de me laisser la vie sauve.

OK, mais Nic s'apercevrait de ton absence dans les cinq minutes et il te retrouverait, il comprendrait ce que tu mijotes, d'une manière ou d'une autre, y aurait quelque part des traces écrites, et ensuite il me haïrait et m'man aurait une crise cardiaque et ça marcherait probablement pas, de toute façon. C'est juste tellement improbable, Elf, c'est ridicule. Tu ne peux pas te sauver à Zurich au milieu de la nuit. On ne parle pas de la piscine dans la cour d'un voisin, là…

Yoli, si tu m'aimes…

JE T'AIME, OK ! Mon Dieu !

J'ai entendu ma mère parler de sa voix calme mais assassine devant la chambre d'Elf. Elle expliquait à l'infirmière qu'Elf n'avait pas vu le médecin depuis des jours. L'infirmière a dit à ma mère que le médecin était très occupé. Ma mère a dit à l'infirmière ce qu'elle m'avait dit la veille, qu'Elf était un être humain. Ce n'était pas Janice, l'infirmière. Ma mère a demandé où était Janice. L'infirmière qui n'était pas Janice a dit à ma mère qu'elle était d'accord avec elle, qu'Elf était un être humain, mais qu'elle était aussi une patiente de l'hôpital et que, à ce titre, on comptait sur sa collaboration. Pourquoi ? a demandé ma mère. Qu'est-ce que la collaboration peut bien avoir à faire avec la guérison ? La collaboration est-elle un symptôme de santé mentale ou seulement une chose que l'hôpital exige de tous les patients afin de les contrôler grâce aux médicaments et à l'intimidation ? Elle mangera quand elle en aura envie. Comme vous, comme moi. Et pas quand on lui ordonne de manger. Elle n'a pas envie de parler ? Et alors ? Ma fille est plus intelligente que tout le personnel de l'aile psy…

M'man ! ai-je lancé. Ma mère est entrée dans la chambre et l'infirmière s'est réfugiée derrière son comptoir.

Ma puce, a dit ma mère en embrassant Elf sur le front. Elf a souri et a dit salut et elle lui a demandé comment elle allait et elle a ajouté qu'elle avait été sonnée d'apprendre que tante Tina avait besoin d'une intervention.

Oh, je me porte comme un charme, a répondu ma mère. Et Tina s'en sortira sans problème. J'ai eu la même intervention, tu te souviens ? Après le safari ? Et toi, ça va ? Elf a haussé les épaules et parcouru la chambre merdique des yeux, l'air émerveillé comme si c'était la plus spectaculaire des cathédrales d'Europe.

Il va comment, ce poème, déjà ? ai-je demandé à ma mère.

Quoi ? a-t-elle répondu. Quel poème ?

Le poème d'Ezra Pound. Ton favori.

Ah ! *Dans une station de métro* ?

Ouais, celui-là, ai-je dit. Qu'est-ce qui te plaît tant, de ce poème ? Je ne sais pas, a dit ma mère. Il est court. Elle a ri. Pourquoi me demandes-tu ça ?

Je sais pas, ai-je dit. Sans raison. J'étais juste curieuse. Il faut que je signe mes papiers de divorce cet après-midi.

Le mariage à Vegas était valide ? a fait Elf. Elle s'est tournée vers notre mère. Tu sais que Pound avait des sympathies fascistes, hein, maman ?

Les infirmières voudraient que tu manges quelque chose, ma puce, a dit ma mère. Je ne savais pas qu'il était fasciste !

Comment vont les enfants ? a demandé ma sœur.

Ma mère m'a regardée.

Bien, je pense, ai-je dit. Aujourd'hui, Will occupe le bureau d'un homme politique à Toronto pour protester contre un projet de loi sur la criminalité ou quelque chose du genre et on peut suivre l'action en ligne. Il vit avec Nora.

Qu'est-ce que tu veux dire ? a demandé ma mère.

On peut assister à l'occupation, ai-je répondu. À partir d'un ordinateur.

Doux Jésus, a dit ma mère. Sur quelle chaîne ?

Elf a esquissé un sourire et m'a demandé de les saluer,

Nora et lui. Elle m'a demandé ce qui se passait la dernière fois que j'avais jeté un coup d'œil à la manifestation. C'est une journée difficile pour toi, ma puce ? a demandé ma mère. Nous l'avons regardée toutes les deux. Ils faisaient circuler des ballons en tapant dessus et certains d'entre eux étaient allongés dans des sacs de couchage, ai-je dit. Des policiers sont venus et sont repartis, alors comment savoir ? Will dit qu'ils vont lever le camp si les policiers le leur demandent. Quel projet de loi sur la criminalité ? a demandé ma mère. Un truc à propos des prisons et des services de police, ai-je dit. Il est anarchiste, maintenant.

Will ? a fait ma mère. Non !

Non, non, je plaisante, ai-je dit, peu sûre de moi. J'avais oublié l'association que ma mère faisait avec les anarchistes meurtriers de son histoire russe. Elle a dit qu'elle devait aller aux toilettes et j'ai chuchoté à Elf laisse-moi réfléchir, OK ? Et, de ton côté, réfléchis aussi. Réfléchis bien.

C'est déjà tout réfléchi, Yo, a dit Elf. J'ai fait que ça. Ça se voit pas ?

Je sais, ai-je dit, mais tu pourrais pas réfléchir un peu plus longtemps ? Ou encore cesser de réfléchir et observer un peu ce qui se passe autour de toi ? Je peux rien faire sans Nic, c'est impossible… C'est complètement fou. C'est pas…

Pourquoi ? a demandé Elf. Je ne suis pas sa fille. Je peux partir avec ou sans sa permission. De toute évidence, je préférerais qu'il soit là, avec nous, mais il ne le permettrait jamais. On pourrait partir maintenant, profiter du fait qu'il est en voyage.

Pas question.

Et qu'est-ce que tu veux dire, « observer » ? C'est impossible de pas penser. Il y a toujours une forme d'activité cérébrale, au moins superficielle, et...

Je sais, ai-je dit, mais tu voudrais pas qu'il...

Hé, qu'est-ce que vous diriez si j'allais nous chercher quelque chose à manger à la cafétéria et que j'apportais le tout ici ? a dit ma mère. Nous ne l'avions pas vue revenir des toilettes. On va manger ici toutes les trois ! Je passerai voir Tina en revenant.

On ne te laissera pas faire, a dit Elf. Il faut que je prenne mes repas à la cafétéria.

Je vais cacher le butin, le faire entrer en douce.

Laisse-moi y aller, ai-je dit. Tu peux à peine souffler. On va finir par t'hospitaliser, toi aussi. En plus, j'ai un sac à dos où cacher la bouffe.

Une infirmière est entrée avec un énorme bouquet. Elles viennent d'arriver, a-t-elle dit. N'est-ce pas qu'elles sont magnifiques ?

Absolument ! a fait ma mère. Super ! J'ai hoché la tête et j'ai souri et je me suis penchée pour les sentir.

De la part de Joanna et Ekko. Ekko, c'est son mari ? ai-je demandé. Elf a hoché la tête. L'infirmière a dit qu'elle essaierait de trouver un vase assez grand. Je l'ai remerciée à profusion. Je voulais qu'au moins un des membres de notre famille de mécréants trouve grâce à ses yeux.

En tout cas, c'est un adorable ajout au décor de la chambre, tu ne trouves pas, Elf? a fait ma mère. Qu'elles sont jolies !

Regarde les bleues, là, ai-je dit. Comment est-ce qu'on obtient des fleurs bleues ?

Il y a des fleurs bleues dans la nature, ma puce, a

dit ma mère. Elles sont le symbole de quelque chose, je pense. En poésie.

Ah bon ? ai-je fait.

De l'inspiration, peut-être, ou encore de l'infini, a dit ma mère. *Die blaue Blume.*

Vous pouvez les enlever ? a demandé Elf. Vous pouvez les sortir d'ici ?

J'ai foncé dans la chambre de ma tante en disant salut, tadam ! J'ai posé le bouquet géant sur la table de chevet et elle a ri. Bonté divine ! Elles sont ravissantes ! s'est-elle écriée. De la part d'Elf, ai-je dit.

Je lui ai dit que j'étais désolée de ce qui lui arrivait, qu'Elf et ma mère et moi allions manger une bouchée rapide et qu'ensuite ma mère et moi allions revenir ici, dans son aile, et lui rendre une visite digne de ce nom. Elle a fait signe que rien ne pressait, bah, détends-toi, si ta mère a pu passer à travers, je peux le faire aussi, et elle a ri encore. Elle voulait parler de l'intervention chirurgicale. Elle a brandi son bras plâtré, dit qu'il la gênait. Je voulais écrire quelque chose ? J'ai écrit *Je t'aime, tante Tina !* Elle a jeté un coup d'œil et dit qu'elle m'aimait, elle aussi. Elle m'a demandé de lui donner un stylo ou un bâtonnet, un objet qu'elle pourrait glisser sous son plâtre pour se gratter. Les démangeaisons la rendaient folle. C'est quoi, ces chiffres ? lui ai-je demandé. Elle m'a dit qu'elle avait noté les numéros des téléphones cellulaires de Sheila et d'Esther. Sheila et Esther étaient ses filles, mes cousines. Elles étaient plus vieilles que moi et que Leni, leur sœur morte. Souvent, au lieu de nous garder comme convenu, elles étaient sorties avec leurs petits amis et nous avaient offert des sacs géants de réglisses rouges pour nous convaincre de garder le silence. Leni et moi attendions qu'elles soient parties et nous errions dans la ville, toutes seules, jusqu'à ce qu'il n'y ait plus de réglisses et que les sirènes de la caserne de pompiers sonnent le couvre-feu. Tina m'a demandé de lui rapporter un café du Starbucks – mais ne dis rien aux infirmières. Apporte-le en douce. Petit format, noir. Je lui ai dit que j'étais une mule, de toute façon, alors pas de problème, elle pouvait compter sur moi.

Je suis allée au poste des infirmières demander si elles savaient quand ma tante serait opérée. Demain matin à six heures, m'ont-elles dit. Par le Dr Kevorkian. Du moins, c'est ce qu'il m'a semblé entendre. Je suis retournée auprès du lit de ma tante. Alors, demain, c'est le grand jour ! me suis-je écriée. J'avais l'air d'une hystérique, et j'étais la première à m'en rendre compte.

Ouais, a confirmé ma tante. Je passe sous le bistouri. On a déjà dessiné sur mon corps, tout bien marqué. Suivez le pointillé. C'est tordant.

Je lui ai demandé si mes cousines, ses filles, allaient venir.

Sheila a téléphoné. Elle a dit que Frank et elle arriveraient cet après-midi.

Avec mon BlackBerry, j'ai vite envoyé un courriel à Sheila pour lui dire de me faire suivre les informations sur leur vol : je passerais les prendre à l'aéroport. Frank était mon oncle, le fidèle et loyal mari de Tina. Avec son diabète, il avait peine à marcher, mais il allait courageusement faire le voyage pour être auprès d'elle. J'ai embrassé ma tante et elle m'a serrée fort dans ses bras, très fort même, pour une femme en attente d'une opération à cœur ouvert, et elle m'a regardée droit dans les yeux. Dis à Elf que je l'aime de tout mon cœur, Yolandi. Dis-lui que je l'aime et que je sais qu'elle m'aime. Elle a besoin de l'entendre.

J'ai promis de faire le message et pivoté sur mes talons, prête à partir.

J'oubliais ! Ma tante m'a rappelée auprès d'elle. Nous sommes des Loewen ! (C'était leur nom de famille, celui de ma mère et de Tina.) Des lionnes !

J'ai souri et hoché la tête. Puis, au profit de l'infirmière qui passait, j'ai murmuré ma tante est la reine de la jungle, alors faites attention à elle. L'infirmière a ri et m'a serré le bras. Les infirmières en cardiologie sont beaucoup plus enjouées et sympathiques que celles de l'aile psychiatrique.

Si vous aboutissez à l'hôpital, essayez de concentrer votre souffrance dans votre cœur plutôt que dans votre tête.

TREIZE

Aéroport, portière de voiture, rideau de douche, divorce, me suis-je dit à voix haute. Dans l'ascenseur, j'ai tapé sur le bouton jusqu'à ce que le fichu voyant du rez-de-chaussée s'allume et que nous décollions enfin. Aéroport, portière de voiture, divorce. J'oubliais quelque chose. J'ai texté Julie et je lui ai demandé si elle pouvait venir me retrouver au Corydon Bar and Grill dans une heure, nous nous offririons quelques petits verres de tequila parce que j'avais vu dans un antique numéro de *Châtelaine* qui traînait dans l'aile de cardiologie qu'il vaut mieux célébrer un divorce que d'éprouver de la honte et de la culpabilité et des regrets, et ensuite elle pourrait m'accompagner dans ma tournée. Elle a répondu qu'elle était au bar de la Légion, en compagnie de postiers, où elle assistait à une tombola avec des quartiers de viande à gagner, déjà soûle, mais que je pouvais passer la prendre quand je voulais.

J'ai acheté deux sandwichs aux œufs, un sandwich au jambon, trois pommes, un sac de chips – aucune de nous ne mangeait de chips –, une bouteille d'eau géante et un petit café de Starbucks. J'ai repris l'ascenseur jusqu'à l'aile de cardiologie et, pendant que j'étais là, appuyée au mur, le visage plaqué contre la surface fraîche de l'acier, je me suis dit que j'essaierais de retrouver Benito Zetina Morelos pour lui demander ce qu'il pensait de l'idée de tuer ma sœur. J'avais besoin qu'on me dise quoi faire.

Benito Zetina Morelos était mon ancien prof de philo. À l'époque où je refilais mes notes de littérature canadienne à Jason le mécanicien, je suivais son cours de bioéthique médicale. Benito Zetina Morelos était un spécialiste de la question, il participait sans cesse à des tables rondes de la CBC où il était question de l'euthanasie, de toutes sortes de choses ayant trait, en gros, au droit de mourir. Il avait étudié à Oxford. Une fois, dans son cours, il avait fait référence à un boursier Rhodes mennonite qui avait étudié avec lui à Oxford et qui, incapable de supporter le climat de liberté – c'était dans les années 1960 et 1970 –, avait sombré dans la drogue et en était mort. C'était un de mes cousins, un de mes quatre mille cousins, et ma mère m'avait fait le récit de ses mésaventures quand j'étais petite, et voilà que Benito Zetina Morelos se servait de son exemple pour illustrer la difficulté de passer d'un extrême à l'autre. Nous étions à peu près persuadés qu'il était mort d'une overdose, mais nous ne le savions pas de façon certaine parce que ses parents, le cœur brisé, avaient refusé l'autopsie. Tout ce qu'ils voulaient, c'était que son corps revienne chez lui, à la maison, pour être inhumé dans le cimetière de notre minuscule église mennonite. Là, j'avais désespérément besoin des lumières de Benito Zetina Morelos. Depuis l'université, j'étais tombée sur lui par hasard à quelques reprises à Winnipeg, pendant qu'il promenait son chien et lisait en même temps. Si son chien n'était pas de la partie, il marchait sur la piste d'athlétisme de l'école secondaire Kelvin, où il tournait en rond encore et encore, lisant toujours, souvent avec un stylo dans la bouche. Très bien, aéroport, portière de voiture, divorce, Benito Zetina Morelos. Rideau de douche !

Arrivée à l'étage de ma tante, je lui ai donné son café, je l'ai embrassée de nouveau, nous nous sommes tapé dans la main en signe de victoire et nous avons échangé quelques plaisanteries sur le caractère imprévisible de la vie, tordante sous certains angles, sous tous les angles en réalité. Elle a fait référence à Isocèle, s'est demandé s'il avait ri sous tous les angles. Et j'ai mis le cap sur l'aile psychiatrique 2.

Nous avons pris notre repas clandestin dans la chambre d'Elf. Ma mère a mangé assise, calmement. Moi, j'ai fait les cent pas, tandis qu'Elf a pris trois minuscules bouchées de son sandwich. Sans cesser de mastiquer, elle me fusillait du regard en fronçant les sourcils, ses cheveux en broussaille. Pendant que ma mère et moi étions absentes, un pasteur de notre ancienne église mennonite d'East Village était venu rendre visite à Elf. Allez savoir comment, il avait réussi à convaincre les infirmières de le laisser passer. Il avait appris, sans doute par la famille qui a réussi, qu'Elf était hospitalisée. Il lui a dit que, pour cesser de souffrir, elle n'avait qu'à offrir sa vie à Dieu. Elle aurait alors envie de vivre. Et s'y refuser, c'était commettre un énorme péché. Pouvaient-ils prier ensemble pour le salut de son âme ?

Oh mon Dieu ! me suis-je écriée. Sacré nom de Dieu !

Elf est furieuse, a dit ma mère en regardant directement ma sœur. Pas vrai ? Ma mère, assise en plein dans le rayon de lumière que laissait filtrer la fenêtre grillagée, était nimbée d'une aura chatoyante. Une grande chaleur émanait de sa personne. Elle voulait qu'Elf exprime sa rage, utilise ses prodigieuses facultés verbales pour tailler en pièces ce petit minable, même en son absence.

Qu'est-ce que t'as fait ? ai-je demandé à Elf. J'espère au moins que tu lui as dit d'aller se faire foutre. T'aurais dû crier au viol.

Yoli, a dit ma mère.

Je rigole pas, ai-je dit.

J'ai récité un poème, a dit Elf.

Quoi ? ai-je fait. Un poème ? T'aurais dû l'étrangler avec ta culotte !

Philip Larkin, a-t-elle dit. Je porte pas de culotte. On me les a enlevées.

Tu peux nous le réciter ? a demandé ma mère. Elf a grogné et secoué la tête.

Allez, Elf, ai-je dit. J'aimerais l'entendre. Il a su que c'était du Larkin ?

Tu rigoles ? a demandé ma mère.

Allez, Elf, récite-le.

« À quoi servent les jours ? » a demandé Elf.

Qu'est-ce que tu veux dire ? ai-je fait.

« Les jours sont là où vivre. »

Quoi ? ai-je dit.

Chut, Yoli, a dit ma mère, c'est le poème. Laisse-la le réciter.

« Ils viennent, ils nous réveillent

« À longueur de temps.

« Ils sont là pour y être heureux :

« Où vivrait-on hors les jours ? »

Super, Elf, ai-je dit. J'aime beaucoup.

Pour l'amour du ciel, Yoli, a dit ma mère, il y a une deuxième strophe. Écoute. Vas-y, Elf.

« Ah ! Résoudre cette question
« Fait venir le prêtre et le docteur
« Dans leurs longs manteaux
« À toute allure à travers champs. »

Hmm, ai-je dit. Là, tu vois. Qu'est-ce qu'il a dit de ça ?

Rien, a répondu Elf.

Dis-lui pourquoi il n'a rien dit, a fait ma mère. Elle tremblait comme dans le bon vieux temps. Elle s'était couvert la bouche.

Parce que, à la fin du poème, j'avais enlevé tous mes vêtements, a dit Elf.

Il est sorti sans demander son reste, a expliqué ma mère.

C'est du délire ! me suis-je écriée. Oh mon Dieu, putain que c'est génial !

J'ai essayé de faire comme toi, a dit Elf. C'était tout ce que j'avais.

Mon cul, oui ! C'est tout toi, ça ! T'es incroyable ! Putain que t'es incroyable !

Ça suffit, Yoli, a dit ma mère. Assez de gros mots. Je vois d'où Will et Nora tiennent leur vocabulaire.

Un striptease sur un poème de Larkin, ai-je dit. Putain que c'est brillant !

Ma mère a fini par me dire d'aller faire les choses que j'avais à faire – ah ouais, j'oubliais, mon divorce ! Elle resterait encore un moment et rentrerait en taxi. En sortant, j'ai dit un mot à l'infirmière d'Elf.

Ne laissez que des membres de la famille entrer dans la chambre d'Elf, s'il vous plaît. Et vous n'allez pas la laisser sortir de sitôt, hein ?

Non, bien sûr que non ! a-t-elle dit. Vu ce qui est arrivé, elle en a pour un moment avec nous. Soit dit en passant, ce type, c'était une anomalie. Il a dit qu'il était son pasteur et il est entré tout droit sans s'arrêter. Je suis désolée.

Oh mon Dieu, ai-je songé. Elle s'est excusée.

Pas de problème, ai-je dit, Elf lui a réglé son cas. Mais, s'il vous plaît, ne la laissez pas sortir.

Pas de danger, a dit l'infirmière. Ne vous en faites pas, d'accord ? Elle avait des yeux aimables et profonds. J'aurais pu les contempler tout l'après-midi, jusqu'à la fin de mes jours.

OK, merci, ai-je dit. Y a personne chez elle, vous comprenez ? Son mari est en Espagne. Y a pas un chat à la maison.

Dans ma famille, c'était un refrain. Nous formions un chœur grec. Combien de fois avais-je supplié des hôpitaux de ne pas laisser sortir un des miens ? Elf et moi avons supplié et supplié et supplié l'hôpital d'East Village de ne pas laisser sortir notre père, mais on l'a fait quand même, et il est parti pour de bon. Nous ne sommes que la famille. Et les médecins sont occupés à caser le plus de rendez-vous possible dans une journée pour financer leurs prochaines vacances de cyclotourisme dans les Pyrénées. L'infirmière m'a rassurée. Nicolas, a-t-elle expliqué, lui avait déjà parlé, elle était au courant pour l'Espagne et elle a promis qu'Elfrieda resterait là, du moins pour le moment. Je me suis difficilement retenue de la serrer dans mes bras et de lui dire que je l'aimais.

En sortant de l'hôpital, j'ai pris mes messages. Dan était furieux contre Nora. Apparemment, elle avait trouvé le moyen de s'introduire dans sa messagerie électronique et elle avait envoyé à tous ses contacts un mot dans lequel il avouait son homosexualité et se déclarait soulagé de dire enfin la vérité. Il espérait qu'on le comprendrait et que tout serait comme avant, entre eux et lui. Dans son message, mon ex, d'une certaine manière, laissait entendre que c'était ma faute si notre fille avait un peu bu avec des amis et fait un « mauvais choix ».

TOUS mes contacts, écrivait-il. *Y compris les contacts professionnels. Sans exception. Ça la fait rire et elle refuse de présenter des excuses. Telle mère, telle fille.*

J'ai répondu : *Mais tu es gay, n'est-ce pas?*

Il a répliqué : *T'as quel âge? Treize ans? Franchement...*

J'ai texté : *Ne faut-il pas avoir une profession pour avoir des contacts professionnels?*

Il a répondu : *Tu ne peux pas comprendre, vu que mon travail n'a rien à voir avec le rodéo.*

J'ai texté : *Elle t'en veut peut-être d'être encore à Bornéo. Au fait, elles sont comment, les vagues?* Puis j'ai vite éteint mon téléphone.

Dans Google, j'ai cherché : « Peut-on mourir d'écrire un roman? » Et je n'ai rien trouvé d'utile. J'ai foncé au bureau du hippie qui me tenait lieu d'avocat – oreille percée, bouc, maison dans Wolseley, le quartier où habitait Julie – et je n'ai pas réussi à ouvrir la portière du côté conducteur et j'ai juré et je me suis faufilée de l'autre côté et je suis entrée en courant et j'ai dit que j'avais quatre minutes pour signer les documents et que rien ne me ferait plus plaisir que d'apposer mon nom sur trois exemplaires de ce document-là en particulier. J'ai brandi ma carte Visa et lancé réglons tout maintenant et qu'on en finisse. Tel est, je suppose, le prix de la liberté ! La secrétaire de mon avocat a ri, mais je voyais bien qu'elle avait un peu pitié de moi. Je perdais la raison. J'ai couru jusqu'à la voiture, dont de nouveau je n'ai pas réussi à ouvrir la portière du côté conducteur, et j'ai cogné sur la vitre et juré à voix basse dans le vent qui n'avait plus rien d'une petite brise. C'était peut-être un mistral, le vent qui rend fou, de sorte que, en France, ceux qui commettent un meurtre pendant qu'il souffle ont des chances d'être acquittés. J'ai couru et je suis entrée dans la voiture par le côté passager et j'ai foncé vers le garage de Jason le mécanicien, mon petit ami de la veille. Je suis entrée directement dans le garage, j'ai mis la voiture à l'arrêt et, ayant oublié une fois de plus que la portière du côté conducteur ne s'ouvrait pas, je me suis affalée sur le siège, vaincue.

Jason a sorti la tête du compartiment à moteur d'un VUS et il a ouvert la portière du côté passager et il a dit viens là. Je me suis avancée tête première comme un nouveau-né et il m'a serrée dans ses bras et je lui ai raconté pour la portière du côté conducteur et je lui ai dit que je devais être à l'aéroport dans douze minutes pour accueillir ma cousine Sheila et mon oncle Frank qui venaient pour être auprès de ma tante, la mère de l'une et la femme de l'autre, laquelle devait subir d'urgence une intervention à cœur ouvert, et aussi que je venais officiellement de divorcer. Jason m'a caressé le dos. Il m'a dit que le divorce était un des facteurs de stress les plus importants – le divorce et la mort d'un être cher –, parce que c'est comme une mort, et que ça ne le dérangeait pas que je pleure. Il m'a prêté une voiture pour aller chercher ma parenté et a dit qu'il réparerait la portière dans l'après-midi, pas de souci, c'était gratuit.

J'avais oublié Julie. J'ai foncé à la Légion, rue Notre Dame. Une affreuse musique jouait dans la voiture prêtée, mais je n'ai pas compris comment éteindre la radio. Elle m'attendait, assise sur le trottoir, ivre et tenant dans ses bras une pile de steaks congelés. Elle est montée et je lui ai dit que j'étais divorcée. Je sais, a-t-elle dit. Non, mais maintenant... j'ai signé les papiers... c'est officiel.

Je te félichite, a-t-elle dit. Elle a essayé d'éteindre la radio. Quel effet ça fait ?

D'être officiellement divorcée ?

Officiellement divorcée, a-t-elle dit. Des mots affreux qui devraient même pas être des mots.

La nuit dernière, dans mon rêve, un homme m'a dit qu'un pétroglyphe de chien représentait l'amour éternel.

J'ai déjà entendu dire ça. Comment va Elf?

Pareil, ai-je dit.

Tu songes toujours à la tuer ?

Il s'agit pas de la tuer. Il s'agit de l'aider.

Je sais, a dit Julie, mais t'en es où ?

Ne dis rien à personne. Elf n'en a pas parlé à Nic ni à ma mère. Elle veut juste que je l'emmène en Suisse. Seulement nous deux.

Oh mon Dieu, a dit Julie. Et tu vas le faire ? Hé, qu'est-ce qu'ils ont, tes yeux ?

Je lui ai dit que je voulais retrouver mon ancien prof de philo, Benito Zetina Morelos.

On se croirait dans un roman de Bolaño, a dit Julie. Tu as son adresse électronique ou son numéro de téléphone ? Elle a pris ma main dans la sienne et l'a gardée. J'ai secoué la tête et je lui ai dit que j'irais à l'école secondaire Kelvin où je le trouverais peut-être sur la piste d'athlétisme. Ce soir, a-t-elle dit, tu devrais rester chez moi et me laisser te préparer un bon steak. J'ai du vin. Je crois que t'es en manque de protéines. Je peux pas, ai-je dit, je dois conduire ma mère et ma cousine et mon oncle à l'hôpital à six heures du matin. C'est à cette heure-là que ma tante se fait opérer. Et ils restent tous chez ma mère. OK, alors demain soir, a-t-elle dit. Je crois pas que tu devrais donner suite à cette histoire de voyage en Suisse. Je sais pas, ai-je dit. C'est pas parce qu'une chose est permise par la loi qu'elle est juste, a-t-elle dit. Ouais, ouais, ai-je dit, mais, en gros, la loi a pour but de favoriser l'autonomie personnelle et de réduire au minimum la souffrance humaine. Ça te paraît pas correct ? T'as chaud ? a-t-elle demandé. Elle a plaqué un steak congelé sur mon front.

Nous sommes arrivées à l'aéroport et Julie est restée dans la voiture et a somnolé, les bras chargés de viande, pendant que j'allais chercher ma cousine et mon oncle.

À l'aéroport, nous nous sommes fait un câlin à trois, un conciliabule d'équipe, nous qui n'avions plus qu'une tentative de passe désespérée dans notre manuel de stratégies. Nous étions déjà passés par là. Nous nous aimions. Nous nous défendions mutuellement. Lorsque des mondes s'effondraient, nous étions ensevelis ensemble sous les décombres ; quand les secours arrivaient, c'est ensemble que nous célébrions. Il n'y avait pas grand-chose à dire sur Elf et Tina. Nous irions tout droit à l'hôpital. Dans la voiture, nous avons tous parlé en même temps. Sheila des montagnes et des vaccins parce qu'elle était à la fois alpiniste et infirmière de la santé publique et mon oncle Frank du trou de la taille d'une pièce de deux dollars dans sa jambe et des caissons hyperbares parce qu'il était diabétique et Julie des circonstances dans lesquelles elle avait gagné la viande et moi des rallyes au Maroc. J'avais l'intention de prendre part à un rallye réservé aux femmes – nous irions de Dakar à un autre endroit, je ne sais plus lequel, et nous dormirions dans le désert avec des chameaux et des guides bédouins. Il nous faudrait deux mois pour aller jusqu'au bout. Julie serait ma partenaire. Je ne lui en avais pas encore parlé. Quoi ? a-t-elle dit. On va coucher avec des guides bédouins ? Elle serait ma navigatrice et moi je piloterais. Jason nous donnerait des cours de mécanique avant notre départ et nous serions parrainées par Postes Canada. Tel était mon projet. Mon oncle a dit que, à en juger par la façon dont je conduisais en ce moment, j'avais d'excellentes chances de gagner la course et que je mettrais nettement moins de deux mois pour aller jusqu'au bout.

Je les ai déposés à l'hôpital, leur ai dit que ma mère était avec Elf dans l'aile psychiatrique et que Tina les attendait dans l'aile de cardiologie. Je téléphonerais à ma mère dans deux ou trois heures et je passerais prendre tout le monde et nous irions manger quelque part.

À vos ordres, mon commandant, a dit oncle Frank avant de partir, clopin-clopant, retrouver sa femme, tandis que Sheila, en vraie fille de sa mère, m'a serrée fort dans ses bras et dit que nous allions passer à travers cette épreuve, que nous allions nous battre jusqu'au bout. J'ai cinquante-six cousins de ce côté seulement de la famille, la plupart de sexe masculin, sans parler de leurs femmes et de leurs enfants, mais Sheila est la plus coriace d'entre tous. Elle n'hésiterait pas à vous scier le bras si, en pleine nature, il était pris dans un piège et qu'il n'y avait pas d'autre issue. Une fois, elle était tombée du haut d'une montagne et elle avait passé une journée et une nuit entières avec la jambe gauche écrasée avant que l'hélicoptère de secours trouve une façon de faire descendre une échelle dans l'étroite crevasse où elle était prisonnière. Elle a dit au pilote qu'elle avait lutté contre l'évanouissement en dressant dans sa tête une liste alphabétique des prénoms de tous ses cousins, puis en se les représentant tour à tour et en les décrivant pour le bénéfice d'un auditoire imaginaire. Elle m'a dit qu'elle m'avait mise dans les *G* pour Girouette. La famille de Sheila et la mienne font partie du contingent des Cousines pauvres. Nous avons des Cousins riches qui sont extrêmement riches parce que ce sont les fils des fils (nos oncles, tous morts) à qui notre grand-père, le père de Tina et de ma mère, a légué la lucrative entreprise familiale. Dans la cosmologie de Menno, ainsi vont les choses. La richesse échoit aux fils qui la transmettent à leur fils qui la transmettent à leurs fils, et ainsi de suite, tandis que les filles ne reçoivent rien du tout, zéro. Nous, du contingent des Cousines pauvres, ne nous en formalisons pas, sauf quand nous sommes assistées sociales, sans le sou, affamées, incapables d'offrir à nos enfants de super chaussures de sport montantes ou de payer leurs frais de scolarité ni de nous offrir une quatrième gigantesque résidence dans une île privée avec un héliport. Quoi qu'il en soit, nous, de la lignée des filles, avons beau ne pas être fortunées et ne pas avoir de bonnes fenêtres dans nos maisons traversées de courants d'air, nous avons au moins la colère et avec elle, messieurs, nous bâtirons des empires.

Julie m'a accompagnée à la piste d'athlétisme de l'école secondaire Kelvin, mais nous n'y avons pas vu Benito Zetina Morelos. Que des étudiants qui fumaient de l'herbe en essayant de se la jouer cool. À quelle heure tu dois aller chercher tes enfants ? ai-je demandé à Julie. C'est Mike qui les a aujourd'hui, a-t-elle répondu. D'où les menus plaisirs que je me suis octroyés à la Légion cet après-midi.

Allons dans Garbage Hill, lui ai-je dit.

Garbage Hill a été un dépotoir jusqu'au jour où on y a mis de la pelouse et aujourd'hui c'est un endroit où on va passer du temps en été et glisser en hiver, malgré les panneaux géants qui proclament GLISSADE INTERDITE ! On lui a donné un joli nom, mais personne ne s'en souvient et le panneau a été couvert de graffitis. Tout le monde appelait cet endroit Garbage Hill, même le maire, qui était moins un maire qu'un commissaire-priseur qui vendait la ville, morceau par morceau, au plus offrant. La montagne de déchets domestiques n'est pas très haute, c'est à peine un monticule en réalité, mais c'est le point le plus élevé de Winnipeg, et je me suis dit que je devais le plus possible me rapprocher de Dieu, même si je n'aurais pas su dire pourquoi : implorer Sa miséricorde ou Lui fracasser le crâne. Ou Le remercier, comme me l'a conseillé tante Tina lorsque mon père est mort. Même si je ne crois pas en Dieu de tout mon cœur, a-t-elle dit, il est bon de fermer les yeux et de faire dans sa tête la liste de tous les motifs qu'on a de Lui être reconnaissant.

Assises en tailleur dans l'herbe brune et piquante du sommet de la colline, Julie et moi nous sommes souvenues de la séance de photos qu'elle avait faite à cet endroit précis, quatre cents ans plus tôt, à l'époque où nous étions de triomphantes élèves du secondaire.

T'es fatiguée ? m'a-t-elle demandé.

Je fais une liste dans ma tête, lui ai-je répondu.

De quoi ?

De tous les motifs que j'ai d'être reconnaissante.

Je suis dessus ?

Si tu es dessus ! me suis-je écriée.

Elle a fermé les yeux et dressé sa propre liste.

Ça peut être quelque chose de modeste, par exemple constater que le pain n'est pas moisi, finalement, et que les enfants pourront manger des toasts au petit déjeuner ? a-t-elle demandé.

Oui, ai-je répondu. Mes paupières étaient encore closes. J'étais en train de dire merci à Dieu pour les capsules dévissables.

Oh, excellent motif, a-t-elle dit. Faut pas non plus oublier les pouces préhensiles.

T'es encore soûle ? lui ai-je demandé.

Non, a-t-elle répondu.

Alors j'ai fait des recherches dans Google et ça va me coûter…

T'as cherché quoi, au juste ?

La clinique suisse à Zurich.

Ah ! OK.

J'ai fait des recherches et ça va me coûter cinq mille deux cent soixante-trois dollars et seize cents pour le traitement et neuf mille deux cent dix dollars et cinquante-trois cents pour les frais connexes.

Quels frais connexes ? a-t-elle demandé.

Les frais médicaux et les frais administratifs et les funérailles.

Mais les funérailles auraient lieu ici, non ?

Oui, t'as raison. Il faudrait que je ramène le corps.

Les cendres ? a-t-elle fait.

Ouais, sûrement. L'incinération coûte quelque chose, j'imagine.

Combien ? a-t-elle demandé.

Aucune idée.

Je suis toujours contre, a-t-elle dit. Je pense que c'est seulement pour les gens qui se meurent de toute façon.

Non, ai-je dit, c'est aussi pour les gens atteints d'une maladie mentale – on l'appelle le « dégoût de la vie » – et, selon la loi suisse, ils ont les mêmes droits que quiconque veut mourir. On pourrait faire valoir qu'elle est mourante. Elle est dégoûtée de vivre, aucun doute là-dessus.

Nous avons contemplé la ville, le ciel, nous-mêmes. Julie a souri et prononcé mon nom. J'ai prononcé le sien. Je sais pas, a-t-elle fait.

Je ne veux pas qu'elle meure, ai-je dit, mais elle me supplie. Littéralement. Qu'est-ce que je fais ?

Julie a secoué la tête et dit qu'elle ne savait pas. Puis elle m'a proposé d'attendre un peu, de voir si le traitement ou les pilules allaient marcher, cette fois-ci, de laisser le temps au temps. C'est une possibilité, ai-je admis, mais j'ai peur qu'on la laisse sortir et ça serait la fin, elle disparaîtrait.

Mais ça semble tellement improbable, cette affaire de Zurich, a dit Julie.

Je sais, ai-je dit, mais non, c'est possible, en fait, et je pourrais faire ça pour elle. Je devrais faire ça pour elle.

Ben, pas nécessairement, a dit Julie. Attends un peu, vois comment ça évolue.

Vingt et un pour cent des patients de la clinique de Zurich ne sont pas atteints d'une maladie physique mortelle. Ils sont dégoûtés de la vie.

Tu crois que tu pourrais te pardonner d'avoir fait une chose pareille ? a-t-elle demandé.

Et si je ne fais rien ?

Dans un cas comme dans l'autre, a-t-elle dit.

Je devais passer prendre la smala à l'hôpital et chercher de quoi manger parce que, après tout, il fallait manger, manger encore – activité qui, à ce stade, semblait gênante et ridicule – et Julie avait rendez-vous avec son psychothérapeute jungien. Ne lui parle pas de cette conversation, ai-je dit. T'en fais pas, a-t-elle dit. Secret professionnel. Sans blague, ai-je dit, je pense qu'ils ont l'obligation de faire un signalement à la police s'ils pensent qu'un crime risque d'être commis ou quelque chose du genre. Elle m'a serrée dans ses bras. Elle a promis de ne parler de ça à personne, son psychothérapeute y compris. Tu trembles, a-t-elle dit. Je sens ton cœur cogner contre tes côtes. Nous avons entendu des bruits au loin. Une femme criait OK, sans blague, tu veux que je te dise ? Va chier. Et un homme a crié OK, sans blague, tu veux que je te dise ? Va chier, toi. Puis la femme : Tu sais combien j'ai dépensé ? Et l'homme : Tu sais combien j'ai dépensé, moi ?

Oh là là, a dit Julie, ce gars-là, je voudrais absolument l'avoir dans mon équipe de débatteurs. Brillantes reparties, mon pote.

À ce moment précis, un frisbee a frôlé nos têtes, ratant Julie de peu.

Oh mon Dieu, a-t-elle dit. Te rends-tu compte que le mot *pote* aurait pu être mon dernier ? Par amour pour moi, tu t'engages à dire à tout le monde que c'était autre chose ?

Absolument, ai-je dit. Compte sur moi. Quel mot te ferait plaisir ?

Oh, je sais pas, a-t-elle répondu. *Presto* ou quelque chose comme ça.

Comme dans *subito presto,* tu veux dire ?

Ouais, a-t-elle dit.

OK, ai-je dit, je raconterai à tes enfants et aux membres de ta famille que ton dernier mot a été *presto.*

Merci.

Nous avons mangé dans un minuscule café du boulevard Provencher, non loin de l'hôpital, et ensuite nous sommes allés chez ma mère, où nous avons joué au seul jeu de cartes approuvé par les mennonites, le Dutch Blitz, et crié blitz ! quand nous gagnions. Mon oncle et ma mère ont juré en *plautdietsch* et tout le monde a poussé des cris stridents et les cartes ont volé et ma mère a dû s'arrêter pour reprendre son souffle et inhaler de la nitroglycérine et mon oncle s'est injecté de l'insuline. Après, j'ai trouvé assez de draps et de couvertures propres pour faire les lits de Sheila et de mon oncle – j'allais pour ma part dormir sur un matelas gonflable – et je leur ai souhaité bonne nuit. Le rassemblement aurait lieu à cinq heures du matin. Avant de nous coucher, Sheila et moi, assises sur son lit, avons parlé de nos sœurs, Leni et Elf, et de leur tristesse insondable, et aussi de nos mères, Lottie et Tina, et de leur perpétuel optimisme. Qu'est-ce qui retient ta jambe ? lui ai-je demandé. Des écrous et des boulons et des bouts de métal et du fil de fer, a-t-elle dit. Elle m'a fait voir les cicatrices qui parcouraient de haut en bas sa jambe écrasée. Elle a sorti une boîte de chocolats et nous en avons mangé deux chacune. Je suis certaine que ta mère va s'en tirer, ai-je dit. Elle est d'une incroyable ténacité. C'est vrai, a dit Sheila. C'est l'Iggy Pop des mémés mennonites. Nous avons encore mangé deux chocolats chacune. Et après, je suis retournée à l'hôpital en vitesse pour voir Elf.

J'ai pris le vieux vélo de mon père dans le casier au sous-sol et j'ai foncé sur le sentier longeant la rivière qui explosait. À l'hôpital, je ne me suis même pas donné la peine de le cadenasser. Je me suis contentée de le jeter dans l'herbe à côté des portes du pavillon Palaveri, comme si j'étais redevenue une enfant et que je risquais de manquer le début du *Monde merveilleux de Disney* à six heures. L'infirmière assise derrière le comptoir a dit qu'il était trop tard et je lui ai dit que j'avais quelque chose de très important à dire à ma sœur, que ça ne pouvait pas attendre. Elle ne m'a pas crue, de toute évidence, mais elle m'a dit d'y aller quand même, elle ne disposait pas de renforts et elle était plongée dans les derniers chapitres du *Da Vinci Code.*

Elf dormait sur le côté, face au mur, et j'ai soulevé la couverture pour me coucher près d'elle. Elle me tournait le dos, mais sa main reposait sur son épaule, comme si elle s'était endormie en se faisant un câlin, et je l'ai touchée, cette main. Je l'ai serrée doucement et je l'ai tenue. Je me suis dit qu'il était étrange que cet amas de chair à la fois mou et osseux puisse produire une musique aussi sublime. J'ai modelé ma respiration sur la sienne, lente et régulière. J'ai fermé les yeux et dormi avec elle un moment, une heure ou deux, je pense, ou peut-être seulement vingt minutes.

Petite, Elf n'arrêtait pas de marcher et de parler dans son sommeil. Mes parents avaient dû bricoler des pièges devant les portes pour l'empêcher de sortir carrément de la maison. J'ai fredonné une chanson où il était question de canards qui nagent dans la mer, une comptine qu'Elf m'avait apprise quand j'étais petite. Sur le courage, sur l'état de *freak*. Elle ne s'est pas réveillée. Je ne crois pas qu'elle se soit réveillée. Je ne voulais pas partir, mais je ne pouvais pas faire autrement. L'infirmière m'a demandé de respecter les heures de visite à l'avenir et je lui ai dit oui, absolument. À l'avenir, je vais tout respecter. La bicyclette de mon père, mouillée par la rosée, était toujours à sa place et je l'ai reprise et elle m'a semblé plus légère qu'à l'aller et j'ai bien regardé pour être certaine que c'était la même, une trois-vitesses CCM rouge délavé, et c'était bel et bien la même. Comment aurait-il pu y en avoir deux? On n'était pas au défilé. Je l'ai enfourchée et je me suis enfoncée dans ce qui restait de la nuit.

Chez ma mère, tout le monde dormait, arpentait ses rêves en attendant le matin. Je me suis couchée sur un matelas gonflable dans le salon. À côté de moi, il y avait, sur une des étagères d'une petite bibliothèque bleue, l'inévitable collection de mes livres mettant en vedette Rhonda (tous dédicacés, avec amour et reconnaissance), avec leur graphisme un peu décalé, caractéristique de la littérature canadienne, de même qu'un grand nombre de romans policiers, lus et relus et mieux aimés, casés à côté. Certains d'entre eux, les plus épais, étaient découpés en deux ou trois tronçons retenus par des élastiques parce que ma mère n'aimait pas trimballer de gros volumes partout où elle allait et elle ne sortait jamais sans un livre, ou un morceau de livre, dans son grand fourre-tout brun. À côté des romans policiers s'alignaient quelques livres écrits par des auteurs qu'elle connaissait, des fils et des filles d'amis, des gens qui fréquentaient son église, de vieux classiques et un recueil de poèmes de Coleridge, l'ex-petit ami d'Elf. Je l'ai pris sur la tablette et j'ai lu quelques poèmes, y compris celui-ci :

> En imagination (je sais bien)
> Je te vois rentrer d'affaires lointaines et proches,
> Tu t'approches furtivement du lit d'une Sœur adorée
> À petits pas, et observes le teint pâle,
> Oins chaque douleur d'une douce sollicitude
> Et administres un amour aux vertus curatives.
> J'avais aussi une SŒUR, une unique Sœur –
> Elle m'aimait beaucoup et j'en étais fou !
> À elle je confiais mes pauvres petits chagrins
> (Tel un patient dans les bras de celle qui le soigne)
> Et du cœur ces maladies cachées
> Qui se dérobent honteuses aux yeux de l'Amitié.
> Oh ! Je me suis réveillé à minuit et j'ai pleuré
> Parce qu'ELLE N'ÉTAIT PAS !…

J'avais trouvé le poème de Coleridge utilisé par Elf ! Celui d'où elle avait tiré le MPPC de son monogramme. Mes pauvres petits chagrins. Je me suis rallongée sur le matelas gonflable. Je me suis endormie, mais pas complètement. Un sommeil superficiel. Et quelque part au confluent du sommeil et du rêve éveillé et de la conscience, j'ai eu une idée. Une idée m'a visitée. Quand Elf quitterait l'hôpital, je l'inviterais à venir passer un moment chez moi à Toronto. Je la ramènerais avec moi. Nous pourrions marcher et parler et nous reposer et il n'y aurait pas de pression et je travaillerais (en quelque sorte) à la maison et comme ça elle ne serait pas toute seule. Nous pourrions alors examiner à fond ce scénario zurichois et, si elle ne revenait pas sur sa décision, il serait, de toute façon, plus facile de partir de Toronto que de Winnipeg. Personne d'autre n'aurait besoin de savoir quoi que ce soit avant que tout soit fini et je me débrouillerais après.

Le matin venu, nous nous sommes levés à contrecœur et nous nous sommes agglutinés autour de la table de la salle à manger comme des oisillons et nous avons picoré dans nos assiettes en nous levant pour aller chercher de la confiture et du sel et de la crème et nous nous sommes encouragés mutuellement avec un enthousiasme feint. Entassés dans la voiture, que Jason avait laissée dans le stationnement des visiteurs avec les clés sous le tapis, la portière du côté conducteur à présent fonctionnelle, nous avons mis le cap sur notre nouveau *club-house,* l'hôpital Sainte-Odile. Il était trop tôt pour voir Elf, mais nous nous sommes réunis autour du lit de tante Tina et nous l'avons embrassée et serrée dans nos bras en lui disant que cette intervention serait une sinécure, une vétille, une partie de plaisir. Ouais, ouais, elle était au courant, bonté divine, trêve d'encouragements morbides, en route et que ça saute. Sheila a doucement massé le bras et les jambes de sa mère. Ma mère lui a tenu la main. Oncle Frank lui a promis qu'un café de Starbucks l'attendrait à son réveil et elle nous a dit d'aller nous reposer et de déstresser un peu, pour l'amour du ciel. Le sédatif commençait à faire effet. Tina avait les yeux vitreux. Sa diction s'empâtait. Elle affichait une expression énigmatique. Ils l'ont emmenée à la salle d'opération et nous sommes restés sous la lumière fluorescente, en train de prier, ou de ne pas prier, absolument immobiles.

Pendant que Tina était encore dans la salle d'opération, où on prenait des veines de ses jambes pour les mettre dans sa poitrine, le médecin ayant fait dire que tout se passait bien, ma mère et moi et ma cousine Sheila et mon oncle Frank avons fait le voyage jusqu'à l'aile psychiatrique pour aller dire bonjour à Elf. Nous avons réussi à dégoter un fauteuil roulant pour mon oncle. Il n'en voulait pas, mais nous avons insisté et il a tenté de faire deux ou trois cabrés dans le couloir. À la queue leu leu, nous avons défilé devant le poste des infirmières à la manière pitoyable de l'arrière-garde d'une armée en déroute et l'une d'elles a dit oh, hum, vous êtes combien, au juste? Et ma mère a répondu un seul de chacun de nous. Mais, a dit l'infirmière, vous ne pouvez pas tous entrer en même temps. On est au courant, a dit ma mère sans s'arrêter. Nous avons serré les rangs derrière notre commandant et nous avons marché (et roulé) droit devant, toujours droit devant.

Elf écrivait, assise sur son lit. J'ai jeté un coup d'œil à son carnet et vu le mot *souffrance* écrit au moins cinquante fois. Je l'ai pris. Ta liste d'épicerie? ai-je demandé. J'ai tourné la page de manière à empêcher les autres de voir et nous nous sommes envoyé des messages silencieux avec les yeux. Nous avons discuté de Dieu seul sait quoi. Sheila nous a parlé d'une jeune maman qu'elle traitait pour la tuberculose. Elle était si jeune quand elle avait eu ses enfants qu'elle avait attrapé la varicelle en même temps qu'eux. Elle était si jeune quand elle avait fini par se marier avec le père des enfants que, le jour de ses noces, elle avait perdu une molaire de lait.

Elf a déchiré une page de son carnet et y a écrit un mot, puis elle a replié la feuille et l'a donnée à notre oncle pour qu'il la remette à Tina après son opération. Il a passé son bras autour d'elle et dit sois bénie, petite, et elle lui a dit qu'elle regrettait qu'il ait à la voir ici. Il a dit non. On ne s'excuse pas d'être malade, d'être humain, d'être fatigué (de toute évidence, oncle Frank n'avait jamais été une femme). Mais Elf a dit qu'elle regrettait quand même. Normalement, Elf était athée, mais, depuis quelque temps, elle ne semblait pas s'offusquer quand d'autres offraient du réconfort en Son Nom. Ma mère et Sheila et moi avons parlé fort de rien du tout pour laisser croire à Elf et à mon oncle qu'ils s'entretenaient en privé de la tristesse et du renoncement et de la force.

Nous avons parlé pendant un moment du camp d'entraînement des Blue Jays. Des partants et des releveurs. Puis nous nous sommes tenus par la main. Mon oncle Frank a alors lancé une séance de prières. Et ma mère s'est de nouveau mise à chanter *du,* tu, tu, tu es toujours dans mes pensées, tu me fais tellement de mal, tu, tu, tu ne peux pas savoir combien je t'aime. Ma mère et mon oncle ont chanté en *plautdietsch* les paroles qu'ils savaient par cœur, et Sheila, Elf et moi, qui connaissions à tout le moins la partie qui faisait *du, du, du,* l'avons chantée avec détermination. Puis nous avons interprété un cantique, *From*

Whom All Blessings Flow. Les mennonites aiment chanter quand la situation se corse. Quand on ne peut pas hurler ou perdre les pédales et vider un chargeur dans un centre commercial bondé, c'est une soupape. Je me suis mise à pleurer sans pouvoir m'arrêter, malgré tous mes efforts. Quand les autres sont sortis de la chambre pour aller voir comment Tina se tirait d'affaire, je me suis attardée et j'ai chuchoté à Elf que le moment était venu de se battre. Je me bats depuis trente ans, Yolandi. Alors tu vas me laisser me battre toute seule ? lui ai-je demandé. Elle ne m'a pas répondu.

J'ai un plan, Elf, ai-je dit en lui prenant la main.

QUATORZE

L'intervention chirurgicale de ma tante est terminée. Sa vie aussi. Au début, tout s'est bien, très bien passé et, même après, tout semblait marcher comme sur des roulettes. Le médecin est venu nous rencontrer, il a retiré son masque et il nous a souri et nous a serré la main et il s'est déclaré très heureux du déroulement de l'opération. Mais ensuite les organes de ma tante ont commencé à lâcher l'un après l'autre. Les médecins et les infirmières ont tout tenté pour sauver Tina, mais ils ont échoué et nous l'avons perdue.

Assis en rangée dans la salle d'attente, la tête enfouie dans nos mains, nous fixions le plancher. Nous avions cru que l'affaire était dans le sac. Nous avons pleuré en silence. Nous avons chuchoté entre nous. Notre peloton avait subi un autre revers inattendu et mon oncle avait perdu l'usage de la parole. Nous avons oublié son insuline. Dernièrement, nous a dit Sheila, Tina lui téléphonait de Winnipeg pour lui rappeler de se faire une injection. Ma mère avait perdu le dernier membre de sa fratrie, sa sœur dont elle avait été la plus proche. Elle s'est levée et elle est sortie de la pièce et, l'ayant suivie, je l'ai vue appuyer son front sur le mur en béton du couloir.

Les infirmières de l'aile de cardiologie ont remis à Sheila un sac en plastique sur lequel était écrit *Propriété de l'hôpital Sainte-Odile.* Il contenait les pantoufles pelucheuses de tante Tina et son cahier de sudokus et son roman de Kathy Reichs et ses lunettes et sa brosse à cheveux et sa crème hydratante et son survêtement en laine polaire mauve et son caraco moulant noir et ses chaussures de sport Reebok blanches.

Nous avons tenu un conseil de famille impromptu. Sheila emmènerait son père chez ma mère en taxi et donnerait des coups de fil et tenterait de trouver un moyen de rapatrier les cendres de Tina à Vancouver. J'irais prévenir Elf et après j'irais faire des provisions, en particulier du café, du café corsé du Black Pearl, a précisé ma mère, oublie Starbucks. Ma mère prendrait la voiture de Nic et se rendrait au salon funéraire au bout de la rue Main pour toucher un mot à son ami Hermann, autre mennonite, et voir s'il pouvait nous aider pour l'urne et la crémation.

Je me suis assise sur un banc au bord de la rivière Assiniboine et j'ai envoyé un courriel à Nic avec mon BlackBerry pour lui dire que, dans cinq ou six jours, nous irions à Vancouver, ma mère et moi, pour assister aux funérailles de Tina. Pouvait-il rentrer d'Espagne plus tôt que prévu pour éviter qu'Elf reste seule ? J'ai téléphoné à mes enfants pour leur apprendre la nouvelle et, incrédules, ils m'ont écoutée sans rien dire. J'entendais leur incessante musique en fond sonore. J'ai attendu qu'ils recouvrent l'usage de la parole. Puis nous nous sommes dit au revoir. Soudain, le ciel a viré au violet foncé avec des éclairs et le vent s'est mis à souffler, à soulever des vagues sur la rivière. Un orage typique des prairies, mécontentes de la sécheresse qu'elles avaient endurée, et autour de moi tout le monde a couru se mettre à l'abri. Je me suis glissée sous le banc et je suis restée là, parfaitement immobile, et j'ai écouté les billes de glace géantes marteler le bois au-dessus de moi. Même là, sous le banc, j'ai vu des boules de gomme à mâcher et des graffitis. Des initiales, des cœurs, des jurons. J'ai songé au jour où ma tante et ma mère, sur leurs vélos, avaient glissé sans encombre sous le camion géant et en étaient sorties en riant, haletantes. Quelle sensation extraordinaire cela avait dû être.

J'apprends quelque chose de nouveau. Devant le plus difficile, foncer à toute allure, puis battre en retraite. Même chose pour la réflexion, l'écriture et la vie. Ce qu'a dit Jason à propos du nettoyage des fosses septiques est vrai. Ma tante est venue à Winnipeg pour passer du temps avec ma mère, l'aider, sauf qu'elle est morte. Sur son balcon, ma mère, à la lueur de la lune, composait un éloge funèbre pour sa sœur. Calme après le violent orage et la grêle, la ville, moite et tiède comme une femme comblée après l'amour, s'étendait dans la douceur des ténèbres. On demandait souvent à ma mère d'écrire des éloges funèbres en raison de son sens du détail et de son style pétulant, enjoué, qui vous fendait le cœur avec une dévastatrice efficacité. J'ai fait la cuisine, une énorme quantité de pâtes, et après le repas je suis sortie marcher avec Sheila et nous nous sommes assises sur le trottoir devant l'immeuble de ma mère et elle a parlé à sa sœur qui, à Vancouver, attendait la triste livraison des cendres de sa mère. Qu'est-ce que tu veux que je dise? a demandé Sheila au téléphone. Qu'est-ce que tu veux que je dise? Nous avons fini par rentrer et ma mère a écouté Sheila lui parler de Tina pendant un long moment et, à minuit, Sheila est allée dans sa chambre. J'ai cogné à sa porte et je lui ai offert des chocolats. Elle les a pris et je l'ai serrée dans mes bras et je lui ai dit bonne nuit, *schlope schein*, comme sa mère avait l'habitude de le faire et elle m'a serrée dans ses bras et nous avons pleuré et je suis allée lui chercher de nouveaux kleenex dans l'autre chambre. J'ai trouvé ma mère sur le balcon et je lui ai suggéré d'aller dormir. Elle a dit non, il fallait d'abord qu'elle prenne quelques notes. Elle ne détesterait pas avoir un moment de solitude.

C'est presque trop ? lui ai-je demandé. Presque, a-t-elle répondu en souriant. Je l'ai laissée à son éloge funèbre.

En rentrant, j'ai trouvé oncle Frank assis tout seul dans le noir sur le canapé du salon. Je n'avais encore jamais vu oncle Frank pleurer. Il m'a dit que Tina avait quelques années de plus que lui, mais que son âme était plus jeune.

C'est vrai ? lui ai-je demandé. Tu as épousé une femme plus vieille ?

Il a bien fallu, a-t-il répondu. Avant que j'aie pu lui demander de s'expliquer, il m'a dit que Tina était morte rapidement, comme tout ce qu'elle avait fait, et nous avons convenu que c'était de cette façon que nous aimerions partir, nous aussi. Le pire, c'est de traîner, a dit oncle Frank. Ton grand-père, le père de Tina et de Lottie, a passé neuf ans au lit. Avant, c'était un homme débordant de vie comme je n'en avais jamais connu. Il était son seul maître. Puis il a eu son attaque. Il est resté alité si longtemps que son bras a fini par se souder à son torse. La peau, qui ne savait pas quoi faire, s'est collée, et il a été coincé.

Vraiment ?

Vraiment ! a-t-il dit. Par chance, ta mère a décidé de

le débrancher. Pas au sens propre, en fait, mais, un beau jour, elle a simplement décidé de le laisser mourir.

Quoi ?

Nous le vidions à tour de rôle… Ses poumons, je veux dire. Ta mère, Tina, les enfants, leurs conjoints. C'était presque terminé. Il mourait enfin. Ses poumons se remplissaient et nous vidions les sécrétions à tour de rôle. Tu vois de quoi je veux parler ?

Ben, pas vraiment. Mais j'imagine.

Neuf ans au lit et avant, oh, si tu avais vu l'énergie de cet homme, la vie qui l'animait. *Yoma !* (Expression *plautdietsch* qui se traduit, en gros, par « Merde ! ») C'était au tour de ta mère de veiller sur lui et ils étaient seuls, elle et lui. Il était tard. Il a dit Helena, Helena, le prénom de sa femme morte, ta grand-mère, j'arrive, j'arrive…

Attends… Quoi ? Il a cru voir grand-maman ?

Cru ? Il l'a vue pour de vrai ! Alors ta mère a pris une décision. En plein son genre, hein ? Ces filles Loewen… de vraies boules d'énergie. Elle n'a pas vidé les sécrétions. Elle était infirmière, à l'époque, elle avait reçu une formation. Elle aurait pu le faire, évidemment, mais elle en a décidé autrement. Les poumons du grand-père se sont remplis de sécrétions et elle lui a tenu la main et lui a dit les mots qu'on dit dans ces cas-là et l'a laissé partir. La plus belle chose qu'elle ait faite pour lui… Difficile, Yoli (il a ajouté quelque chose en *plautdietsch,* les yeux levés au plafond, une rêverie, un souvenir), mais quand même.

Mon oncle était un colosse. Assis sur le canapé à motif floral de ma mère, il a pleuré sur sa minuscule Tina au cœur de lionne, sa boule d'énergie, et je suis restée à côté de lui, la main sur sa jambe.

Ma mère et moi étions dans un avion. Avant notre départ, j'avais parlé à Elf. Elle n'avait pas dit un mot. Je lui ai dit que tout irait bien, vraiment, que j'avais besoin d'elle, que je la comprenais, que je l'aimais, qu'elle allait me manquer, que je viendrais la chercher, qu'être ensemble à Toronto pendant un moment serait extraordinaire, que Nora était impatiente, elle aussi, que je savais que le fait qu'elle ne voulait plus vivre ne signifiait pas nécessairement qu'elle voulait mourir, que c'était juste la conclusion à laquelle on en venait, qu'elle voulait mourir comme elle avait vécu, avec grâce et dignité, que je lui demandais d'être patiente, de se battre encore un peu, de tenir bon, de ne pas douter que je l'aimais, que je voulais l'aider, que je l'aiderais, que j'avais un certain nombre de choses à faire, que maman et moi devions aller à Vancouver pour les funérailles de tante Tina, que je reviendrais, qu'elle viendrait passer un moment avec moi à Toronto, un répit total, que Nic était là, de retour à Winnipeg, qu'il la verrait tous les jours, que je devais partir, que j'avais besoin de savoir qu'elle tiendrait le coup pendant mon absence, que je m'inclinerais avec compassion devant sa souffrance, qu'elle serait maîtresse de sa destinée, que je comprenais que la souffrance est parfois d'ordre psychique, et pas uniquement physique, qu'elle ne voulait rien de plus que d'y mettre un terme et dormir pour toujours, que pour elle la vie était terminée, mais pour moi non, et qu'une de ses facettes consistait à essayer de la sauver, que c'était là un point de désaccord entre nous, que j'étais disposée à faire ce qu'elle me demandait, mais seulement si nous étions absolument certaines qu'il n'y avait plus de portes à trouver, à ouvrir ou à défoncer parce que, s'il en restait une seule, je fracasserais tous les os de mon corps à vouloir défoncer cette putain de porte, encore et encore, et encore et encore. Tu veux bien manger quelque chose? ai-je demandé. Tu veux bien me dire quelque chose?

Elle a mis ses bras autour de moi comme un bébé qui se réveille de sa sieste et veut qu'on le prenne et je m'y suis blottie en braillant.

Avant de quitter l'aile psychiatrique, je me suis arrêtée au poste des infirmières. J'ai mis mes mains sur le comptoir, paumes en l'air, comme si j'attendais qu'on les cloue sur le formica. Puis j'ai supplié. S'il vous plaît, ai-je dit, ne la laissez pas sortir. Les deux infirmières, uniforme bleu azur et queue de cheval, se sont détournées de leur écran pour me regarder. Ne la laissez pas sortir, ai-je répété.

Excusez-moi, mais laisser partir qui? a demandé la plus rapprochée des deux.

Ma sœur, ai-je répondu. Elfrieda Von Riesen.

Pourquoi la laisserions-nous partir? a demandé l'infirmière. Elle doit bientôt recevoir son congé?

Non, ai-je répondu. Je vous demande, s'il vous plaît, de ne pas la croire si elle vous dit qu'elle va bien, parce qu'elle peut se montrer très convaincante et vous allez croire qu'elle va bien, libérons un lit, laissons celle-là sortir, mais je vous demande de ne pas le faire.

Désolée, a dit l'infirmière, mais vous êtes qui, déjà?

Sa sœur!

C'est vrai, a fait l'infirmière. Vous l'avez déjà dit. Elle a consulté ses dossiers. L'autre infirmière a gardé les yeux rivés sur son écran. Pourquoi la laisserions-nous sortir? a de nouveau demandé l'infirmière. Son médecin lui a dit qu'elle pouvait s'en aller ?

Non, ai-je répondu. Je me cramponnais au comptoir comme le type à la falaise dans *Délivrance*. Non, il n'a rien dit. Je veux juste qu'on me rassure. J'ai peur que vous la laissiez sortir parce qu'elle va vous le demander et qu'elle va sembler très normale, parfaitement saine d'esprit.

Je suppose que c'est au médecin d'en décider, a dit l'infirmière.

OK, ai-je dit, mais tout ce qu'elle veut, c'est mourir, et j'ai peur qu'elle se tue si vous la laissez sortir, même si elle vous dit de façon très convaincante qu'elle ne va pas le faire. Je sentais mon cœur cogner dans ma poitrine. Je marmonnais, les yeux baissés, les mots dégoulinaient sur mon chemisier, personne ne pouvait m'entendre et l'infirmière a tendu l'oreille.

Pardon ? a-t-elle fait. Je pense que c'est au médecin de décider si elle est prête à partir ou non.

À ce moment, Janice est sortie de la salle de loisirs et nos regards se sont croisés et j'ai dit oh, Janice ! Janice ! Je demande juste qu'Elf ne soit pas autorisée à rentrer pendant que je ne suis pas là. Je vais revenir et je vais l'emmener avec moi à Toronto pendant quelques semaines ou des mois, tout ce que je demande, c'est que…

Je toussais, j'étais incapable de parler. Janice tenait une guitare. Elle l'a posée sur le comptoir et elle s'est approchée de moi. Elle a placé sa main sur la mienne. Elle m'a regardée droit dans les yeux.

Ne vous en faites pas, a-t-elle dit. Dans l'état où elle est, compte tenu de ce qui lui est arrivé, on ne risque pas de la renvoyer chez elle avant un bon bout de temps et certainement pas avant d'avoir pris les précautions nécessaires. On ne sait pas encore si ce sera un établissement de soins de longue durée ou des consultations externes périodiques en psychiatrie, mais on peut vous promettre qu'elle ne partira pas d'ici sans un programme de suivi bien défini.

OK, ai-je dit. OK. J'ai touché la guitare, sa surface lisse et dorée.

Yoli, a-t-elle dit, je pense que ce serait une bonne idée qu'Elf aille passer un moment à Toronto. Je l'ai remerciée et elle a lâché ma main et je n'ai pas complètement eu l'impression de tomber du centième étage.

Je me suis endormie et réveillée dans les cieux azur au milieu des nuages blancs et duveteux, la tête de ma mère sur mon épaule et mon sac ouvert répandant son contenu sur mes genoux. J'ai touché mon front, couvert d'une légère couche de sueur. Du sang, de la sueur et des larmes, toutes sortes d'humeurs suintaient désormais de mon corps, un vrai solde après incendie, tout doit être vendu, jusqu'aux babioles que contenait mon sac qui s'échappaient, comme si je ne pouvais plus rien retenir de ce que j'étais ou de ce qui m'appartenait. Ma mère s'est réveillée à son tour et, pendant un moment, elle a regardé droit devant elle. Puis elle a fait hein, quoi ? et elle s'est tournée vers moi et m'a considérée pendant une seconde, comme si elle essayait de se rappeler où elle était et qui j'étais. Et j'ai pensé oh ! reste comme ça, ne te rappelle pas. Reste comme ça. Mais elle est sortie des brumes du sommeil et a fait hé Yoli, il faut parfois être brave, voilà tout. Une fois, à l'époque où elle était travailleuse sociale au Service d'aide à l'enfance, elle a dû enlever un bébé à sa mère de seize ans, accro à la méthamphétamine. La fille a agressé ma mère dans son bureau et lui a cassé ses lunettes, qui ont laissé une profonde entaille sur l'arête de son nez et une cicatrice inégale qui, en été, lorsqu'elle est bronzée, brille encore d'un éclat blanc. J'ai caressé la petite cicatrice et ma mère a enlevé ma main de son nez et l'a gardée dans la sienne.

Je suis d'accord, m'man. Mais brave comment, au juste ? lui ai-je demandé.

Eh bien, a répondu ma mère, au moins aussi brave qu'Alexandre Soljenitsyne.

Alors, m'man…

Oui, Yolandi ? Elle a souri et rapproché sa tête de la mienne pour m'entendre.

Je pense que ce serait bien si Elf, à sa sortie de l'hôpital, venait passer un moment avec moi à Toronto.

Oh ! a dit ma mère. Eh bien !

Je serai avec elle tout le temps et Nora sera souvent là, elle aussi. Ça lui offrira un changement de décor. Pas de pression. Ça vaut la peine d'essayer, non ? Si elle veut jouer, j'aurai qu'à lui louer un piano et on pourrait même trouver un bateau ou un truc du genre.

Un bateau ? a fait ma mère.

Parce que je vis au bord du lac. Si elle veut, on pourrait dénicher un canot à rames et aller sur le lac.

Nous n'avons rien dit pendant un moment et nous avons écouté la conversation de deux jeunes filles assises dans la rangée derrière nous à propos de l'école et de l'équipe de volleyball et des garçons et des éruptions cutanées, puis une autre voix, celle d'une femme plus âgée donnant l'impression d'avoir trop bu : Écoutez, les filles, je vais vous donner cent dollars… chacune… si vous finissez ce voyage sans utiliser le mot *genre*. Les filles se sont tues et la femme a dit d'accord ? Les filles ont dit cent dollars chacune, genre ? Et ceux qui, comme nous, étaient à portée de voix ont échangé un sourire. Puis un homme dans l'allée s'est plaint qu'une gamine lui a mordu le cul quand il s'est levé pour prendre quelque chose dans le compartiment à bagages. C'était vrai, j'avais été témoin de la scène : une enfant de trois ans qui s'ennuyait à mourir faisait les cent pas dans l'allée et quand le cul de l'homme s'est présenté devant son visage elle a ouvert grand la bouche et *croc, croc*, elle l'a mordu à belles dents et l'homme a crié, il ne savait pas ce qui l'avait mordu ou frappé, et la petite fille est restée là, les bras croisés, tandis que sa mère s'excusait copieusement avec un accent britannique distingué et ordonnait à la petite de s'excuser à son tour. Non, a insisté l'enfant, avec un accent adorable, elle aussi, et sa mère a dit tu vas t'excuser et la petite a dit non, oui, non. En fin de compte, l'homme qui avait été mordu a dit que ce n'était rien, c'est juste qu'il ne s'y attendait pas, il ne fallait pas en faire tout un plat. Mais la mère n'en démordait pas, elle a insisté pour que son enfant présente ses excuses, j'y tiens, j'y tiens absolument, jusqu'à ce que toute une bande de passagers occupant les sièges 14A à 26C hurlent elle s'excusera pas !

Ça me semble une excellente idée, Yoli, a dit ma mère. Qu'en pense Elf?

Elle veut bien. Je vais préparer la chambre de Nora pour elle. Nora est parfaitement d'accord pour dormir sur le futon du salon. De toute façon, je resterai à la maison pour finir mon livre. On va marcher et manger et dormir. On va faire tout ce qu'Elf veut. Ça vaut le coup d'essayer, non ?

J'aime bien l'idée du bateau, a dit ma mère. Et Nicolas ? Tu lui en as parlé ?

Pas encore, mais je suis sûre qu'il va être d'accord. Elle va lui manquer, évidemment, mais ça ne sera pas pour toujours.

Mais tu es certaine de te sentir d'attaque ? a demandé ma mère. On ne sait jamais à quoi s'attendre avec Elf. Jamais.

Je sais, ai-je répondu, mais qu'est-ce que ça change ? Qu'elle soit ici ou à Toronto avec moi, on va se faire du souci, de toute manière. Et si un changement lui faisait du bien ? La tournée est annulée, elle n'a plus à s'en inquiéter. Ni de ça ni de rien d'autre.

Eh bien, a dit ma mère, hésitante. Ce serait peut-être une bonne chose, non ?

Après les funérailles, nous nous sommes assis dans le grand réfectoire de l'église, où nous avons mangé des sandwichs au fromage et au jambon en échangeant des souvenirs de Tina. Oncle Frank, avec une grande intensité, se penchait, le visage tout près de son interlocuteur, dont il ne voulait pas perdre un mot, et hochait la tête. S'il pouvait absorber toutes les paroles prononcées au sujet de sa femme vif-argent qu'il avait tant aimée, enfouir la moindre syllabe, le moindre mot, au plus profond de son corps, peut-être réussirait-il à la garder un peu plus longtemps avec lui. J'ai adoré sa façon d'écouter comme si sa vie en dépendait.

Les funérailles ont eu lieu dans une église mennonite et les inévitables éteignoirs (ils ne désarment jamais, même pas pour des funérailles) en escouade, blottis les uns contre les autres dans un coin, nous décochaient de loin en loin des coups d'œil assassins, mais, habitués que nous étions à leurs mauvais sorts, nous évitions de croiser leurs regards. En entrant dans le sanctuaire avant le début du service funéraire, ma mère a soupiré et soufflé mon Dieu Seigneur à la vue de la centaine d'hommes de dos en costume noir qui avaient déjà pris place de leur côté et j'ai compris ce qu'elle voulait dire. Ignore-les, lui ai-je glissé à l'oreille et elle a serré ma main et, avec notre famille, nous avons marché jusqu'à l'avant du côté des femmes. La violence est éternelle. Comme l'eau, elle se métamorphose, s'infiltre. Que peut une pacifiste devant la violence éternelle, puisqu'on ne peut la renvoyer directement à l'ennemi ? Nous avons chanté des hymnes à quatre voix. Oncle Frank était dans le premier banc du côté des hommes et, pendant que nous chantions *What a Friend We Have in Jesus,* il s'est tourné vers ma mère et moi et a levé les pouces en signe de victoire et nous l'avons imité.

Après les funérailles, dans le réfectoire, j'ai entendu des bribes d'une conversation de ma mère avec son cousin Hans : Elle est venue à Winnipeg pour me donner un coup de main et elle est morte ! Plus tôt, avant les funérailles, quelques-uns de mes cousins et moi étions allés nous recueillir sur la tombe de Leni. Sur la pierre, on lisait *Safe in the Arms of Jesus.* Les cendres de ma tante seraient inhumées en contrebas, légèrement au nord de celles de Leni. Le cimetière, petit et vert et vieux, m'a fait penser à celui d'East Village, où mes grands-parents, Helena et Cornelius, sont enterrés, avec, en rang tiré au cordeau, les petites pierres tombales de six de leurs bébés. Seulement dix des seize bébés d'Helena avaient atteint l'âge adulte. Je me suis interrogée sur le chagrin d'Helena. Je me suis demandé si, à la fin de la journée, une fois toutes ses tâches accomplies, au moment où le soir rabotait un peu les aspérités et où elle avait une minute ou deux pour pleurer ou réfléchir, elle savait avec exactitude sur quoi elle pleurait ou à quoi elle songeait et si cela avait la moindre importance. Je me suis demandé si ma grand-mère avait un jour dit à mon grand-père, non, mon chéri, pas ce soir, on en a déjà quatorze ou peut-être quinze, j'ai perdu le compte, et parmi ces quatorze ou quinze, mon amour, j'en ai déjà enterré six, et ma fatigue est grande comme le monde. Et à présent sa Tina est partie aussi et Lottie est la dernière à tenir, à repousser des armées connues d'elle seule. C'est comme ça.

Après les funérailles, des gens se sont succédé sur la petite scène et ont évoqué des souvenirs de Tina, tradition mennonite appelée *freiwilligis.* J'ai rencontré des membres de ma parenté que j'avais perdus de vue depuis des années. Sheila a agi comme joviale maîtresse de cérémonie. Son mari, Gordon, a dû improviser quelques mots pour meubler le silence pendant que Sheila s'efforçait de retenir ses larmes assez longtemps pour donner sa prestation derrière le micro. Gordon, après nous avoir remerciés, a déploré l'absence de Tina, qui aimait tant faire la fête. Puis Sheila, qui semblait s'être un peu ressaisie, a levé les yeux au ciel et pris le micro des mains de Gordon. Elle a dit eh bien, mesdames et messieurs, le cœur de ma mère ne lui a jamais fait défaut… jusqu'à maintenant. Elle a ajouté quelques mots avant d'inviter les autres à se présenter au micro. Derrière elle, sur une table, s'alignaient des photos représentant Tina à diverses étapes de sa vie. Sur ma préférée, on la voyait, à dix-sept ans, à moitié sortie par la vitre ouverte de l'Oldsmobile de son père, agiter la main, un sourire géant peint sur le visage. À la revoyure, les rustauds. Tina s'en va-t-en-ville !

À côté du micro trônait la magnifique urne en bois, semblable à un petit puits aux souhaits, renfermant les cendres de Tina. La femme d'un de mes cinquante-six cousins évoquait l'habitude que Tina avait de dépasser les limites de vitesse dans les rues de la ville, au volant de sa fourgonnette avec des flammes sur les flancs, sans jamais se faire pincer par les policiers. Pendant ce temps, son fils, un bambin, était grimpé sur la scène et s'approchait de l'urne. Il s'est assis à côté et mis à taper dessus, tandis que sa mère, insouciante, parlait de Tina et de ses innombrables qualités, de son aplomb, de sa tendresse, de son appétit de vivre. Pendant ce temps, le petit avait réussi à lever le couvercle. Bouche bée, nous l'avons tous vu examiner les cendres de Tina, les lancer en l'air, s'amuser comme un petit fou avec les cendres de son arrière-grand-mère, tandis que sa chemisette et son short blancs, ainsi que son visage, devenaient tout noirs. Et ensuite, sous les yeux de tout l'auditoire, il a commencé à fourrer des cendres dans sa bouche avec ses petites mains poussiéreuses et son père est monté sur la scène et l'a pris dans ses bras, et bien des gens riaient à présent (sauf les éteignoirs, qui écarquillaient les yeux avec horreur) et la mère s'est interrompue derrière le micro et s'est retournée. Le père avait épousseté les vêtements du garçon et débarbouillé son visage et remis le couvercle sur l'urne de Tina et ramené son fils à la table ; bref, il avait la situation bien en main. La mère, la femme de mon cousin, s'est donc calmement retournée vers le micro et a terminé son histoire sur Tina et sa fourgonnette et j'ai appris une autre leçon : ce n'est pas parce que quelqu'un mange les cendres de la protagoniste qu'il faut arrêter de raconter une histoire.

Au téléphone, dans le vestibule de l'église, j'ai parlé à voix basse avec Nora. Elle croyait s'être cassé l'orteil en faisant quelque chose de bizarre sur le tapis roulant de la mère de son amie et elle était affolée à l'idée de ne pas pouvoir prendre part à son récital, qui aurait lieu la semaine suivante. Et Will devait rentrer à New York pour son travail saisonnier et son père était toujours à Bornéo. Elle pleurait. Tu pourrais habiter chez Zoe jusqu'à mon retour ? lui ai-je demandé. Non, a-t-elle répondu, les parents de Zoe l'emmenaient à Churchill voir les ours polaires ou un truc du genre. Ou chez Anders ? ai-je fait. Dieu sait qu'il avait passé beaucoup de temps chez nous. Ça ferait bizarre, a-t-elle dit. Tu pourrais pas juste rentrer ?

QUINZE

De retour à Toronto, je me suis assise dans mon grand fauteuil brun et j'ai regardé le mur pendant trois heures. L'orteil de Nora était seulement foulé, en fin de compte, et elle pourrait donc participer à son récital. Elle se faisait tremper le pied dans l'eau chaude. Elle se tenait sans cesse sur une jambe, l'autre étirée dans une position improbable. Elle m'a demandé quand Dan allait rentrer de Bornéo. Je ne sais pas, ma puce, lui ai-je répondu, et je l'ai vue se flétrir un peu, j'ai vu ses épaules s'affaisser et ses yeux s'assombrir. Tu crois qu'il va être de retour pour le récital?

Les fourmis avaient disparu. Will avait nettoyé partout et nous nous sommes fait livrer du chinois et nous avons regardé la Coupe du monde à la télé tous les trois avant que Nora parte quelque part avec Anders, puis j'ai emmené Will à l'aéroport. Je l'ai serré dans mes bras longtemps, sans doute trop longtemps, de son point de vue, mais il n'a pas essayé de se dégager. Ça va? a-t-il marmonné, et j'ai dit oui, plus ou moins. Je t'aime, a-t-il dit, t'es une bonne mère. Oh mon Dieu, ai-je dit, merci! Mes yeux se sont aussitôt remplis de larmes. T'es un bon fils! Nous nous sommes lâchés en souriant. Et t'es une bonne sœur, a-t-il dit. Les larmes coulaient, j'étais un cas désespéré. Je me suis excusée et Will a repoussé mes paroles d'un geste. Il a pris ma main et l'a gardée pendant quelques secondes. Et t'es un bon frère ! ai-je ajouté. OK, m'man, a-t-il dit, il faut que j'y aille, là. On se voit dans un mois, plus ou moins. Je t'appelle ce soir. Je l'ai regardé franchir la sécurité d'un pas tranquille, dire quelques mots désinvoltes au type derrière le tapis roulant, lui tendre sa carte d'embarquement, retirer sa ceinture et la mettre dans un bac, autant de gestes faits avec calme et précision. Avec un parfait contrôle. Du moins en apparence. Était-il un homme, à présent ?

Nic et ma mère passaient le plus clair de leur temps à l'hôpital avec Elf. Nos conversations étaient brèves, semblables à des arrêts au puits de ravitaillement. Simples mises à niveau. Nous sommes tous vivants ? Oui, tous. Des changements ? Pas de changements. Nous étions en sursis, dans un état de stupeur. Devant mon ordinateur, j'ai passé des heures à creuser l'option helvète, à tenter d'établir un *modus operandi*. À Toronto, je n'en ai parlé à personne. Je suis allée à la banque et, dans un bureau minuscule, j'ai demandé à un homme un prêt de vingt mille dollars. Je me suis dit que c'était largement suffisant pour un aller pour nous deux et un retour pour moi, ainsi que pour le « traitement » et l'hôtel, peut-être même aussi pour la crémation et l'urne. J'ai posé une pile de livres de Rhonda la fille de rodéo sur le bureau. Il m'a demandé si j'avais des garanties et j'ai répondu non, rien du tout. Je lui ai dit que j'espérais être en mesure de rembourser la banque grâce à une avance sur mon prochain livre de rodéo. Il a dit qu'il fallait revenir la semaine suivante avec une copie de mon contrat et parler à quelqu'un d'autre. Je lui ai dit qu'il n'était pas encore signé, mon contrat, que mon agent s'en occupait en ce moment même. Je lui ai dit que j'avais un autre livre en chantier (sauf que j'ai dit bateau sans le vouloir, j'ai un autre bateau en chantier), mais qu'il n'était pas terminé, et le type a dit que, en l'absence d'un contrat attestant l'imminence d'une rentrée de fonds – qu'ils proviennent de bateaux ou de livres –, il ne pouvait absolument pas me prêter la somme demandée.

Elf avait de l'argent, mais il était dans un compte conjoint, et Nic remarquerait forcément un retrait aussi important. J'ai téléphoné à Nic et je lui ai demandé si Elf avait fait allusion à un séjour à Toronto. Non, a-t-il répondu, mais si elle en a envie, pourquoi pas ? Sa voix était plus faible que d'habitude. Il n'a pas demandé de détails. Il avait seulement dit ouais, pourquoi pas ? Pourquoi pas ? Je lui ai parlé du bateau. Il m'obsédait, ce bateau. Il a dit qu'Elf, à sa connaissance, ne s'intéressait pas spécialement à la navigation, mais bon, pourquoi pas ?

J'ai envoyé un courriel à mon éditeur et je lui ai dit que le dixième livre de la série des Rhonda serait sur son bureau avant la fin du mois. J'ai écrit comme une folle. Il me restait une petite partie de la bourse que j'avais reçue pour le livre sur le pilote de bateau et une toute petite somme de la vente de la maison de Winnipeg. Tous les jours, je téléphonais à ma mère et à Nic pour avoir des nouvelles. En général, Nic passait à l'hôpital deux fois par jour. Pareil, répondait-il, et le psychiatre d'Elf n'était jamais disponible, et ma mère allait moins souvent à l'hôpital parce qu'elle n'en pouvait plus, il n'y avait pas de changement, l'équipe de soins reprochait sans arrêt à Elf de ne pas suivre le programme et faisait à ma mère des sermons sur les bienfaits de la fermeté et menaçait de soumettre le cerveau de ma sœur à des électrochocs – et j'ai téléphoné au poste des infirmières pour les supplier et les entendre me dire qu'on ne la laisserait pas sortir. La vérité, cependant, c'est qu'elle agonisait à l'hôpital. Les infirmières m'ont dit qu'on ne la laisserait pas sortir. Elles m'ont dit de me faire du thé et de me calmer. Je leur ai demandé si je pouvais parler à Elf et elles ont dit seulement si elle accepte de sortir de sa chambre et de prendre l'appel dans la salle de loisirs. Parfois, je téléphonais au poste des infirmières tard la nuit et je demandais si Elfrieda était là. Une fois, on m'a dit oui, elle est là, vous feriez mieux d'aller vous coucher. J'ai essayé de dire à l'infirmière à l'autre bout du fil ne me dites pas d'aller me coucher, mais j'ignore comment j'ai réussi à m'arrêter après ne me dites... puis je me suis excusée.

Je me suis arrangée avec Nic pour qu'il m'appelle avec son téléphone cellulaire quand il rendait visite à Elf et il posait l'appareil contre l'oreille d'Elf et je lui parlais du plan, lui disais que je m'employais à régler les détails, la marche à suivre, que, dans tous les cas, je la verrais bientôt, il me restait encore un peu de travail, mais que je serais bientôt à Winnipeg. En parlant, je l'entendais respirer, je pense, mais elle ne disait rien. Puis, une fois, elle m'a parlé sans crier gare. Sa voix était claire et forte.

Quand est-ce que tu viens me chercher, Yoli ? a-t-elle demandé.

Durant la journée, je restais couchée et je tentais de travailler à mon livre de Rhonda. Je me suis demandé si le Mexique ne serait pas la meilleure solution, le meilleur endroit où mourir. Le voyage coûterait moins cher. Je me suis imaginée dans un hamac se balançant doucement, comme un berceau, un retour à la toute petite enfance, au vide, puis au néant. Dans mon esprit, le Mexique rimait avec la mort, plus que la Suisse, en tout cas. C'était un lieu plus proche de la terre, plus chaotique, empreint de mystère. Un pays où on célébrait la fête des Morts en buvant sec dans les cimetières. La Suisse, c'était surtout les couteaux de poche à la lame bien tranchante, les horloges et la neutralité. Nora nous préparait des *smoothies* et nous mangions des repas paléolithiques, son nouveau régime à la mode, riches en viande et en noix, comme des hommes des cavernes. Son récital a été charmant et élégant et touchant. Sur le chemin du retour, Anders et elle ont renversé leurs barbotines et laissé tomber des choses en se pelotant gauchement sur la banquette arrière. Si Will avait « atteint les rivages de l'âge d'homme », comme aurait dit mon père, Nora, loin en haute mer, où le rivage se distinguait à peine à l'œil nu, surfait toujours sur la vague glorieusement désordonnée de l'adolescence. Dans notre appartement, il faisait une chaleur spectaculaire et les branches des arbres taillés naguère recommençaient à pousser et à nous baigner dans une lueur verte. Nous remontions le temps, nous revenions vers les ténèbres.

Je téléphonais à l'hôpital à des heures impossibles. Elle est là ? Elle est là. Elle est là ? Elle est là. Vous n'allez pas la laisser sortir ? Nous n'allons pas la laisser sortir.

SEIZE

J'ai téléphoné à Elf et je lui ai dit que j'aurais bientôt les fonds nécessaires pour aller à Zurich. J'utiliserais mes cartes de crédit. Mais, le lendemain matin, ma mère m'a téléphoné pour me dire qu'on lui avait accordé un jour de sortie. En fait, on lui avait permis de rentrer chez elle pour célébrer son anniversaire, notion qui, dans les circonstances, m'a semblé bizarre. Mais peut-être Elf ne regrettait-elle pas d'être née, après tout.

J'étais si obsédée par l'idée qu'elle reste à l'hôpital jusqu'à ce que j'aie les moyens de l'emmener à Zurich que j'avais complètement oublié son anniversaire. Ma mère m'a dit que Nic était parti la chercher et qu'elle allait faire livrer un gâteau et acheter du champagne et des fleurs et qu'elle les apporterait chez eux et ce serait merveilleux. Elle a prononcé ces paroles d'un ton catégorique, à la façon d'un oracle. J'ai raccroché et je me suis assise dans la paume d'une chaise en forme de main en plastique moulé que Nora avait dégotée dans les ordures de quelqu'un et je me suis dit bon, ben, ça y est, elle est sortie.

Nora est arrivée plus tard dans la matinée et je lui ai dit qu'Elf était rentrée chez elle pour la journée afin de célébrer son anniversaire. C'est super génial, a dit Nora. Mais ça va être dur de retourner à l'hôpital. Je lui ai donné raison. Très dur, même. J'ai tenté d'avoir Nic au téléphone, mais il n'a pas répondu. J'ai téléphoné chez ma mère, mais elle n'a pas répondu. Nora m'a demandé si je voulais jouer au tennis, alors nous avons fouillé dans tout l'appartement à la recherche de balles et de raquettes, puis nous avons enfilé nos shorts et nos t-shirts miteux et nous sommes allées au terrain avec son filet affaissé, à quelques coins de rue de chez nous. Nous avons joué plusieurs parties, et nous avons beaucoup trop couru et nous avons raté presque toutes les balles en haletant et en nous excusant comme les filles en ont la manie. Nous avions disputé quatre ou cinq parties et nous avions presque terminé. Assises sur les lignes de côté, nous partagions la crème glacée que nous avions achetée à un camion dont les haut-parleurs, installés sur le toit, jouaient *It's a Small World* à tue-tête. J'essayais de me souvenir des paroles. C'était un petit monde de quoi, déjà ? Mon téléphone a sonné et c'était Dan. Oh non, ai-je songé, pas maintenant. J'ai répondu et il m'a demandé si j'allais bien, où j'étais, ce que je faisais, et j'ai répondu avec précision à toutes ses questions. T'es pas à Bornéo ? lui ai-je demandé. Si, a-t-il répondu. Mais Nic, incapable de me joindre, lui avait téléphoné dans un état de panique. Yoli, a-t-il dit, j'ai une mauvaise nouvelle à t'apprendre.

Je lui ai demandé si ma mère était au courant et il a répondu non, Nic avait essayé de la joindre à la maison et sur son téléphone cellulaire, mais sans succès.

Elle est sortie acheter un gâteau, ai-je expliqué.

Ah ! a fait Dan, OK. Et il a dit que Nic avait essayé de me joindre, mais sans y arriver.

Ouais, à cause du tennis.

Yoyo, a-t-il dit. J'ai tendu mon téléphone à Nora.

Tiens ça, s'il te plaît, ai-je dit. J'en veux pas.

Nora et moi sommes rentrées à pied. Elle a transporté les deux raquettes et les balles de tennis et je tenais son autre main, la libre. Je me suis dit qu'il était bizarre d'entendre le métro vrombir sous la terre à cet endroit, puis je me suis rendu compte que c'était seulement mes pensées qui se tamponnaient et tentaient de former quelque chose de nouveau en se réorganisant.

On m'a téléphoné de l'hôpital à plusieurs reprises. D'abord, je n'ai pas répondu parce que j'étais occupée à réserver des billets d'avion pour Winnipeg et à composer le numéro de ma mère une fois par minute environ, toujours sans succès. J'ai fini par prendre l'appel de l'hôpital. C'était une femme que je ne connaissais pas. Elle a dit être la directrice générale de quelque chose. Elle m'a demandé si j'avais appris la nouvelle et j'ai répondu que oui. Elle s'est dite sincèrement désolée. J'ai raccroché. Elle m'a rappelée et demandé si elle pouvait me dire un mot, m'expliquer ce qui s'était produit. Je lui ai dit que je savais ce qui s'était produit. Elle parlait d'une voix douce, très professionnelle. Pas d'hésitation, pas de silence, pas de place à la discussion. J'ai regardé Nora qui allait et venait dans l'appartement, préparait nos affaires pour le voyage à Winnipeg. La femme m'a demandé si j'étais seule et je lui ai répondu que non. Je lui ai dit que j'étais désolée, mais que je devais partir, que je devrais prendre des dispositions, que je n'avais pas encore réussi à joindre ma mère. Elle m'a dit qu'elle comprenait, mais qu'elle devait m'expliquer certaines choses.

Comment vous dire ? a-t-elle fait.

Je lui ai demandé : Comment avez-vous pu la laisser sortir alors que, tous les jours et tous les soirs, vous aviez promis que vous n'en feriez rien ? C'était un jeu ? Il ne fallait pas que je vous croie ? Elle m'a demandé si je pouvais rester en ligne un moment, on lui téléphonait de la police en rapport avec la situation de ma sœur. Sa situation ? ai-je répété. Assise par terre, j'ai attendu et attendu et entendu la chanson de Lionel Richie *Three Times a Lady* jouer en boucle, je ne savais même plus combien de fois cette femme était une lady et j'ai fini par m'apercevoir que rien ne m'obligeait à rester en attente, que rien ne m'obligeait à faire ce que demandait la directrice générale. La situation, c'était ça. J'ai raccroché. J'ai appuyé sur le bouton pour couper la communication et je me suis levée et je suis allée aider Nora à faire les bagages.

J'ai téléphoné à Will, mais il n'a pas répondu. J'ai téléphoné à son père dans Manhattan et je lui ai expliqué la situation. Aurait-il l'obligeance de retrouver Will et de lui acheter tout de suite un billet pour Winnipeg ? Je le rembourserais. Il a répondu qu'il était désolé, qu'il paierait le billet d'avion et qu'il quittait tout de suite le travail pour aller chercher Will, qui faisait sans doute de l'aménagement paysager dans Queens. Nous ne nous étions pas vraiment parlé depuis des années, lui et moi. Il avait connu Elf, évidemment, des années plus tôt. Là, il pleurait au téléphone. J'ai attendu. Je suis désolé, a-t-il répété. C'était une iconoclaste, a-t-il dit. Elle était gentille avec moi. Elle s'investissait tellement. Je l'ai remercié. Nous nous sommes dit au revoir. J'ai téléphoné à Julie et je lui ai tout raconté et je lui ai demandé d'aller chez ma mère et de l'attendre là-bas. J'ai téléphoné à deux des amies de ma mère et je leur ai tout raconté et je leur ai demandé d'aller l'attendre là-bas. Toujours pas moyen de joindre Nic au téléphone. J'ai une fois de plus essayé de joindre ma mère. Elle était chez elle. C'était trop tôt.

Y a du monde chez toi ? ai-je demandé.

Non, pourquoi ? Je suis ici toute seule.

Elles sont en route, ai-je dit. Elle m'a demandé ce qu'il y avait.

Raconte, a-t-elle dit.

DIX-SEPT

Nous étions tous réunis dans le salon de Nic et Elf. Nora et moi portions les vêtements que nous avions enfilés pour jouer au tennis. On a autre chose à mettre ? lui ai-je demandé. Oui, a-t-elle répondu, des robes pour les funérailles et des sous-vêtements. Will était venu de l'aéroport en taxi. Là, il était dans la salle de bains. Il y était depuis longtemps et il y pleurait tout seul, comme le font les jeunes hommes et les vieilles femmes.

Nic nous a dit qu'il était passé prendre Elf à l'hôpital et qu'ils sont rentrés et qu'elle lui a demandé d'aller lui chercher des livres à la bibliothèque. Il a proposé de manger une bouchée d'abord et elle a dit d'accord. Il a dit que le repas avait été merveilleux. Normal. Agréable. Il s'était assis en face d'elle, comme dans le bon vieux temps. Puis il était allé à la bibliothèque chercher les livres qu'elle lui avait demandés, l'affaire de vingt minutes tout au plus, la bibliothèque n'était pas loin, et à son retour il avait trouvé la maison vide.

Quels livres elle a demandés ? a voulu savoir Will. Il avait fini par sortir de la salle de bains. Des livres de son passé, a dit Nic, des livres qui, dans ses souvenirs, avaient changé sa vie, d'une façon ou d'une autre, ou lui avaient donné… le sentiment d'être en vie… je ne sais pas. La voix de Nic s'est brisée. Comme quoi, par exemple ? a demandé Will. Nic a dit des trucs comme D. H. Lawrence, Shelley, Wordsworth… Je ne sais pas. Ils sont là-bas.

Il a désigné une pile de livres branlante à côté de la table d'ordinateur. Nous les avons tous regardés pendant un moment avant de détourner les yeux. Ils avaient échoué. Nous ne pouvions pas les regarder en face. Nous sommes restés assis dans le salon jaune et silencieux, mon fils et ma fille de chaque côté de leur grand-mère, tout près, à la façon de sentinelles. Ils avaient glissé un bras sous chacun des siens, comme pour l'empêcher de s'élever dans les airs et de disparaître, tel un ballon gonflé à l'hélium.

Ma mère répétait sans cesse la même expression. À qui le dis-tu, a-t-elle répondu quand Will lui a dit qu'elle ferait mieux de s'asseoir. À qui le dis-tu, a-t-elle répondu quand Nora lui a fait un câlin et dit qu'Elf avait fini de souffrir. À qui le dis-tu, a-t-elle répondu quand Nic l'a remerciée d'avoir mis au monde Elf, sa seule et unique. À qui le dites-vous, a-t-elle répondu quand, après qu'elle eut demandé qu'est-ce qu'on fait maintenant, nous avons répondu, à peu près à l'unisson, *on respire.*

C'était une maison magnifique. J'ai regardé les partitions d'Elf, soigneusement empilées sur le piano. J'ai regardé les objets en verre qu'elle avait collectionnés au fil des ans. Ben, Elf, ai-je songé, t'es drôlement futée. L'envoyer te chercher des livres à la bibliothèque, comme subterfuge pour rester seule… Tu savais qu'il irait. Les livres nous sauvent. Les livres ne nous sauvent pas. La bibliothèque. Évidemment. T'es pas croyable, Elfie ! Pour un peu, j'aurais éclaté de rire. Qu'avait-elle dit au sujet des bibliothèques et de la civilisation ? Tout repose sur une promesse. Celle de rapporter le livre. Celle de revenir. Tu connais d'autres institutions qui reposent autant sur la bonne foi, toi, Yo?

On a sonné à la porte. Aucun de nous n'a bronché. On a sonné de nouveau, deux fois. Oh, a fait Nic. Laisse, ai-je dit. J'y vais. C'était le livreur de la boulangerie Tall Grass qui apportait le gâteau que ma mère avait commandé pour l'anniversaire d'Elf. Je l'ai remercié et j'ai apporté le gâteau dans le salon et je l'ai fait voir aux autres. C'était un délicat gâteau blanc, à la fois léger et moelleux. Il y avait sur le glaçage un mot destiné à Elf, d'énergiques vœux de bonheur. Nous en avons tous mangé un morceau. Nic les a coupés avec soin et posés sur les assiettes en porcelaine blanche toutes simples d'Elf et nous avons mangé le gâteau et regardé le soleil estival faire étinceler les bols en verre bleu.

À la fin de la soirée, quand il n'y a plus eu de gâteau ni de soleil, nous sommes partis. Nic nous a raccompagnés et il est resté sur le pas de la porte, vêtu de son short kaki et de son vieux t-shirt punk, ses habits du week-end, destinés au confort et à la détente. Ma mère lui a demandé s'il tenait le coup et il lui a ouvert les bras et il s'est profondément incliné pour appuyer sa tête sur son épaule. Will lui a demandé s'il voulait qu'il reste, qu'il passe la nuit chez lui. Nic a dit non, non, mais merci, déclinant l'offre d'un geste. Ses parents, son frère et ses amis qui habitaient dans d'autres villes arriveraient au cours des deux ou trois prochains jours. Ce soir, il serait seul.

Plus tard, chez ma mère, j'ai ouvert le paquet que Nic m'avait donné avant notre départ. C'était une copie d'une histoire écrite par Elf. J'ignorais qu'elle écrivait un livre. Il avait pour titre *L'Italie en août*. Je l'ai feuilleté, lisant au passage un court paragraphe dans lequel la protagoniste exprime sa passion dévorante pour l'Italie, où elle veut aller parce que c'est là que se sont établies ses « sœurs de fiction ». Puis elle énumérait quelques-unes de ces sœurs de fiction et les livres dans lesquels elles apparaissaient, la manière dont chacune, à sa façon, l'avait protégée, extirpée des sables mouvants de la vie, de la foutaise, du calvaire de la vie. Ah ! Ainsi donc, Elf avait d'autres sœurs. Pendant un moment, je me suis sentie jalouse. Contrairement à moi, ces autres sœurs avaient su l'aider. Elle avait aimé ces livres, qui le lui avaient bien rendu. Puis la jalousie s'est dissipée et j'ai éprouvé une drôle de sensation, comme si mon chagrin pouvait se diluer, en partie, se répartir entre nous toutes, femmes, entre nous toutes, sœurs, même si une seule d'entre nous était réelle. Je suis allée à la fin du manuscrit pour lire le dernier paragraphe.

> Bien qu'il ne soit pas habituel de dire adieu au lecteur à la fin d'un livre, j'ai le sentiment de ne pas pouvoir clore celui-ci sans vous dire adieu. Il se sera donc agi d'un livre d'adieux, en fin de compte. J'avais besoin de faire de longs adieux, je suppose, de les analyser dans l'espoir de les comprendre un peu mieux. Puisque vous m'avez accompagnée dans ce voyage, que vous avez été mon auditoire, et la raison même de cet exercice, je suis désespérée à l'idée de me séparer aussi de vous. Comme vous avez un avantage sur moi, celui d'en savoir infiniment plus sur mon compte que moi sur le vôtre, je dois m'en tenir à des généralités en vous

souhaitant la meilleure des chances pour l'avenir. Et, du fond du cœur, je vous dis *auf Wiedersehen* et *adieu**. Si, au moment où j'écris ces mots, mes yeux se mouillent, mes larmes sont pour vous. *Arrivederci.*

Will a dormi sur le canapé du salon, et ma mère, Nora et moi ensemble dans le lit géant de ma mère. D'un geste, elle a balayé tous les objets qui l'encombraient, les romans policiers, les vêtements, les lunettes, l'agenda et l'ordinateur portable, les a fait tomber sur la moquette, mais nous n'avons pas beaucoup dormi. Nous avons parlé, tard dans la nuit et tôt le matin, d'Elf, de son style inimitable, du passé, de tout. Sauf de l'avenir, territoire où se livraient des combats à mort. Nous étions en juin et le soleil se levait tôt. Depuis six semaines, je n'arrêtais pas de faire en avion l'aller-retour entre l'est et l'ouest, l'ouest et l'est.

C'est la soirée pyjama la plus bizarre de toute ma vie, a dit Nora.

À qui le dis-tu, a confirmé ma mère.

Nous avons regardé un bout de la Coupe du monde à la télé, interminable tournoi qui, nous semblait-il, durait depuis des mois. Nous avons pleuré avec les perdants, avons cherché auprès d'eux des leçons sur la façon d'encaisser un revers et nous avons tourné le dos aux gagnants, qui ne nous intéressaient pas le moins du monde, et ensuite Nora a décidé qu'il fallait échanger nos maillots comme les joueurs le faisaient après les matchs et ma mère a fini par enfiler un minuscule t-shirt taché de sueur (à cause du tennis) qui proclamait *Norwegian Wood by Haruki Murakami* et Nora mon vieux t-shirt taché de sueur qui disait *Inland Concrete* et moi la chemise de nuit douce et élimée de ma mère, cadeau de mon père à une autre époque. Je l'ai imaginé en train de la choisir pour elle au magasin La Baie au coin de Portage et du boulevard Memorial. En vertu d'une tradition familiale, mon père achetait toujours une chemise de nuit à ma mère pour Noël. Et presque toujours une lampe. Des articles pour se garder de la nuit. Un qui aide à dormir et un qui aide à veiller, comme des pilules. Parfois, Elf et moi l'aidions à choisir la chemise de nuit. Parfois, c'étaient des trucs mignons et pudiques en flanelle. Parfois, c'étaient des trucs courts et légers. Je n'avais jamais beaucoup songé à l'état d'esprit dans lequel mon père achetait ces chemises de nuit. Peut-être aussi l'influence que nous exercions, Elf et moi, s'est-elle modifiée avec le temps, à mesure que nous sommes à notre tour devenues femmes.

Au lit, j'ai compté mentalement le nombre de fois qu'Elf a utilisé le mot *adieu* dans ce court paragraphe. Quatre fois, plus trois autres fois dans d'autres langues. Sept fois adieu. D'accord, Elf, d'accord. Aux premières lueurs de l'aube, j'ai vu ma mère et Nora endormies enfin, couchées sur le côté, face à face, en se tenant les mains, leurs quatre mains emmêlées à la façon d'un écheveau de laine, d'un nœud de couleuvres en train de copuler, et tout ce qu'il y avait à l'intérieur serait bien protégé.

Un soir, à l'époque où j'étais enfant et Elf adolescente, nous nous trouvions en famille dans notre petite ville mennonite, et nous nous préparions à manger quand Elf, en s'approchant, a grogné et dit hé, excusez-moi, mais voulez-vous bien me dire quel clown a mis la table ? Le clown, c'était mon père, réquisitionné par ma mère, exaspérée, qui, juste avant, lui avait rappelé en quelle année nous étions et qu'elle avait été marquée, cette année-là, par certains dénouements révolutionnaires dans le domaine des droits des femmes et d'autres types de personnes. Notre père, qui se mettait rarement en colère contre d'autres que lui-même, a cette fois rouspété un peu, affirmé qu'il avait voulu être un homme moderne en mettant la table et que cette initiative ne lui avait valu que narquoise dérision, alors à quoi bon ? Quoi qu'il en soit, l'important, à propos de ce souvenir, c'est l'expression d'Elf au moment où elle a dit mais voulez-vous bien me dire quel clown a mis la table ? Ce sont les mots qui me sont venus à l'esprit en voyant son visage tout écrasé après que ma mère eut insisté pour voir sa dépouille avant la crémation. La chose qui avait écrasé son visage, c'était un train, pareil à celui qui avait tué mon père. Elle n'avait pas attendu trop longtemps, paraît-il, et elle avait bien choisi son moment. Où va la violence, sinon droit dans notre sang et dans nos os ? Nic et moi avons accompagné ma mère dans l'allée du sanctuaire du salon funéraire désert et nous nous sommes fermement campés de chaque côté d'elle, nos bras enlacés, comme si nous nous apprêtions à exécuter une danse folklorique russe. L'entrepreneur de pompes funèbres avait suggéré à ma mère, si elle tenait absolument à voir le cadavre, de ne regarder que sa main. Il se serait arrangé pour l'emmener dans une boîte en bois, toute couverte à l'exception d'une main pâle et délicate. Ma mère n'était pas d'accord. Elle voulait voir le visage de sa fille, avait-elle dit. Et elle était là, le trou dans sa tête cousu à la manière d'une balle de baseball maison, et c'est à ce moment que j'ai songé mais voulez-vous bien me dire quel clown a recousu le visage de ma sœur ? Et ensuite, après l'avoir regardée pendant environ une minute, dans l'espoir qu'elle clignerait des yeux et les ouvrirait et rirait de cet absurde spectacle, j'ai changé d'avis et j'ai été prise d'un élan de gratitude puissant, aux proportions océaniques, pour cet entrepreneur de pompes funèbres qui avait déployé de si vaillants efforts pour restaurer la beauté de ma sœur à seule fin que sa mère la contemple une dernière fois.

Elfie m'a légué son assurance vie. Elle m'a aussi légué, façon Virginia Woolf, une somme mensuelle de deux mille dollars pour les deux prochaines années afin de me permettre de rester à la maison, dans une chambre à moi, et d'écrire. Alors au boulot, Girouette, a-t-elle écrit dans le petit mot qu'elle a laissé à mon intention. Tout le reste, à l'exception des fonds de fiducie qu'elle a constitués pour mes enfants et de l'argent qu'elle a légué à ma mère pour lui permettre de voyager confortablement et de s'acheter une puissante prothèse auditive et une chic voiture neuve, est allé à Nic. Je vais utiliser l'argent de l'assurance pour acheter, à Toronto, une maison décrépite, dans l'intention de la retaper. Je pense qu'Elf serait heureuse de ma décision. M'avait-elle mise au défi ? Avait-elle vraiment eu l'intention de venir à Toronto ? Avais-je vraiment eu le projet de l'emmener à Zurich ?

Ma mère vient vivre avec Nora et moi à Toronto.

Je peux ? a-t-elle demandé au téléphone.

S'il te plaît, ai-je répondu.

Pas de débats, pas de discussions. Le moment était venu de serrer les rangs. Nous avions perdu la moitié de nos hommes et nos provisions s'épuisaient et l'hiver approchait. Nous trois allions vivre entre femmes dans cette vieille bicoque, celle que je venais d'acheter grâce à Elf.

DIX-HUIT

Allongée sur un matelas gonflable dans une maison vide au beau milieu de la nuit, j'écoute d'une oreille distraite Nelson me parler de ses bébés, de ceux qui sont ici, de ceux qui sont en Jamaïque, et des misères que lui font les mamans de ces bébés, d'où le fait qu'il doit travailler de nuit comme de jour. Juché sur la dernière marche d'un escabeau, Nelson s'efforce d'atteindre le plafond avec son pinceau. Je ne couche pas avec Nelson. Je l'ai embauché pour peindre la maison. Oscillant entre la conscience et le sommeil, je tente de me remémorer une conversation que nous avons eue des années plus tôt, Elf et moi. Quelque chose comme :

Hé, c'est quoi, ça, dans ton oreille ?

Mon oreille ? Rien.

Ouais, y a quelque chose dans ton oreille, Yoli. On dirait du sperme…

J'ai pas de sperme dans l'oreille.

Ouais, c'est ça ! J'en suis certaine. T'as du sperme dans l'oreille !

C'est du shampoing.

C'est pas du shampoing. Approche.

Arrête !

Sans blague, approche, laisse-moi vérifier.

Non.

C'est quoi, alors ? Goûte.

C'est du shampoing. Je viens de prendre une douche.

Comment tu le sais ? Goûte donc.

Elfrieda, j'ai pas besoin de goûter ce qu'il y a dans mon oreille, c'est-à-dire du shampoing, pour savoir que ce n'est pas du sperme, parce que je ne me suis pas retrouvée dans une situation qui...

Ha ! Mon Dieu, quelle menteuse... Détends-toi. Je trouve adorable que tu aies du sperme dans l'oreille.

J'écoute Nelson me parler de sa vie tandis qu'il recouvre de peinture blanche nos murs défraîchis. Ma nouvelle maison tombe en ruine, mais, selon mon agente immobilière, elle a de bons os. Au sens propre, j'en ai bien peur. Hier, j'ai trouvé dans une armoire de la cuisine un livre abandonné par l'ancien propriétaire, un type super louche : *L'Abécédaire des tueurs en série*. L'agente ne voulait même pas me montrer la maison, qui la faisait grimacer et lui donnait la sensation d'être sale, mais je lui ai dit le temps presse. Ma mère arrive.

La maison est proche d'un lac pollué, coincée entre un salon funéraire, un hôpital psychiatrique et un abattoir. Un peu de tout pour tous, a dit ma mère en m'entendant la décrire. Les murs sont lézardés, absents ou effrités, les planchers ravagés, les marches cassées, toutes, sans exception, les briques se désintègrent et forment une poussière rouge comme de la cendre volcanique qui flotte dans la maison et s'insinue dans les yeux et la bouche, la toiture doit être remplacée, les fondations sont pleines de trous, la cour est envahie par les mauvaises herbes et des mouffettes ont élu domicile sous la terrasse. Tard un soir, je suis tombée sur une prostituée (depuis qu'il a commencé sa deuxième année à l'université, Will dit qu'il faut plutôt dire « travailleuse du sexe ») en plein conciliabule avec un client et utilisant ma clôture comme appui. J'ai dit sapristi comme l'aurait dit mon père si, d'aventure, il était tombé sur une fille de joie. La prostituée avait au bout du nez une croûte rougeâtre de la taille d'une pièce de dix cents, comme si, au départ, elle avait décidé de sortir de chez elle dans la peau d'une clownesse et que, entre-temps, elle avait changé d'idée et était redevenue prostituée. Tous les matins, je ramasse des seringues et des préservatifs usagés avec un long bâton et je les dépose dans un seau bleu près du portail de derrière, qui s'ouvre du mauvais côté et me frappe au visage plusieurs fois par jour. Quand le seau sera plein, je… Je ne sais pas encore ce que je ferai. Le prétendu jardin qui entoure la maison n'est qu'un amas de saletés et de déchets et le sol empoisonné est saturé de plomb, gracieuseté des usines environnantes.

Je dispose de quatre semaines pour remettre ce taudis en état avant que ma mère débarque avec son monstrueux camion de déménagement de United Allied. Nora vivra tout en haut, c'est-à-dire au grenier avec les écureuils, moi à l'étage avec les souris, et ma mère au rez-de-chaussée, près des mouffettes. Nous pourrons ouvrir notre porte moustiquaire déchirée, chacune à un étage différent, sortir sur le balcon et nous mettre à chanter comme des personnages de *La Bohème.* C'est là que nous sommes venues pour guérir. Comme on dit. De l'autre côté de la ruelle, derrière la maison, il y a une fabrique de pièces d'auto en parpaings abandonnée. Elle bloque la majeure partie du ciel du côté ouest, sauf si on monte sur le toit, d'où on croit apercevoir Winnipeg.

Des douves boueuses entourent la fabrique en parpaings et les gens y jettent leurs ordures, berceaux, raquettes de tennis cassées, ordinateurs, sous-vêtements souillés, réveille-matin. Tard le soir, deux hommes mystérieux et taciturnes, équipés de cuissardes, entrent dans la boue et l'aspirent pour lui permettre de couler librement, brune et toxique, le long de la ruelle, jusqu'à Adelaide et King et enfin jusqu'au lac Ontario, où elle retrouve sa pareille. J'ai engagé quelqu'un pour aménager une chambre en annexe, à l'arrière de la maison, une chambre grande et claire et chaleureuse et qui aura un jour une vue magnifique sur un jardin plein de fleurs et surmonté de cieux bleus et d'espoirs vertigineux et de rêves. Pour ma mère.

L'un des types que j'ai engagés pour réparer la maison m'a plus ou moins invitée à sortir avec lui, à l'accompagner à une réunion de son groupe de soutien pour enfants d'alcooliques. Lorsque je lui ai dit que mes parents n'étaient pas alcooliques, il a répondu ça n'a pas d'importance, on a tous nos problèmes. Un autre, autrefois professeur de philosophie à Bucarest, a commencé à uriner du haut du perron et encourage tout le monde à l'imiter. Il prétend que l'odeur de la pisse humaine chasse les mouffettes. Le soir, après avoir passé de chaudes et humides journées à négocier des prix, toujours en argent comptant, avec divers hommes accomplissant des tâches diverses dans la maison vide, sur elle et autour d'elle, je m'allonge sur le matelas gonflable dans la maison vide et j'écoute

Nelson me raconter, avec les suaves accents de sa Jamaïque natale, des histoires où il est question de bébés et de femmes et de travail.

Mon œil droit a explosé parce que c'est le mois d'août. Il est enflé, entouré d'un cerne foncé. Je suis allergique à l'automne, aux journées plus courtes et aux nuits plus longues, à la mort. Aujourd'hui, je me suis disputée avec une amie. Elle m'a forcée à sortir sous prétexte que j'avais besoin d'air, d'un changement de décor. Qu'il était temps de tourner la page. La théorie des petits pas.

Grosse erreur.

Nous nous sommes installées dans un café appelé Saving Grace, rue Dundas, et nous avons commandé des œufs. Elle m'a dit qu'elle s'était fait beaucoup de souci pour moi, que l'épreuve que j'avais subie était épouvantable et que, à son avis, il était toujours péché de « se donner la mort ». Je l'ai interrogée sur tous ceux qui souffrent à cause des trous du cul toujours en vie. Que les trous du cul continuent de vivre, c'est pas un péché, ça ?

OK, a-t-elle dit, mais nous sommes ici sur la terre et, bien que nous ne l'ayons pas choisi, nous héritons de toutes sortes de responsabilités envers ceux qui nous ont élevés et ceux qui nous aiment. Nous avons tous nos souffrances, d'accord, mais, ironiquement, mettre un terme à ses jours, c'est-à-dire s'anéantir soi-même, est à mes yeux l'ultime manifestation de vanité personnelle. C'est un geste incroyablement égoïste.

Tu veux bien arrêter de dire « se donner la mort » ?

Ben, qu'est-ce que je devrais dire, à la place ?

Se suicider ! Quand quelqu'un est assassiné, dis-tu

que le meurtrier a interrompu le cours de ses jours ? On est pas dans *Le Comte de Monte-Cristo*, merde.

Je pensais juste que c'était plus délicat, a-t-elle expliqué.

Et aussi, ai-je dit, « égoïste » ? Tu ne peux pas juger sans avoir été toi-même témoin de la souffrance.

OK, a-t-elle dit, mais si ta sœur avait songé à l'effet que ça aurait sur toi quand elle...

L'EFFET SUR MOI ? me suis-je écriée. Désolée. On nous regardait. Écoute, ai-je dit, je pense que tu ne comprends pas. Je ne veux surtout pas me montrer présomptueuse, mais comment peux-tu savoir ce que veut dire le suicide d'une autre personne ? Mon amie a redemandé du café à la serveuse. Je lui ai dit que, en fait, je commençais à mesurer le caractère et l'intégrité des gens à leur capacité à se tuer.

Qu'est-ce que tu veux dire ? Écoute, je ne crois pas que...

Jeremy Irons, par exemple. Je parie qu'il en serait capable. Vladimir Poutine ? Jamais. J'ai récité les noms de personnes que nous connaissions et dit oui ou non après chacun. Puis j'ai dit celui de mon amie et j'ai marqué une pause. Je l'ai fixée avec mon œil victime d'une explosion et elle a dit qu'elle ne parlerait plus du suicide parce que ça risquait de compromettre notre amitié. Je lui ai dit que nous en parlerions pour l'éternité. Je lui ai dit que, pour que son avion ne s'écrase pas, elle devait passer en revue dans sa tête toutes les manières qu'a un avion de s'écraser. Elle a dit que j'avais peut-être des problèmes de colère refoulée et j'ai dit ah bon, tu crois vraiment ? Tu lis dans les pensées, maintenant ?

J'ai voulu m'excuser pour atténuer la tension. Je ne savais pas quoi dire. J'ai cité Goethe comme ma mère le faisait, un extrait d'*Aus meinem Leben, Dichtung und Wahrheit* : « Le suicide est un événement de la nature humaine, qui, après tout ce qu'on a dit et débattu sur ce sujet, réclame l'attention de chacun, et qui veut qu'on le traite de nouveau à chaque époque. » Pendant que je déclamais, mon amie a consulté son téléphone, évitant ostensiblement de m'écouter. Je l'avais offensée. Je ne lui en faisais pas le reproche. Je voulais reprendre pied. J'avais lu quelque part que les animaux font d'excellents sujets neutres. Je lui ai demandé si elle avait des animaux de compagnie. Elle a répondu que je savais fort bien qu'elle n'en avait pas. Je lui ai parlé de Lefty. C'était une border collie, tu comprends, ai-je dit à mon amie. Et tu sais, quand mes enfants étaient petits, ils invitaient leurs amis à la maison et ils jouaient dans la cour et je jetais un coup d'œil de leur côté de temps en temps et puis une fois, en regardant par la fenêtre, j'ai vu qu'ils étaient tous agglutinés d'un côté, mais ils ne semblaient pas s'en rendre compte et ils continuaient à jouer. Tu sais pourquoi ? Parce que Lefty était une border collie. Et les border collies sont des chiens de berger. C'est dans leur nature de rassembler et mes enfants et leurs amis ont fini par se faire cerner dans le coin du jardin et Lefty avait accompli ce qu'elle était née pour faire. Elle ne pouvait pas faire autrement. Il fallait qu'elle rassemble. Tu comprends pourquoi je suis furieuse, maintenant ?

Après, je me suis soûlée à la tequila Revolución. Sur l'étiquette deux pistolets croisés pointent vers le ciel, vers Dieu, et j'ai téléphoné à mon amie et je me suis de nouveau excusée à voix basse dans sa boîte vocale. J'étais sur le point de lui dire qu'à mon avis elle aurait bel et bien le cran de se tuer, mais je me suis arrêtée au milieu d'une phrase et j'ai plutôt dit que je croyais qu'elle avait ce qu'il fallait pour survivre à tout.

J'ai téléphoné à Julie, mais son fils m'a dit qu'elle était au cinéma avec Judson et que leur grand-mère était avec eux. Dis-lui que je l'aime, lui ai-je dit. Et je vous aime, ta sœur et toi. Et ta grand-mère. Je vous aime tous.

DIX-NEUF

Ma mère est ici à Toronto et, toutes les trois, ma mère, ma fille et moi, nous vivons sous le même toit. Ma mère a vu la maison pour la première fois il y a quelques semaines, en pleine nuit, au milieu d'un orage. La pluie tombait dru, à l'horizontale, en petites boulettes, et la nuit était violet foncé avec des éclairs comme des poignards lacérant la terre. J'avais garé la voiture dans l'allée. Nora était sur la banquette arrière en compagnie de deux de ses amies de l'école. Ma mère est sortie de la voiture et a essayé d'ouvrir son parapluie, mais le vent le secouait de tous les côtés et elle s'est débattue un moment pendant que nous l'observions par les vitres de la voiture comme si elle était un mime exécutant un numéro et elle a fini par renoncer, tant pis, qu'il aille au diable, et elle a lancé le parapluie dans les airs, l'a simplement abandonné au vent. Nous l'avons vu s'envoler aussi vite que la navette *Challenger* et redescendre en ligne droite, puis, quelques secondes avant de toucher terre, il a pris la tête de ma mère pour cible, mais elle s'est esquivée et il a frappé la voiture. Nous sommes toutes sorties, trempées en une seconde par la pluie battante, ma mère a réussi à attraper le parapluie et l'a apporté jusqu'aux douves voisines de la ruelle, les douves toxiques remplies de déchets qui entourent la fabrique de pièces d'auto, et elle l'y a jeté. Foutaise, a-t-elle dit. Façon d'affirmer, peut-être, que nous étions des imbéciles si nous espérions nous soustraire au courroux des perturbations atmosphériques. Riant sous l'orage, nous avons vu le parapluie s'enfoncer dans le limon. À un moment donné, mais pas ce soir-là, je suggérerais à ma mère de mettre nos déchets dans le bac bleu et non dans le cloaque de derrière. Ah! C'est vrai. J'oubliais que tu crois au recyclage, dirait-elle. Tout finit au même endroit, tu sais. La récupération, c'est une conspiration du gouvernement, qui cherche à nous faire croire que nous contribuons à sauver la planète, ce qui lui permet de continuer de conclure de sales petits accords avec des entreprises minières et d'empocher quelques dollars de plus. Nous avons fini par entrer et nous avons trouvé Nelson qui, juché au sommet de son escabeau, retouchait le plafond de la chambre de ma mère avec, en toile de fond, du rap tonitruant et l'arôme entêtant de l'herbe.

Lentement, avec minutie, ma mère a exploré chaque centimètre de la maison en souriant, des gouttes d'eau tombant du bout de son nez, a soupiré, promené sa main sur les rampes, les murs, hoché la tête devant telle ou telle particularité, montré en silence une autre, se souvenant d'un détail de son enfance, puis elle a fait un pas en arrière pour avoir une vue d'ensemble, comme au Louvre, et elle en est venue à la conclusion que la maison avait du style, un charme singulier, une bonne atmosphère, qu'elle nous y voyait heureuses. Bravo! m'a-t-elle dit, et tous, Nora et ses copines de l'école et même Nelson, descendu de son escabeau pour nous accompagner pendant la visite, se sont fait des câlins et se sont tapé dans les mains en signe de victoire.

J'avais mis quatre bouteilles de bière dans le réfrigérateur et ma mère et Nelson et moi avons trinqué à notre avenir ou à l'improbabilité du moment présent ou à son passage ou à des souvenirs personnels ou simplement à la notion plus vaste d'abri. La pluie s'est interrompue pendant quelques minutes et nous sommes sortis sur le balcon de l'étage – le vieux balcon décrépit auquel étaient accrochées des lumières de Noël toutes brisées – pour admirer le ciel, et Nelson nous a raconté des énigmes sur les ouragans et leurs yeux et les filles ont ri et ri, elles le trouvaient sexy, et ma mère, qui nous tournait le dos, les mains sur la balustrade, regardait vers l'ouest en silence. Puis, sans crier gare, elle a pivoté sur ses talons et s'est mise à réciter son poème de Wordsworth favori. Je l'avais déjà vue faire, mais, cette fois-là, le poème m'a fendu le cœur.

C'est un soir calme et libre, et d'infinie beauté,
L'heure sacrée est muette comme une nonne
Éperdue d'adoration ; l'astre rayonne,
Épanoui, sombrant dans sa tranquillité.

Le ciel en sa douceur plane sur l'Océan ;
Écoutez ! l'Être formidable est en éveil
Et son branle éternel provoque un bruit pareil
Aux puissants roulements d'un tonnerre incessant.

Chère enfant ! chère fille ! avec moi tu chemines ;
Si de graves pensées ne troublent pas ton âme,
Ta nature pourtant n'en est pas moins divine :

Tu gis toute l'année dans le sein d'Abraham
Et dans le saint des saints fais tes dévotions,
Dieu étant avec toi sans que nous le sachions.

Hou ! a fait Nelson. Vous avez entendu ça ? Il regardait les filles. Vous avez entendu ce que grand-mère vient d'envoyer ? Merde ! Les filles ont applaudi et lui ont demandé si c'était une chanson ou quoi et j'ai brandi ma bouteille et j'ai trinqué de nouveau, à la lie de la vie, ai-je dit, renvoi à un autre poème que ma mère sortait parfois de son chapeau, mais aussi à l'inscription renfermant une allusion à Alfred Lord Tennyson qui figurait dans l'album de finissants de ma mère. Sous sa photo, on lisait les mots suivants : *Lottie boit la vie jusqu'à la lie !* Elle m'a fait un clin d'œil.

À quoi ? a demandé Nora.

Les filles voulaient faire pipi et je leur ai proposé d'utiliser un gobelet et de le vider sous le perron pour éloigner les mouffettes, ainsi que le recommandaient les types qui s'occupaient de la rénovation. Ne vous en faites pas pour ma mère, a dit Nora, c'est une hippie. Quand elle était petite, son seul jouet, c'était le vent. Vous êtes pas obligées de faire pipi dans un gobelet. On a une salle de bains et tout.

Nelson et ma mère ont discuté pendant un moment de la poésie et du pouvoir des mers, avec leurs courants et leurs sous-courants, d'une force invisible, et les filles ont fini par s'évanouir dans la nuit. Je suis descendue jeter un autre coup d'œil aux appartements de ma mère. Elle avait insisté pour que les barreaux de ses fenêtres soient enlevés. Mes rénovateurs, craignant pour sa sécurité au rez-de-chaussée, avaient rechigné. Je n'ai aucune intention de vivre en prison, a-t-elle déclaré. Qu'on m'enlève tout ça ! Je suis entrée dans son salon. J'ai pris un crayon dans mon sac à dos et j'ai gravi l'escabeau de Nelson et j'ai écrit sur une partie du plafond qu'il peindrait sous peu, peut-être cette même nuit, *MPPC*. Je suis redescendue et j'ai crié à ma mère que nous devrions peut-être dormir un peu. Le lendemain matin, le camion de déménagement arriverait de Winnipeg avec ses affaires, et il faudrait superviser le travail des déménageurs, leur dire où poser quoi et comment aménager les pièces et ensuite nous serions établies dans cette maison et nous y vivrions.

Ma mère porte un cache-œil. Elle est assise dans une pièce remplie de personnes âgées qui portent un cache-œil. Je suis venue la chercher. Un homme me souhaite la bienvenue au congrès des pirates. L'œil recouvert, c'est, pour tous, le gauche. Nous sommes dans une salle du centre de santé St. Joseph de Toronto. Je trouve ma mère en grande conversation avec un couple qui arbore des blousons assortis et elle me fait signe d'approcher pour me présenter. Elle explique que le médecin qui opère les cataractes fait les yeux gauches une semaine et les droits la semaine suivante. On lui a remis six minuscules bouteilles de gouttes et la posologie.

Pendant les deux semaines suivantes, Nora et moi lui administrons ses gouttes à tour de rôle. Les séances ponctuent nos journées, d'une goutte à la suivante. Entre deux gouttes, nous devons donner à ma mère quelques minutes pour encaisser le choc. Pour tuer le temps, pendant que nous attendons, nous jouons des duos endiablés au piano.

Nous jouons vraiment vite. Parfois, nous jouons un des hymnes favoris de ma mère, par exemple *Children of the Heavenly Father,* mais à tombeau ouvert, ce qui la fait rire. Nora peut jouer *Somewhere Over the Rainbow* en moins de dix secondes et une version encore plus rapide de la *Sarabande* de Händel.

Six types de gouttes différentes, deux ou quatre ou six gouttes de chacune des bouteilles, trois minutes entre les gouttes, quatre fois par jour ! Nous entrons chez ma mère armées des minuscules bouteilles et elle retire docilement ses lunettes et renverse la tête en arrière et repousse sa frange de cheveux doux et blancs. Après, elle s'assied devant son ordinateur et joue au scrabble, des larmes, vraies et artificielles, dégoulinant sur ses joues.

Invincible accalmie, lui dis-je.

Invincible accalmie, répète-t-elle.

Tu triomphes, dis-je.

Tu triomphes, répond-elle.

Il y a deux ou trois jours, ma mère est rentrée toute guillerette d'une promenade dans le voisinage, porteuse d'une nouvelle.

J'ai appris quelque chose, a-t-elle expliqué. Je suis entrée dans le salon funéraire du coin de la rue et j'ai appris que je pourrais être incinérée pour mille quatre cents dollars. Tout compris. Et le salon a une politique de porte à porte. On va passer prendre ma dépouille et la rapporter dans une boîte en métal.

Elle m'a fait voir ses chaussures neuves, des chaussures en cuir noir sans lacets qu'elle avait achetées dans une boutique à la mode de Queen Ouest. Ma mère n'a rien d'une femme dans le vent ni d'une esclave de la mode. C'est une mennonite des prairies, potelée et courtaude, âgée de soixante-seize ans, qui a vécu la plus grande partie de son existence dans l'une des petites villes les plus conservatrices du pays, une femme que la vie a passée à la moulinette à répétition et qui se retrouve sans transition dans le centre branché de la plus grande ville de la nation pour amorcer, comme on dit, un nouveau chapitre de sa vie. Elle ne connaît personne à Toronto, mais elle aime les Blue Jays, ce qui lui fait un point commun avec des inconnus en tous genres. Elle est l'incarnation même de la résilience et du bon esprit sportif.

J'ai commencé à dresser une liste noire des cafés et des boutiques du « quartier des arts et de la mode » dans Queen Ouest où on ne la traite pas avec autant de respect et d'amabilité professionnelle que les clients plus jeunes et plus branchés. Ma mère ne remarque rien, elle est joviale et curieuse et ravie et inconsciente du snobisme ambiant. Elle parle un peu fort à cause de sa légère surdité et elle rit beaucoup et elle a des questions sur tout et ne se gêne pas pour les poser. Elle ne voit pas pourquoi elle et les étudiants en cinéma, si beaux, qui fréquentent le Communist's Daughter ne pourraient pas, tous les soirs, faire la fête ensemble. Elle est l'antithèse de l'idéal auquel aspire la faune de Queen Ouest. Ma mère est à l'aise dans son short en coton rose XXL et le t-shirt qu'elle a gagné dans un tournoi de scrabble au Rhode Island. Elle aimerait bien engager la conversation avec ces pâles et minces vendeuses, connaître leur histoire, savoir d'où viennent les produits, comment on les choisit, comment se porte ceci ou cela, si ça se lave à la machine, elle tente de se familiariser avec son nouveau chez-elle et avec son monde, et ça me brise le cœur de voir comment elles lui tournent le dos. Et après, je les boycotte, ces endroits, à tout jamais. Nora aussi, même si ça l'afflige un peu parce qu'elle est jeune et fabuleuse et super à la mode et qu'elle aimerait bien entrer dans ces boutiques, à l'occasion, mais tant pis, honte à vous, bande de snobs.

Ma mère s'est déjà liée d'amitié avec le nettoyeur à sec de la rue King pour qui je ne suis que la fille de Lottie et tous les matins elle bavarde avec Straight Up Cliff, le type qui agite la main de l'autre côté de la rue. Elle a même proposé de lui donner, à ses fils ou à lui, mon canapé. Ce matin, trois colosses, dont un avec une coupure fraîche sur le nez, ont frappé à la porte et m'ont dit que, selon Lottie, j'avais un canapé à leur donner. Non, ai-je dit. C'est un malentendu.

Tu veux bien ne pas donner mes affaires, s'il te plaît ? lui ai-je dit plus tard.

Un type portant une chemise, une cravate, un veston, des chaussettes, des chaussures, un chapeau, mais pas de pantalon ni de caleçon, est passé devant chez nous et ma mère l'a vu et a couru dans sa chambre chercher un de ses propres pantalons molletonnés. Il l'a remerciée et il a noué le pantalon autour de son cou comme une écharpe froufroutante et elle lui a dit eh bien, ça peut se porter comme ça aussi. Quand je lui ai demandé si elle n'allait pas regretter ce pantalon confortable, elle a répondu qu'elle allait cesser de donner mes affaires, mais que je ne devais pas lui dire quoi faire des siennes.

Elle a aussi commencé à fréquenter une église, une église mennonite de l'avenue Danforth, et on lui a demandé d'occuper le rang d'ancienne. C'est une fonction officielle ? ai-je voulu savoir. Tu n'es pas déjà ancienne ? En tout cas, tu es passablement âgée. Elle m'a expliqué que l'église comptait seulement trois anciens et qu'elle était très honorée qu'on ait songé à elle. Chez nous, à East Village, on n'aurait jamais invité une femme parmi les anciens de l'église. On aurait seulement demandé (ordonné) à une femme de fermer son clapet et d'ouvrir ses jambes. Elle va y réfléchir. Utilisant les transports en commun, elle parcourt la ville en tous sens pour rendre visite à des reclus de l'église, chanter des hymnes avec eux, les aider à préparer des repas, les faire rire, se rendre utile. Des membres de l'église sont venus à la maison et ont planté des choses dans notre hideux jardin. Des fleurs, des arbustes, des vivaces, des pierres décoratives. Alexander, notre voisin immédiat, a répandu des copeaux de bois dans la cour, qui constitue désormais une sorte de magnifique projet communautaire.

Nous ne parlons pas de la Suisse et il n'est pas non plus question de savoir si j'aurais bien fait d'y emmener ma sœur pour l'aider à mourir. Elf n'a jamais évoqué la Suisse devant ma mère, du moins je le suppose, et je n'ose pas l'interroger à ce sujet. Le soir, ses œuvres de bonne Samaritaine terminées, ma mère se verse un copieux verre de vin rouge et regarde ses Blue Jays chéris se faire plumer une fois de plus. De l'étage et du grenier, Nora et moi l'entendons parfois crier à son téléviseur du rez-de-chaussée. Fais-le marquer ! Grouille-toi, mon vieux ! Nous ne bronchons pas. Nous avons l'habitude. Elle est mordue des Blue Jays depuis toujours et elle connaît par cœur les statistiques et l'histoire de chacun des joueurs. Bon, ce type vient de se péter la coiffe des rotateurs, celui-ci lance n'importe comment, celui-là a été déclaré positif à je ne sais plus quelle cochonnerie. Le releveur qu'on vient de signer ? Eh bien, il est sur la liste des blessés avec une déchirure à l'aine ! On fait monter des petits jeunes du Triple A !

Il y a quelques semaines, ma mère a eu ce qui avait toutes les apparences d'un rendez-vous galant. Elle a dit au vieux monsieur, ainsi qu'elle le surnomme (même si je pense qu'il est de dix ans son cadet), que ce qui lui plairait, ce serait d'aller prendre un verre de vin quelque part – le vin, c'est une habitude qu'elle a acquise assez rapidement à Toronto et, depuis quelque temps, elle achète un merlot dont l'étiquette proclame OSEZ ! – et ensuite d'assister à un match des Blue Jays. Elle m'a invitée à les accompagner et en discutant avec cet homme, qui ne s'intéresse pas tellement au baseball, j'ai appris qu'il fumait deux joints par jour pour lutter contre l'arthrite aiguë. Tu sors avec un drogué, ai-je dit à ma mère. Pendant ce temps, elle a regardé le match à la façon d'un dépisteur, penchée, avec des yeux de fouine, notant tout dans son programme : les coups sûrs et les retraits au bâton, les points et les erreurs. Lorsque le type a essayé de lui parler, lui a proposé un hot-dog, elle a répondu RÉVEILLE, L'ARBITRE ! QU'EST-CE QUE TU FOUS, SNIDER ? LES BUTS SONT REMPLIS AVEC DEUX RETRAITS ! Après la partie, nous avons déposé son cavalier quelque part à l'extrémité est de la ville et j'ai demandé à ma mère ce qu'il faisait dans la vie et elle a répondu qu'elle n'en était pas certaine, mais qu'il venait de s'acheter un téléphone et que, par conséquent, il ne serait plus obligé de l'appeler d'une cabine. Il va à l'Université de Toronto, a-t-elle dit.

Super, ai-je dit. Pour quoi faire ? ai-je demandé. Prendre sa douche, a-t-elle répondu.

Tard hier soir, je suis descendue la saluer et elle n'était pas là. Il y avait un mot sur la table. Yoli, avait-elle écrit, je suis partie assister à une conférence sur l'Érythrée. Il y a de la *schaubel zup* et du *schmooa kumpst* dans le frigo. Je l'ai appelée et, quand elle a fini par répondre, j'ai entendu des voix rauques et des acclamations en sourdine. Où es-tu ? lui ai-je demandé. Il est passé onze heures. Elle a répondu attends, hé, les gars, on est où, là ? J'ai entendu un homme dire quelque chose et elle m'a annoncé qu'elle était au Motorcycle Café au coin de la rue Queen et d'une autre rue et qu'elle mangeait un hamburger et regardait la partie. Manches supplémentaires. Toute seule ? ai-je demandé et elle a répondu non, non, il y a plein de monde ici, et puis j'ai entendu des rires et des cris et à la fin je n'ai plus rien entendu du tout.

Je suis assise sur mon canapé, celui-là même que ma mère voulait donner au voisin, et mes larmes commencent à me piquer les yeux. Quand on ne peut même plus compter sur l'innocuité de ses larmes, c'est qu'on touche le fond. Je suis allée à côté, chez l'autre voisine. Elle s'appelle Amy. C'est une nouvelle maman. Je la vois presque tous les jours qui fait une promenade avec son bébé. Il y a un mois, elle a trouvé un étourneau blessé sur le trottoir et l'a ramené chez elle pour le soigner. Elle lui a construit une petite cabane dans la chambre du fond avec une branche et de l'eau dans un frisbee et elle a mis des vers vivants dans un bol rempli de terre et elle lui a donné de la nourriture pour bébés et de la compote de pommes au bout d'un minuscule bâton de popsicle et elle lui a fait jouer des chants d'étourneaux pour qu'il apprenne à chanter dans son langage. Après environ trois semaines, elle a décidé que l'oiseau pouvait voler de ses propres ailes et qu'il valait mieux qu'il quitte le nid qu'elle avait créé pour lui et elle a ouvert la porte de sa chambre du fond et l'étourneau s'est perché sur son épaule et ensemble ils ont suivi le couloir à l'étage, descendu les marches, suivi le couloir du rez-de-chaussée jusqu'à la porte de derrière et soudain l'oiseau a vu sa chance s'offrir à lui, le rectangle de lumière découpé par la porte entrouverte et il s'est envolé. Amy m'a tendu son iPhone et dit tu veux voir mon oiseau s'envoler ? Mon mari l'a filmé. L'oiseau faisait comme une petite tache sombre dans les airs, puis il est entré dans la lumière en s'élevant avant de disparaître. Il était si rapide. Pendant que je regardais la courte vidéo, quelque chose en moi s'est cassé, il était si étonnant et irréversible, le départ de cet étourneau, que j'ai pleuré en essayant de me retenir, mais c'était comme si j'avais respiré du gaz lacrymogène.

Je fouille dans une boîte de cartes envoyées par Elf au fil des ans. Jamais elle n'oubliait une occasion, chacune soulignée à l'aide de ses habituels feutres de couleur. Regarde tous ces points d'exclamation, me dis-je. Toutes ces occasions – anniversaires, Noëls, collations des grades – saluées par des messages un peu solennels. Encore et toujours. Nous reconfigurons et nous recommençons encore et nous recommençons encore. Nous organisons un conciliabule sur le terrain en nous tenant par les épaules, nos casques s'entrechoquent, et nous redéfinissons notre stratégie et nous exécutons un autre jeu. Petite, j'ai un jour dit à Elf (ou seulement à moi-même ?) que je garderais son cœur en lieu sûr. Je le conserverais pour toujours dans un sac en soie comme l'a fait Mary Shelley avec celui de son mari poète noyé ou dans un sac de gymnastique ou dans le premier tiroir de ma commode ou dans le trou de l'antique arbre du parc Barkman de notre lointaine petite ville natale. À côté de l'endroit où je cachais mes Sweet Caporal. Là, je fouille toute la maison à la recherche de ces feutres. Si je trouve le rose et le vert, je tiendrai le coup jusqu'au matin. Je cherche et puis je renonce à chercher.

Vivre avec ma mère, c'est comme vivre avec Winnie l'Ourson. Elle a toutes sortes d'aventures, se met dans le pétrin et s'en sort à sa façon candide, et toutes ces aventures s'accompagnent de quelques perles de bénigne philosophie. Quand on est ma mère et qu'on se coince la tête dans le pot de miel, il y a toujours quelques nouveaux enseignements à tirer de l'expérience.

La nuit dernière, elle a découché. Ce matin, elle a cogné à la porte de devant – elle avait oublié ses clés – avec ses cheveux en bataille et sa chemise de nuit rentrée dans son pantalon. Tu es debout, tant mieux ! s'est-elle écriée. J'ai oublié ma clé !

Elle rentre tout juste de la clinique du sommeil où elle a passé la nuit à rêver avec des électrodes sur la tête. La technicienne du sommeil s'est mise en colère parce que ma mère lisait. Elle a dit à ma mère qu'elle était là pour dormir et non pour lire et ma mère a répondu qu'elle ne pouvait pas dormir sans lire d'abord. La technicienne a demandé à ma mère de lui donner son livre – un Raymond Chandler – et ma mère a rigolé et dit moi, vous donner mon livre, vous voulez rire ? Ensuite, la technicienne du sommeil s'est montrée un peu brusque avec elle et, le matin venu, elle a arraché les électrodes de sa tête et ne lui a pas dit au revoir quand elle est partie. Cela rend ma mère complètement folle, cette manie qu'ont les gens de ne dire ni bonjour ni au revoir. Je suis de la vieille école, dit-elle. Quand on cesse de dire bonjour et au revoir, c'est la fin de la civilisation.

Apparemment, a dit ma mère, mon cœur s'arrête de battre quatre-vingt-dix fois l'heure quand je dors. Tu souffres d'apnée du sommeil, lui ai-je dit. C'est l'évidence même, a-t-elle dit. Elle s'est regardée dans le miroir et a ri de son reflet.

Elle m'a fait voir l'appareil avec lequel elle devrait désormais dormir, un masque en plastique géant branché à un tuyau qu'elle fixera à son visage et qui lui permettra de respirer l'humidité produite par le dispositif auquel le masque est raccordé. Il faut qu'on achète de grosses bouteilles d'eau distillée et qu'on s'arrange pour que le dispositif soit rempli. Elle a mis le masque et s'est avancée vers moi d'un pas lourd. On aurait dit Dark Vador. Si un type s'introduit dans ma chambre pendant que je porte ce machin, a-t-elle dit d'une voix étouffée, il va s'enfuir sans demander son reste. Puis elle a respiré fort derrière le masque en plastique, qui s'est rempli de condensation. Elle l'a retiré brusquement. Dommage que je ne porte pas mon cache-œil, a-t-elle dit. Je serais redoutable, non ?

Elle a allumé son ordinateur pour jouer une rapide partie de scrabble. Le dernier type avec qui elle a joué était français et il lui a proposé de lui envoyer une photo de son pénis. Elle a répondu No *merci**. Vous n'auriez pas plutôt des photos de Paris ?

Je viens de me rendre compte d'une chose. Ce n'est pas moi qui ai survécu, qui me suis retroussé les manches et qui ai persévéré, qui ai sauvé ma mère en la faisant venir à Toronto, c'est ma mère... c'est elle qui m'a entraînée à sa suite.

Alors, lui ai-je demandé, tu as rêvé, à la clinique du sommeil ?

Si j'ai rêvé ? Tu parles ! J'ai même eu une révélation.

Ouais ? ai-je fait.

Eh bien, tu sais combien j'ai horreur de faire la cuisine ?

Ouais.

Eh bien, je me suis posé des questions à ce sujet. Je me suis demandé ce que je devrais faire. Alors la nuit dernière, la solution m'est venue d'un coup. La congélation ! Une voix m'a soufflé l'idée. Alors je me suis dit que je suivrais mon rêve et que j'irais dans les allées des surgelés et que je ferais le plein de pizzas, de boulettes de viande, de pirojkis, de bâtonnets de poulet, n'importe quoi, et que je remplirais mon congélateur et que ça serait réglé une bonne fois pour toutes. Je n'aurai plus à me soucier de faire la cuisine, mais j'aurai quand même quelque chose à manger. Ça m'est venu comme ça, d'un coup, comme un panneau publicitaire : la congélation !

Ça m'a l'air d'une bonne idée, ai-je dit. Ma mère rêvait à la survie. Elle faisait des rêves de survie. Elle faisait des rêves qui lui disaient comment rester en vie. Je n'allais pas lui dire que les produits surgelés sont bourrés de sulfates, quelle importance, elle était en plein processus de guérison.

J'ai moi aussi fait un rêve. Rien à voir avec le scénario helvète. Elfrieda et moi étions dans sa cuisine jaune, tout près de la fenêtre panoramique géante, où nous riions en parlant de tout et de rien. Perdues dans un dédale de mots qui ne rimaient pas à grand-chose, nous nous racontions des histoires pour nous faire rire. Nous étions là, mais, dans mon rêve, je voulais dire à Elf quelque chose de plus urgent, à propos de mon travail, de la peur que j'avais de finir mon nouveau livre et de la réception à laquelle il aurait droit, et il y a eu un creux dans la conversation et Elf a bâillé et j'ai songé je vais maintenant lui dire cette chose urgente, mais elle a brandi la main pour m'intimer le silence et j'ai donc tenu ma langue. Elle a pris ma main et m'a regardée avec intensité, elle a rapproché son visage du mien pour que je ne perde pas un mot de ce qu'elle avait à me dire, pour montrer qu'elle était sérieuse – ses cils formaient une bordure noire –, qu'elle ne rigolait pas, et j'ai songé merci mon Dieu, elle va dire quelque chose pour me réconforter, me donner du courage et elle a dit Yoyo, t'es toute seule à présent, tu dois te débrouiller par tes propres moyens. Et dans mon rêve j'ai senti la même chose qu'en voyant la vidéo de ma voisine avec l'oiseau. La soudaineté, le sentiment de perdre quelque chose à jamais, en une fraction de seconde. Ma sœur faisait comme une tache sombre et floue disparaissant dans un rectangle de lumière. Mais, maintenant, après avoir entendu ma mère me raconter son rêve de survie, je pense que ce rêve-ci est peut-être mon rêve de survie à moi et non un cauchemar. Le début de ma guérison à moi. Pour survivre, on doit d'abord savoir ce à quoi on survit.

Les vendredis, nous tenons un conseil de famille. Parfois, Nora n'y assiste pas parce qu'elle a mieux à faire : il y a Anders, les fêtes, elle est jeune. Nous lui faisons suivre le procès-verbal. Je ne couche plus à gauche et à droite. J'ai honte de mes antécédents dans ce domaine et Elf n'est plus là pour me rappeler que je ne suis pas une salope et que *ça n'existe pas, OK, je ne t'ai rien appris ou quoi, arrête s'il te plaît d'assimiler la moralité à des notions désuètes, intéressées et patriarcales de la sexualité féminine.*

Finbar m'a téléphoné pour me demander si j'avais tué ma sœur et si j'avais besoin d'un avocat et je lui ai répondu non, elle m'a épargné cette peine. Il s'est excusé. Il n'avait pas compris que c'était si grave. Il m'a dit qu'il était désolé. Je l'ai remercié. Il a dit mais il y a eu quelque chose entre nous deux, non ? J'ai bien aimé sa façon de présenter les choses. Une hallucination, peut-être, mais c'était déjà ça. J'ai dit oui et je l'ai remercié une fois de plus. Nous nous sommes dit adieu pour de bon, en adultes. Je vis avec ma mère et ma fille. Sur nos perchoirs respectifs, chacune à son étage, nous nous interpellons comme les femmes qui sortent fumer dans *Balconville.* Je n'ai pas le temps de coucher à gauche et à droite. J'ai des ratons laveurs et des rêves et des pistolets à eau et du chagrin et des douves toxiques et de la culpabilité et des préservatifs usagés à ramasser dans l'allée.

Ma mère a dit que je ne pouvais pas faire un nœud dans la culpabilité comme dans un préservatif usagé et la jeter aux ordures. Je lui ai demandé ce qu'elle savait des préservatifs et elle m'a répondu qu'elle avait longtemps été travailleuse sociale et c'est ce qu'elle répète chaque fois qu'elle nous étonne par l'étendue de ses connaissances. Hier, je marchais dans le parc Trinity Bellwoods quand je suis tombée sur ma mère, endormie sur un banc. Je me suis assise à côté d'elle pendant un moment et j'ai lu le journal. Au bout de dix ou quinze minutes, je l'ai poussée du coude, tout doucement, et je lui ai dit c'est l'heure de rentrer, m'man. Elle m'a dit qu'elle adorait dormir en plein air. C'est vrai, lui ai-je demandé, ou tu étais en train de marcher et l'épuisement t'a gagnée d'un coup ?

Un jour, ma sœur m'a fait cadeau d'une échelle de secours. Le genre d'échelle qu'on accroche au bord de la fenêtre de l'étage et qu'on utilise en cas d'incendie. Pendant des années, je l'ai entreposée au sous-sol, mais je commence à comprendre qu'il serait avisé de la garder à l'étage.

J'ai téléphoné à l'hôpital à Winnipeg et demandé la chambre de la patiente appelée Elfrieda Von Riesen, s'il vous plaît. On m'a dit qu'il n'y avait pas de patiente de ce nom. J'ai dit à l'hôpital ben, c'est bizarre parce que, aux dernières nouvelles, on devait pas lui permettre de sortir de sitôt. On m'a dit qu'on n'était pas au courant. J'ai dit que je commençais à en avoir assez de leurs bêtises. On m'a répondu qu'on était désolé. J'ai raccroché.

Et puis Noël était déjà à nos portes. Nic viendrait nous rejoindre. Il téléphonait de Winnipeg. Il avait une idée pour la pierre tombale. « Et dormir de ce doux sommeil dont j'ai dormi dans mon enfance/Sans troubler – moi-même introublé où je repose/L'herbe sous moi – couvert par la voûte du ciel. »

C'est quoi ?

Tu ne sais pas ? a-t-il dit.

Je connais pas tous les poèmes, ai-je dit.

John Clare.

Elf l'aimait ?

Beaucoup. Ça s'intitule *Je suis !* Il a écrit ce poème dans un asile d'aliénés.

Pas question, ai-je dit.

Pardon ?

Évitons de tout ramener à la folie, ai-je dit.

Tu veux parler de l'inscription ?

De tout.

Qu'est-ce que tu proposes, alors ?

Lorsque je suis rentrée à Toronto après la mort d'Elf, j'ai voulu apporter un peu de ses cendres pour les garder avec moi ici, mais Nic n'aimait pas l'idée de diviser Elf et donc elles sont toutes inhumées sous un arbre énorme du cimetière Elmwood de Winnipeg. Ma mère avait proposé de l'inhumer avec notre père dans le cimetière d'East Village et le type a dit oui, pas de problème, il y a de la place pour trois, à condition qu'il s'agisse d'urnes et non de cercueils (ce qui laissait entendre que ma mère finirait là, elle aussi), mais Nic a dit pas question, Elf avait expressément dit ne pas vouloir être inhumée à East Village. Ce serait comme offrir la dépouille de Louis Riel en souvenir au gouvernement du Canada. Et votre cour ? ai-je demandé à Nic. Après tout, elle était casanière. Très drôle, a-t-il répondu. Les inhumations dans une cour privée posaient des problèmes juridiques. On n'avait pas affaire à un chat. C'est vrai, ai-je admis. Il m'a dit que j'avais fait tout ce que je pouvais et que personne n'était à blâmer. Je n'en étais pas certaine. Et Zurich ? me suis-je demandé. Elle serait morte paisiblement plutôt que toute seule. C'est tout ce qu'elle voulait. Je n'ai pas été à la hauteur. Nous n'en avons pas parlé. Je lui ai dit qu'il avait fait l'impossible, lui aussi.

C'est elle qui a obtenu le droit de sortie, ai-je dit. Tu sais comment elle s'y est prise. Elle a su les convaincre de la laisser sortir.

Mais j'aurais dû insister pour qu'on la garde, a-t-il dit.

T'aurais pas pu en faire plus.

Alors pas de John Clare ?

Peut-être. Mais j'aime pas le rapport avec l'asile. En plus, si on choisit un poète, il faudrait que ce soit une femme.

Mais la plupart des grandes femmes poètes ont fini par se suicider. Alors il y a là aussi des connotations.

Je sais et c'est en plein ce qu'on cherche à éviter, non ? Lui coller une étiquette jusque dans la mort…

Ouais, c'est vrai, alors une pierre avec rien dessus ?

Ouais, peut-être. Avec son nom et ses dates seulement.

Peut-être.

Alors l'idée initiale du poème tient toujours, en un sens… là où je repose. Là où je repose.

L'herbe sous moi – couvert par la voûte du ciel.

Tu rêves d'elle ? m'a-t-il demandé au téléphone.

Ouais. Et toi ?

Ouais, indirectement. Par exemple, c'est l'été, mais l'été le plus froid de l'histoire. Il fait plus froid qu'en hiver. Et toi ?

Ben, l'autre nuit, j'ai rêvé que j'étais dans un village de pêcheurs, un petit port isolé de Terre-Neuve, ou quelque part là-bas, et je devais aller à l'épicerie pour acheter de la viande et des agneaux étaient couchés partout sur le sol en terre battue. Ils n'étaient pas blancs et noirs comme dans la Bible. Ils étaient gris foncé, aussi gros que des lévriers. Mais c'étaient des agneaux. Quelques-uns étaient morts, d'autres à peine vivants. Il y avait un type avec un couteau. Il les débitait, mais il savait pas vraiment y faire. Il coupait un sabot ou une queue, peut-être un museau. Il savait pas quoi faire. Je suis restée là à regarder au milieu des agneaux et il a dit qu'il en avait assez. Et il a fait une dernière entaille. Et puis il a dit non, c'était le couteau qui en avait assez, comme si c'était un objet vivant ou qu'il n'était pas suffisamment tranchant et ne pouvait plus couper comme il faut, j'étais pas sûre.

Qu'est-ce que ça veut dire ? a demandé Nic.

Je sais pas, Carl Jung, ai-je répondu.

Mais je savais. C'était à cause de Zurich.

Tu sais quoi ? a fait Nic. J'ai une idée. Et si on mettait une phrase musicale sur sa pierre et pas de mots du tout ?

Nic et moi avons longuement parlé au téléphone de la phrase musicale que nous ferions graver sur la pierre et pendant tout ce temps j'ai eu envie d'aborder la Suisse, mais je ne savais pas comment : si je lui disais qu'Elf m'avait demandé de l'y emmener, ce serait comme lui dire qu'elle ne le croyait pas capable de le faire pour elle, ou qu'il ne la comprenait pas, et je ne voulais pas qu'il se sente comme ça. Déjà, il était un homme seul. Et d'ailleurs, à quoi bon évoquer la Suisse? Je devais me dépatouiller toute seule avec la question de savoir si j'étais l'agneau ou le boucher ou seulement le couteau.

À douze ans, Elf a enfin été choisie pour incarner Marie dans le spectacle de la Nativité monté par notre église. Elle était très fière et nerveuse. Depuis des années, elle faisait cabale pour jouer Marie. Allons, je suis née pour jouer ce rôle! Je ne sais pas si l'institutrice de l'école du dimanche (une vierge plutôt taciturne dans la vingtaine) s'est réellement laissé convaincre ou si, de guerre lasse, elle a fini par céder aux exhortations d'Elf. Mais elle lui a confié le rôle et a dit surtout pas de surprises tordues. Elf était très consciente de ses responsabilités, elle savait qu'elle devait se montrer modeste et tendre et douce, même si elle s'était fait inopinément engrosser par une force invisible et qu'on comptait sur elle pour élever le Messie, avec un salaire de charpentier par-dessus le marché. J'avais six ans. Je serais un berger, relégué à l'arrière-plan, où les petits se tenaient, une serviette sur la tête ou des ailes fixées au dos. J'ai dit à ma mère que je refusais d'être un berger. Je serais la sœur de Marie, la tante du bébé. Ma mère m'a expliqué que le bébé Jésus n'avait pas de tante dans la scène de la Nativité, que ça n'avait pas de sens. Mais je suis sa sœur, ai-je insisté. Je sais, a dit ma mère, mais seulement dans la vraie vie. J'ai hésité. Mais, ai-je argué, Jésus avait des « mages » et des chameaux quand il est né, mais aucun membre de sa parenté? Tu trouves que c'est logique, toi? Je sais bien, a dit ma mère, mais la Bible dit... Juste une fois, ai-je dit. Elfie a besoin de moi. Elle a un nouveau bébé. Je suis sa sœur, j'y vais...

Ma mère ne s'est pas donné la peine de se chamailler avec moi. J'ai créé mon costume de sœur-tante, un drap à motif fleuri, et je me suis traînée aux répétitions avec Elf, que ma présence gênait un peu, mais elle était habituée depuis longtemps et elle a seulement soupiré une fois d'un air las. La responsable du spectacle a téléphoné à ma mère à quelques reprises pour se plaindre. Elle lui a dit que je refusais de lâcher Elfie, que je m'insinuais entre Joseph et elle et que je refusais de bouger et que le garçon qui jouait Joseph commençait à en avoir assez. Dans cette histoire, Jésus n'a pas de tante qui se met en avant. Ce n'est pas dans la Bible, ça. Ma mère a dit à la responsable du spectacle qu'elle n'avait aucun conseil à lui donner. J'ai donc fini par jouer le rôle de la sœur de ma sœur et tout le monde a fait de gros efforts pour ignorer ma présence, mais je savais que j'avais été présente et, plus important encore, Elf aussi, elle qui a joué une Marie formidablement modeste, assise là, placide et sainte, tandis que je m'affairais, vérifiais que le petit respirait toujours, que le berceau était sécuritaire, que la paille était bien duveteuse, que Joseph ne jurait pas trop fort, bref tout ce que fait une tante dévouée dont la sœur vient d'avoir un bébé.

Il nous fallait un arbre de Noël. Nora et moi sommes allées dans le stationnement du No Frills, en face de la bibliothèque de Runnymede, dans la rue Bloor Ouest, et nous avons acheté le plus beau et le plus gros sapin. Il était retenu par des courroies en plastique qui le saucissonnaient et le rendaient plus facile à transporter, mais le vendeur a dit qu'il prendrait de l'expansion dès que nous les retirerions. Il l'a fixé sur le toit de la voiture. Il a dit que c'était l'Everest des arbres de Noël. Nous sommes rentrées avec l'arbre et nous l'avons tiré dans la maison par la porte de derrière, celle de ma mère. Il a envahi tout le salon. Il devenait de plus en plus gros au fur et à mesure que nous retirions les courroies. Il y avait des aiguilles partout. Il était beaucoup trop gros, mais nous l'avons tout de suite adoré. Pendant que Nora et moi l'installions, ma mère me tricotait un chandail noir dans son fauteuil inclinable. Nora a fait jouer le nouveau disque de Kanye West sur son portable. Ma mère a demandé ce que c'était. *My Beautiful Dark Twisted Fantasy,* a répondu Nora. Elle a chanté les paroles avec Kanye. Tu n'es pas un monstre, ma puce, a dit ma mère. Je sais, grand-maman, a dit Nora. Merci. Ma mère a continué de tricoter dans son fauteuil en marquant le rythme avec la tête.

Nous avons tenté de faire tenir l'arbre sur son pied. Portant des mitaines en cuir, Nora, en équilibre sur le bras du canapé, le tenait par la cime. Elle avait autour du cou des guirlandes de lumières de Noël. Allongée sur le sol, je m'efforçais d'enfoncer les vis en métal dans le tronc. Dans son fauteuil, ma mère disait un peu plus à gauche, un peu plus à droite, à gauche, non, à droite. Kanye précisait en rappant ce dont il avait un urgent besoin. Impossible de le faire tenir droit. Puis nous avons cru y être arrivées.

Lâche-le, Nora, ai-je dit. Je l'ai lâché moi aussi. L'arbre a commencé à s'incliner du côté gauche et Nora l'a rattrapé avant qu'il s'écrase sur le piano. Ma mère a ri. Elle avait de la farine sur le front et le menton. Plus tôt, elle avait préparé des tartelettes. Je me suis de nouveau allongée par terre et j'ai juré et Nora a tenu le sapin avec sa main recouverte d'une mitaine en cuir et ma mère a dit hé, s'il veut pencher, cet arbre, qu'il penche.

Quoi ? ai-je fait. Tu proposes qu'on le pose contre le piano et qu'on le laisse comme ça ?

Non, a dit Nora. Où vous avez vu ça, des gens qui appuient leur arbre sur un meuble ? Nulle part.

Nous avons persisté. Puis nous nous sommes dit qu'il fallait utiliser une ficelle pour attacher l'arbre à la tringle des rideaux. On n'aurait qu'à déguiser la ficelle et lui donner un aspect festif.

Ah ! La ficelle de Noël, a fait Nora. Une nouvelle tradition familiale chez les Von Riesen.

C'est vraiment un très gros arbre, non ? a dit ma mère.

On recommence, ai-je dit. Nous avons travaillé et travaillé encore pour obliger l'arbre à se tenir droit, tout seul, sans ficelle. Écarte-toi, ai-je dit à Nora. Lentement, nous nous sommes éloignées du sapin, qui est resté debout. Ça y était. Ô joie ! Nous avions réussi à accomplir une tâche normale. Le plafond était très haut, mais la cime de l'arbre le touchait. Nous avons soufflé. Nous l'avons gardé à l'œil pendant un moment. OK, je pense que ça y est, ai-je dit. Buvons un peu de vin, a dit ma mère.

J'ai débouché une bouteille et nous sommes allées à la table de la salle à manger pour trinquer à notre succès. Nous avons levé haut nos verres, même Nora a bu un peu de vin, et nous avons dit des choses sur Noël, sur nous-mêmes, comme à notre santé. Nos épaules se sont détendues. Nous étions fières. Nous étions couvertes d'aiguilles et l'air sentait bon. Ma mère fixait l'arbre. Nora et moi lui tournions le dos. Nous sirotions notre vin. Puis ma mère a poussé un cri et Nora et moi nous sommes retournées au ralenti, Kanye a de nouveau haussé le ton, et nous avons vu l'arbre tomber. Lentement, d'abord, discrètement, comme s'il était victime d'une crise cardiaque en public et qu'il ne voulait pas que ça arrive, mais que ça arrivait quand même. Puis il a pris de la vitesse et s'est affaissé sur le sol en entraînant des trucs dans sa chute, un tableau sur lequel on voyait deux garçons sauter dans des flaques, le téléviseur, les livres posés sur le piano, une sculpture représentant une fillette en robe jouant les timides, une tasse de café presque vide et une grosse plante verte. Puis il a fini de tomber et s'est immobilisé.

Hou là là, a lancé ma mère. Quelqu'un manque à l'appel ? a demandé Nora. Nous avons de nouveau trinqué à notre santé et ri comme des folles. Ma mère n'en finissait plus de rire. Puis Nora et moi sommes allées porter secours à notre camarade tombé au combat et nous avons enfin, enfin réussi à le faire tenir debout tout seul, pour de bon, sans ficelle, dans le salon.

Claudio est venu nous rendre une petite visite. On l'a trouvé sur le perron, de la neige sur ses épaules et son chapeau, serrant dans ses bras des cadeaux emballés à la perfection. Pendant un moment, j'ai cru que je verrais Elf secouer ses bottes derrière lui, ses grands yeux verts étincelant. Il a sorti une bouteille de vin italien de son manteau. Nous nous sommes assis dans le salon de ma mère, près du piano. Ma mère y joue des hymnes. Bon nombre de vieilles partitions ayant appartenu à Elf quand elle était jeune sont empilées sur l'instrument.

Claudio a déposé les cadeaux sous l'arbre et a tendu un sac à ma mère. Des lettres de condoléances venant de quelques collègues d'Elf, a-t-il expliqué. Et d'admirateurs. Eh bien, dites donc, c'est un sacré arbre que vous avez là.

À votre place, je ne m'en approcherais pas trop, a dit Nora. Elle mettait la table. Nous avons goûté le vin de Claudio et nous avons bu à Noël, à la naissance du minuscule Sauveur (on attend, là), à la famille, à Elfrieda.

OK, asseyons-nous, a dit ma mère. Claudio nous a demandé comment nous allions et nous avons répondu bien. Et lui ? Il était encore en état de choc, a-t-il dit. Il avait sincèrement cru que la musique sauverait la vie d'Elfrieda. Eh bien, a dit ma mère, elle l'a sans doute fait, pendant qu'elle était encore vivante.

Il nous a appris que, pour la tournée, un dénommé Jaap Zeldenthuis avait remplacé Elf au pied levé.

Il n'est pas Elfrieda Von Riesen, mais je pense qu'il s'en est bien tiré, compte tenu du bref préavis. Des critiques ont remarqué quelques errances rythmiques dans son jeu, une certaine inconstance. Mais bon, Jaap était en proie au décalage horaire. J'ai été heureux de la notice nécrologique d'Elfrieda dans le *Guardian*. Elle m'a plu parce qu'elle portait sur la particularité de son jeu, sa couleur et sa chaleur, et pas sur les clichés habituels concernant sa rigueur et sa discipline. *Bild* a été bien aussi, c'était très beau, *Le Monde* également. Ça me gêne que les autres journaux aient tant insisté sur ses problèmes de santé. Une notice nécrologique ne devrait pas se lire comme la manchette d'un journal à sensation. Vous les avez lues ?

Ma mère a laissé entendre un grognement dédaigneux. Pffft. Non, je ne les ai pas lues, a-t-elle dit. J'avais l'habitude de les lire, mais plus maintenant.

Je les ai lues, moi, ai-je dit, et tu as raison.

Un lourd silence est tombé. Nous avons considéré l'arbre pendant un moment et Claudio a dit je dois vous prévenir que, parmi les cadeaux que j'ai apportés, il y a un enregistrement vidéo de la dernière répétition d'Elfrieda. Il nous a dit qu'Elfrieda avait donné la meilleure prestation de sa vie, ce jour-là, qu'elle avait joué en dehors d'elle-même, comme s'il n'y avait plus de frontière physique entre le piano et elle et qu'elle pouvait exprimer ses émotions à son gré. Après, les musiciens s'étaient levés et l'avaient applaudie pendant cinq minutes. Elfrieda avait enfoui son visage dans ses mains et avait pleuré, puis la moitié des musiciens s'étaient mis à pleurer, et Claudio lui-même a pleuré en nous relatant les faits. Nous l'avons remercié pour l'histoire et pour la vidéo et nous lui avons promis de la regarder. Devant la porte, nous l'avons toutes serré dans nos bras à tour de rôle et il est resté accroché à la balustrade. Il ne pouvait pas partir.

Je suis désolé, a-t-il dit. Toutes ces années…

Nous lui avons apporté un kleenex. Il a cessé de pleurer, puis il a recommencé. Enfin, il a lâché la balustrade et nous nous sommes dit au revoir. J'ai eu le sentiment que nous ne le reverrions jamais. Je me suis souvenue du récit du jour où il avait découvert Elf, assise dans la ruelle derrière la salle de concert, en robe longue noire et veste militaire, fumant, écrasant son mégot sur l'asphalte, à seulement dix-sept ans.

Cette année, à Noël, essayons d'éviter la gaieté forcée, a dit Nora, comme s'il s'agissait d'un plat. Juste un peu, ai-je dit. Je me suis souvenue du jour où, quand nous étions jeunes, Elf, à Noël, s'était cogné la tête contre le mur de la salle de bains. C'est au-dessus de mes forces, avait-elle répété.

Nic est arrivé tard un jeudi soir. Il avait maigri. Nous célébrions Noël plus tôt pour permettre à Will et à sa nouvelle petite amie, Zoe, de passer du temps avec sa famille à elle dans une station balnéaire mexicaine et à Nic de se rendre chez lui à Montréal. Zoe ne se déplaçait jamais sans son accordéon. Elle a joué pour nous des airs tristes mais hilarants. L'accordéon, à la fois mélancolique et magnifique et encombrant et ridicule, est l'instrument idéal pour les occasions douloureuses. Elle avait un nouveau tatouage qui m'a fait penser à celui que j'essayais d'effacer. Je l'avais complètement oublié, celui-là. Il formait sur mon épaule une tache bleuâtre, semblable à une légère ecchymose. Pendant le repas du soir, nous avons parlé des secrets. J'ai dit à tout le monde qu'Elf avait su garder les miens. Comme une crypte. Puis les autres m'ont regardée comme pour dire ah ouais, quels secrets, par exemple?

Pendant le dessert, ma mère nous a raconté une histoire. Elle a dit qu'elle avait un secret, elle aussi, et qu'elle pouvait bien nous le confier. Nous étions tous intrigués. Moi en particulier.

Tu vas me dire qui était mon vrai père? lui ai-je demandé.

Ouais, c'est ça, a-t-elle répondu. Non, c'est à propos d'un livre. Quand elle avait dix-neuf ans, ma sœur Tina a lu *Pour qui sonne le glas*. Un jour, je l'ai pris pour y jeter un coup d'œil et elle a dit oh non, tu ne peux pas lire ce livre-là, ce n'est pas pour toi. Pose-le.

Tu avais quel âge ? a demandé Nora.

Quinze ans, comme toi, a répondu ma mère. Alors un jour, pour une raison farfelue, je me suis mise en colère contre Tina. J'étais furieuse, je ne sais plus pourquoi. Ce jour-là, elle n'était pas à la maison, alors quand j'ai vu le livre sur son lit, je n'ai fait ni une ni deux et je l'ai lu d'une seule traite.

Tu lui as servi toute une leçon, a dit Will.

Je ne le lui ai jamais dit, a fait ma mère. Mais que ça m'a fait du bien ! Et je me suis sentie méchante, méchante !

Et le livre ? a demandé Nic.

Oh, a répondu ma mère, j'ai adoré le livre ! Mais j'ai trouvé les scènes de sexe stupides.

Ben, ai-je dit, tu avais seulement quinze ans. (J'ai lancé un regard à Nora, qui m'a fait une grimace.)

Nous avons souri. Nous avons mangé le dessert.

Tu regrettes de ne pas le lui avoir dit ? ai-je demandé à ma mère.

Ha, a-t-elle répondu. Je me le demande.

VINGT

Ce matin, Will et Zoe sont partis tôt pour Mexico et Nic pour Montréal. Nora a passé un moment sur Skype avec Anders, rentré à Stockholm pour les fêtes. Dans le salon de ma mère, je lisais un livre que m'avait offert Will, intitulé *Cahiers de prison.* Je l'ai posé par terre et je me suis levée pour téléphoner à Julie. Ma mère faisait de drôles de bruits. Elle était allongée sur le canapé près de l'arbre de Noël. Sa respiration était différente, superficielle, et elle soufflait par la bouche comme une athlète à l'entraînement. Elle mourait. J'ai fait venir l'ambulance et nous avons foncé à l'hôpital. On a fini par lui sauver une fois de plus la vie en martelant sa poitrine et en lui injectant de la nitroglycérine et d'autres puissants produits chimiques qui ont dégagé ses veines et soulagé son cœur surmené.

Hou là là ! C'est assez pour sucrer les confitures de ta mère, a-t-elle dit aux ambulanciers, et l'un d'eux lui a demandé de répéter pour pouvoir relayer l'expression à ses amis.

Tout ça m'était très familier, les civières des urgences, mais ma mère avait un problème de cœur et non un problème de tête. Pas de sermon de la part du personnel, pas d'infirmière en psychiatrie sûre de son bon droit pour haranguer ma mère : Il serait grand temps que tu apprennes à te tenir correctement. Nora est venue à l'hôpital. Nous nous sommes assises de chaque côté de ma mère. Elle était couchée derrière un rideau brun, branchée à des machines et à des goutte-à-goutte, endormie. En se réveillant, elle a dit celle-là, c'est la meilleure ! La veille de Noël par-dessus le marché ! Elle nous a dit qu'elle avait rêvé d'Amelia Earhart.

La pilote ? À quoi tu as rêvé, au juste ? a demandé Nora. As-tu élucidé le mystère de sa disparition dans ton rêve ? Pour nous, ce serait la célébrité.

Ma mère nous a expliqué que, dans son rêve, un homme lui avait dit que, de toutes les personnes portées disparues, Amelia Earhart était sa préférée. Elle a pleuré pendant quelques secondes. Elle a murmuré qu'elle était désolée d'être là à Noël, de la même façon qu'Elf s'était excusée auprès de mon oncle de se trouver dans l'aile psychiatrique. Nous lui avons tenu la main en disant bah, bah, et alors, et alors ? Nora lui a dit que nous allions célébrer Noël quelque part en janvier, en même temps que les Ukrainiens.

Amy, la voisine d'à côté, est venue avec un panier qui contenait du vin, de la nourriture, des serviettes en papier, des couverts en argent et des assiettes magnifiques. Nous avons fêté Noël aux urgences avec le repas posé sur le ventre de ma mère. Elle était notre table. Elle avait toujours été notre table. Avec soin, Nora a retiré le masque à oxygène de ma mère pendant une seconde pour lui permettre de boire du vin. L'infirmière avait dit une petite gorgée, parce que c'était Noël, mais ma mère en a pris deux. Des grosses. Nous avons bu du champagne dans des godets à échantillons en plastique et nous avons une fois de plus porté un toast à l'idée fugitive que nous nous faisions de nous-mêmes et à l'infirmière indulgente qui est venue nous voir et qui nous a souri, et à Elf et à mon père et à tante Tina et à ma cousine Leni. Nous avons chanté *I Wonder as I Wander,* le cantique de Noël favori de ma mère.

Nora et moi sommes restées tard, jusqu'à ce que ma mère s'endorme, et puis nous sommes rentrées chez nous. Du haut du balcon de l'étage, j'ai regardé la nuit neiger sur les douves.

Le lendemain, je suis allée voir ma mère à l'hôpital. Elle s'était déjà fait des amis et, à l'abri du rideau brun, elle avait raconté des anecdotes amusantes au profit des autres patients et apparemment même le père Noël était passé. Ma mère se mourait régulièrement, au moins une fois par année. Elle avait visité de nombreux services d'urgences, à la façon d'une comique en tournée, de Puerto Vallarta au Caire en passant par Winnipeg, Tucson et Toronto.

Débarrasse cette chaise et assieds-toi à côté de moi, a-t-elle dit. Soigneusement, elle a posé son roman policier sur sa poitrine, ouvert, pour ne pas perdre sa page. Je veux te dire quelque chose, a-t-elle fait. Elle a pris ma main. Sa main était chaude, sa poigne aussi forte que celle de Tina.

Je suis déjà au courant, ai-je dit. Tu m'aimes, je suis pour toi une source de joie.

Non, a-t-elle dit. Je veux te dire autre chose.

C'était le 25 décembre. J'ai téléphoné à Julie.

Joyeux Noël, ai-je dit.

Joyeux Noël à toi aussi, a-t-elle répondu.

C'était, pour elle comme pour moi, la première fois que nous passions Noël toutes seules. Nous avons fait ah bon ? C'est vrai ? C'était vrai. Ses enfants étaient avec son ex, leur père, et Will était dans la famille de sa petite amie au Mexique et Nora chez Dan. Il était enfin rentré de Bornéo. Et ma mère était à l'hôpital. On prend un verre au téléphone ? a-t-elle proposé.

Au risque d'en subir les effets délétères ? ai-je dit. Je citais Mrs. Skull, la dame qui nous avait fait l'école du dimanche. Elle avait prié, en particulier pour Julie et moi, dans l'espoir de nous voir un jour recouvrer nos esprits et cesser de folâtrer dans les buissons avec de jeunes francophones. Nous n'avions pas pu nous arrêter. C'était trop bon. Nous ne voulions pas nous arrêter ! La dame qui nous faisait l'école du dimanche nous a dit qu'elle nous aimait, mais que Dieu nous aimait davantage. Nous lui avons recommandé de redoubler d'ardeur. Elle nous a dit que les pécheresses paraient leur corps plutôt que leur âme. Faudrait qu'on se promène toutes nues ? a demandé Julie. Lorsque la dame est sortie chercher des kleenex, Julie et moi nous sommes enfuies par la sortie de secours. Le dernier degré de l'échelle était encore à deux étages du sol et nous avons dû sauter. Après, nous avons senti une délicieuse douleur dans la plante de nos pieds.

Assises dans nos salons respectifs, nous avons bu du scotch en parlant et en écoutant. À la santé de quelque chose, de toute cette panoplie, ai-je dit. Oui, a fait Julie, à la santé de ce carrousel branlant. Nous avons fait tinter nos verres sur nos téléphones. Tu es la personne la plus forte que je connaisse, ai-je dit. Je ne lui ai pas dit que, à mon avis, elle avait l'étoffe de ceux qui se suicident. Je m'efforçais de recycler mes convictions et de modifier mes modèles de réussite.

Est-ce que tout est insupportable ? a-t-elle demandé.

Non, ai-je dit. Qu'est-ce qu'on fait en ce moment ?

Ben, c'est vrai, a-t-elle concédé.

On célèbre l'anniversaire de qui, déjà ? ai-je demandé.

Celui du petit hippie, a-t-elle répondu.

On dirait bien qu'on nous a pas invitées à la fête, cette année, ai-je dit. Nous avons convenu que nous n'y serions pas allées de toute manière. Nous devrions nous convertir au judaïsme.

Tu te souviens du type devant le 7-Eleven dans Corydon ? m'a-t-elle demandé.

Allan, ai-je répondu. (Allan était un brillant violoncelliste, en voie de devenir un prodige et sur le point de partir étudier à Juilliard quand il s'était fracassé le crâne sur le tableau de bord de sa voiture au moment où elle était entrée en collision avec une bétonnière après avoir dérapé sur de la glace noire, et aujourd'hui il se tient devant le 7-Eleven dans Corydon et, très poliment, demande de la monnaie aux passants. Il est encore bel homme. Il semble un peu creusé, évidé, mais ses yeux sont très brillants, avec le blanc vraiment blanc et le bleu vraiment bleu, comme dans les îles grecques. Il marmonne quelques mots et on a parfois l'impression qu'il rit de tout, comme si on venait de lui organiser une fête-surprise. Nous ne savons pas qui s'occupe de lui.)

J'ai rêvé que je couchais avec lui, a dit Julie. Et je lui ai proposé d'être sa petite amie, a-t-elle ajouté. Et de l'emmener chez moi et de veiller sur lui, mais il n'a pas voulu. Il a été très gentil, il a tout fait pour ne pas me blesser. Il m'a fait voir les ampoules causées par les cordes du violoncelle et qui étaient encore visibles. Il m'a demandé s'il pouvait m'emprunter une paire de mitaines chaudes. C'était tout ce qu'il voulait.

Tu t'es sentie rejetée ? ai-je demandé.

Ouais, un peu, a-t-elle répondu. Je voulais peigner ses cheveux, ils étaient si emmêlés. Et le laver.

Cette nuit-là, Julie et moi avons parlé pendant des heures et des heures, jusqu'au lendemain matin. Nous avons été très heureuses de voir Noël derrière nous. Enfin un vrai motif de trinquer.

Le 3 mai 2011
Chère Elf,
Il n'y a pas si longtemps, tante Tina m'a dit qu'un jour, dans la rue, je sentirais soudain une légèreté descendre sur moi, une force magique, que j'aurais alors le sentiment de pouvoir marcher indéfiniment, et que ça voudrait dire que je suis pardonnée. Je regrette de ne pas t'avoir emmenée à Zurich. Je suis désolée. Tante Tina a aussi dit que je volerais un jour dans les airs, sans le savoir.

Je t'ai raconté ce qui s'est passé à l'hôpital avec maman ? Je pense que oui. Elle va mieux, encore une fois, pour l'instant. À l'hôpital, j'ai eu un moment d'embarras dont je n'ai parlé à personne. Aux urgences, maman m'a pris la main – tu connais le geste aussi bien que moi, c'est presque douloureux, comme si elle était un chef de la mafia qui s'efforce d'être gentil – et m'a annoncé qu'elle avait quelque chose à me dire. Je croyais qu'elle allait répéter ce qu'elle dit toujours quand elle se meurt aux urgences, qu'elle m'aime, que je suis pour elle une source de joie et tout ça, mais elle m'a plutôt dit à voix basse que je devais cesser de me soûler et de téléphoner à l'hôpital de Winnipeg. Elle m'a dit qu'elle avait suivi mes allées et venues – tous les romans policiers qu'elle avait lus lui servaient enfin à quelque chose – et qu'elle savait que, en début de soirée, je me rendais dans une succursale de la Société des alcooliques, si c'était comme ça qu'on appelait ici les débits de boisson, que je m'achetais un sac de bibine et que je rentrais à la maison et que je buvais toute seule et que j'écoutais des chansons de Neil Young qui me faisaient penser à toi et que je me mettais dans un paroxysme de douleur et de rage et que je jouais des tours à l'hôpital de Winnipeg en téléphonant pour demander à te parler et en m'étonnant quand on me disait que tu n'étais pas là.

Pendant tout ce temps, elle m'a tenu la main fermement et m'a regardée droit dans les yeux pour m'empêcher de me défiler et je me suis sentie honteuse et faible et stupide et cinglée. Et je me suis mise à pleurer et à hocher la tête et à dire je sais, il faut que j'arrête, je suis désolée. Et j'ai pleuré et pleuré encore. Elle ne savait pas vraiment ce que je racontais à l'hôpital. Tout ce qu'elle savait, c'est que je téléphonais régulièrement parce qu'elle ouvrait les factures de téléphone et examinait les appels faits à un numéro au Manitoba – c'est l'un des inconvénients de vivre avec sa mère et encore un problème qui te sera épargné, Elf – et elle a tout simplement déduit le reste. Elle m'a demandé si j'avais pour but de hanter l'hôpital, ce qui m'a semblé une manière intéressante de présenter les choses, et je lui ai dit que je ne savais pas ce que je faisais, que ça ne voulait rien dire, que j'étais désolée, que j'allais arrêter. Et ensuite, même si c'était elle qui agonisait et qui était branchée à toutes sortes de câbles et de cordons d'alimentation et de machins, elle m'a fait un câlin géant et m'a bercée comme un bébé, malgré sa position horizontale dans son petit lit blanc, et j'étais comme à cheval sur elle, en larmes, et mon sac me glissait sans cesse sur l'épaule. Elle me serrait dans ses bras et j'ai fait comme si elle était toi et papa et Leni et même Dan, tous ceux que j'avais perdus en cours de route, et ensuite elle m'a chuchoté des choses sur l'amour, la gentillesse, l'optimisme et la force. Et sur toi. Et sur notre famille.

Que nous sommes tous capables de nous battre avec acharnement, mais que nous avons aussi le droit de nous avouer vaincus et de cesser de lutter et celui d'appeler un chat un chat. Je lui ai demandé ce qu'il faut faire quand un chat n'est pas un chat et elle m'a répondu que ce sont des choses qui arrivent, qu'il faut juste laisser faire. Je lui ai dit que j'étais écrivain et qu'il est difficile pour moi de laisser un chat aussi indéfini et elle a dit qu'elle comprenait, elle aimait bien elle aussi que les mystères soient élucidés, Dieu sait, et que des mots soient accolés à des sentiments. Elle a tapoté son roman policier, celui qui reposait sur sa poitrine, celui qui protégeait son cœur et qui, malgré tous ces câlins, n'avait pas bronché. Elle m'a dit que le cerveau est conçu pour oublier des choses pendant que nous restons en vie, que les souvenirs s'estompent et se désintègrent, que la peau, qui au début nous sert si bien en mettant à l'abri nos organes, finit par s'affaisser – les organes eux-mêmes n'étant plus tellement en bon état – et que les angles s'émoussent et que la douleur de renoncer au chagrin est aussi vive que le chagrin lui-même, voire plus. Ça veut dire au revoir, ça veut dire partir pour Rotterdam quand on ne s'y attend pas et n'avoir aucun moyen de dire aux autres que vous ne serez pas de retour de sitôt.

En tout cas, tu seras soulagée d'apprendre que j'ai cessé de jouer des tours à l'hôpital. Tu te souviens de la fois où j'ai cru que ce serait une idée vraiment géniale d'aller à l'école avec des bas de nylon de maman enfoncés sur la tête ? En sortant de la maison, tu m'as chuchoté à l'oreille essaie d'être cool, Girouette. Si tu savais à quelle fréquence je me les répète, ces mots-là. Essentiellement, c'est ce que maman a essayé de me dire à l'hôpital.

Elle s'est donc remise, comme chaque fois, et elle et Nora et moi sommes allées à New York voir Will et Zoe. Ils nous ont emmenées au MoMA, où on donnait une performance dans laquelle tout le monde était flambant nu et souffrait beaucoup. C'était la performance montée par Marina Abramović. Toute la ville en parlait. Nous nous sommes agglutinés dans une salle du musée en nous demandant comment nous ferions pour passer dans la suivante. Il y avait seulement une porte étroite par où sortir, mais deux personnes toutes nues qui souffraient à fond s'y tenaient, debout face à face, et nous allions devoir, tour à tour, nous glisser entre elles. Personne ne bougeait. Les enfants et moi avions perdu maman de vue pendant qu'elle furetait à gauche et à droite. Nous nous chuchotions le nom des célébrités présentes dans la salle. Nora les connaissait toutes, c'étaient des couturiers et des acteurs, mais le reste d'entre nous étions dans le brouillard. Nous étions serrés les uns contre les autres, nous nous agitions, nous murmurions, nous voulions passer dans la salle suivante, mais nous nous demandions comment faire pour franchir la porte. Puis Will a dit tiens, voici grand-maman et nous avons regardé vers la porte étroite où la femme et l'homme nus se faisaient face. Personne ne l'avait encore franchie. Puis nous avons vu maman, vêtue de son pantalon en velours côtelé violet et de son blouson, campée devant la porte, les mains sur les hanches. Oh mon Dieu, a fait Nora, elle va passer. Elle s'est faufilée de côté et son ventre a frôlé le pénis de l'homme. Puis elle s'est arrêtée au milieu, juste entre l'homme et la femme, sans se presser, savourant le moment. Elle a levé son regard sur le visage de l'homme nu, l'a regardé droit dans les yeux, il était sans expression, et elle lui a souri et a hoché la tête. Elle le saluait poliment. Puis, dans cet espace exigu, elle a réussi à se retourner pour faire face à la femme et l'a regardée à son tour droit dans les yeux et lui a souri et a hoché la tête et elle a souri au reste d'entre nous, agglutinés dans la première salle comme pour dire, bon, vous autres, suivez-moi, et elle a franchi l'obstacle et nous lui avons tous emboîté le pas.

Notre dernière journée à New York, maman nous a emmenés manger un steak géant dans un restaurant de Brooklyn, non loin de l'endroit où vivent Will et Zoe. Nous sommes sortis très tard et il faisait noir. Nous avons marché dans les rues en chantant. Nous avons essayé de nous souvenir de toutes les choses que la maman va faire pour son bébé qui pleure dans la chanson de l'oiseau moqueur et nous avons fini par y arriver. Bras dessus, bras dessous, Nora et maman et moi avons chanté une chanson des Weepies intitulée *Somebody Loved.* Will a transporté Zoe sur son dos et il a couru sur le trottoir et elle a ri et tressauté et perdu une sandale et nous avons dû revenir sur nos pas dans le noir, ce qui, je suppose, est le sens de la vie.

Parfois, un train siffle et déchire le silence du jour. Cette note discordante et lugubre me rappelle quand tu enfonçais les touches chaque fois que je bâclais mon travail de tourneuse de pages. À la dernière mesure, tête de linotte! Il y a une voie ferrée près de notre maison. Parfois, j'entends les roues vrombir sur les rails. Parfois, je sens la terre trembler. C'est réconfortant. Ce sont des salutations ou des adieux convenables. Maman approuverait. Tu sais combien elle est à cheval sur les bonjours et les au revoir.

Tu te souviens de notre voisine, Mrs. Steingart (celle que tu as renommée la Signora Giovanna), debout au centre de notre salon, les mains sur les hanches, foudroyant maman du regard parce qu'elle ne tenait pas assez bien la maison et papa parce qu'il n'était pas assez viril et nous deux parce que nous n'étions pas assez normales, et nous étions tous allongés, assis, avachis, un livre à la main, et complètement indifférents à ses remontrances et elle est sortie en trombe en disant que nous étions des gens de mots, une famille de mots et qu'un jour il nous faudrait ouvrir les yeux? Sur quoi? Une maison en désordre? Je me souviens de ses dernières paroles. Les mots ne vont pas nourrir le chat de l'amiral! Ça m'a donné à réfléchir, j'ai peut-être même levé les yeux de mon livre, mais seulement en raison des mots qu'elle avait utilisés pour proférer sa menace et non de la menace elle-même.

Tu te souviens de la manie qu'avait maman de se laisser dériver au-delà des brisants et de se laisser ballotter jusque Dieu sait où, sur la mer profonde et houleuse, et d'attendre que quelqu'un remarque son absence et vienne la secourir? Que veulent dire les mots, Elf? Tout ou rien?

Ils ne peuvent pas juste signifier *quelque chose.* En passant, j'ai fini par aller voir ton cher livre, *L'Amant de Lady Chatterley.* Tu te souviens que tu ne m'avais pas crue quand je t'avais dit que je ne l'avais jamais lu ? Mon Dieu, ce que tu peux être snob, des fois... Ouais, je l'ai lu. Et ouais, les scènes de sexe sont torrides. Entre deux séances de broderie et deux arrangements floraux, j'aurais moi aussi trouvé des moments pour aller le rejoindre, ce type dans la forêt. Je me demande si c'est Frieda qui a écrit ces passages pour D. H. et si par la suite elle a dû se la coincer pendant qu'il devenait célèbre et vivait dans des hôtels de luxe en France avec de jolies hippies. Quoi qu'il en soit, tu as raison au sujet du premier paragraphe. Je veux qu'on le projette sur ma maison en lettres géantes faites d'ombre et de lumière. Ce serait bien qu'elles scintillent un peu. Et, évidemment, elles s'effaceraient comme le reste à la lumière du soleil. Et ce serait parfait.

« Nous vivons dans un âge essentiellement tragique ; aussi refusons-nous de le prendre au tragique. Le cataclysme est accompli ; nous commençons à bâtir de nouveaux petits habitats, à fonder de nouveaux petits espoirs. C'est un travail assez dur : il n'y a plus maintenant de route aisée vers l'avenir : nous tournons les obstacles ou nous grimpons péniblement par-dessus. Il faut bien que nous vivions, malgré la chute de tant de cieux. »

Et merci d'avoir gardé tous mes secrets. Tu te souviens de la cavalcade nocturne jusqu'au camp des garçons que j'ai dirigée en pleine cambrousse ? Tu es maintenant la conservatrice officielle de mes secrets.

Tu savais que je n'aurais jamais le cran de t'emmener à Zurich, hein? Et tu savais que tu n'allais pas venir à Toronto.

Je t'aime, Elf, il faut que je te laisse. Je dois tailler les arbustes qui envahissent notre cour. Il y a là une telle luxuriance que, pour accéder à la ruelle, il faut ramper à plat ventre dans cette jungle en tenant nos fusils au-dessus de nos têtes, et pour maman, avant sa virée quotidienne dans Queen Ouest, ce n'est pas une mince affaire.

Arrivederci, bella Elf!

P.-S. J'ai rencontré quelqu'un. Nous discutons en marchant dans la ville et nous jouons au ping-pong tard le soir et la première chose qu'il m'a dite sur lui, c'est que, un jour, il s'est trouvé pris dans des feux croisés au New Jersey. Il a reçu une balle, il était au mauvais endroit au mauvais moment, et il est mort dans l'ambulance et il est ressuscité à l'hôpital, puis il est mort de nouveau, puis il est revenu à la vie pour de bon, et il a dû rester tout nu dans la glace pendant deux semaines, le temps que son cœur se remette à battre. Il me raccompagne tous les mercredis soir et m'embrasse deux fois sur la joue avant de me souhaiter bonne nuit parce qu'il a autrefois vécu à Paris. Parfois, quand nous jouons au tennis, il saute par-dessus le filet et vient m'embrasser en courant. Il a des acouphènes, ce qui signifie que sa tête bourdonne sans arrêt. Il a aussi un anévrisme de l'aorte. Le matin, en ouvrant les yeux, il note ses rêves sur son ordinateur portable, un oreiller sur la tête. C'est maintenant le printemps, je suppose. Devant la cuisinière, maman remue la sauce pour les côtes levées en lisant *The Long Goodbye* de Raymond Chandler. Julie a téléphoné et j'ai mis le haut-parleur pour que maman puisse aussi l'entendre. Comment ça va ? lui ai-je demandé. Elle a répondu que Winnipeg était verte à présent, la province au grand complet, en fait. Tout le Manitoba était incroyablement vert. Tu te souviens ? Et tu te souviens de la lumière ? Et de la chaleur ? Ouais, lui ai-je dit, j'arrive presque à voir la scène. Presque ? a-t-elle dit. Non, ai-je dit, j'y arrive. Je la vois. Tu vois comme c'est vert ? a-t-elle demandé. J'ai dû réfléchir pendant une seconde ou deux. J'ai fermé les yeux. Ouais, ai-je dit. Je sais. C'est un vert extraordinaire. Maintenant je m'en souviens.

Elf et moi étions en avion. Nous avions à choisir le poulet ou le bœuf, car nous avions oublié de commander d'avance un repas végétarien pour Elf, et nous buvions le vin de nos minibouteilles et nous nous lisions nos horoscopes respectifs dans un vieux numéro de *People*. Elle portait un imper rayé, un Marc Jacobs, je crois, et de hautes bottes noires. Je portais des Converse montantes et un poncho court tout neuf. Quand j'ai mis le poncho pour le faire admirer à Elf, elle a dit adieu aux armes. Quoi qu'il en soit, nous avions retiré veston et poncho pour le vol et nous les avions rangés dans le compartiment à bagages. Elf portait un jean rouge sang, selon l'étiquette, un rouge très foncé. Et le mien était d'un bleu ordinaire et un peu délavé. Elf était fatiguée et elle a posé sa tête sur mon épaule et elle a dormi pendant la plus grande partie du vol et moi j'ai lu. Je n'ai pas vraiment lu, mais j'ai essayé. C'était bon d'avoir la tête d'Elf sur mon épaule. Elle était lourde. Ses cheveux sentaient le pamplemousse. Le livre que je lisais ou que je tentais de lire était la généalogie d'une famille russe d'Odessa, publiée à compte d'auteur. L'avion s'est posé et nous étions à Zurich.

Elf s'est réveillée et elle a souri d'un air endormi et j'ai dit nous y sommes. Elle m'a demandé comment était le livre et je lui ai répondu bien, rempli de détails et de noms qu'elle seule saurait prononcer. Nous avons pris un taxi jusqu'à notre hôtel et déposé nos bagages dans la chambre et nous avons marché jusqu'à un agréable restaurant recommandé par la réceptionniste, à quelques coins de rue de là. Avant d'entrer, nous nous sommes photographiées sur un pont. Nous avons demandé à un passant de faire une photo de nous deux et il en a pris trois ou quatre pour être sûr qu'il y en aurait une bonne. Il nous a demandé si nous étions en vacances. Nous lui avons répondu que nous étions sœurs.

Pendant le repas, Elf m'a raconté des histoires sur ses voyages en Europe, à l'époque où elle était une jeune prodige. Je lui ai raconté quelques-unes des miennes. Nous avons ri beaucoup, un peu nerveuses, mais nous avons fini par nous détendre et rire seulement quand il y avait quelque chose d'amusant. J'ai mangé énormément. Je n'arrêtais pas de commander de nouveaux plats. Elf n'a pas autant mangé, mais elle a apprécié le pain chaud qu'on nous apportait dans un panier en bois. Je me souviens de m'être excusée d'avoir les ongles sales et elle a dit que ça ne faisait rien, et d'ailleurs j'avais beaucoup travaillé ces derniers temps. En entendant ces mots, j'ai un peu pleuré et elle a contourné la table pour venir me prendre dans ses bras. Des clients nous ont vues nous embrasser et ont souri.

J'ai commandé un deuxième dessert et un café. On

nous a finalement dit que le restaurant allait fermer. Nous sommes rentrées à l'hôtel en marchant lentement, bras dessus, bras dessous, comme des filles de l'ancien temps, et nous nous sommes couchées ensemble dans l'énorme lit blanc.

Tu te souviens de la fois où nous avons observé l'éclipse solaire ? lui ai-je demandé. Tu es venue à l'école et tu m'as fait sortir de force du cours de Gunner pour que je la regarde avec toi.

Oui, a-t-elle répondu. Il faisait tellement froid.

Ben, c'était l'hiver et nous étions allongées dans la neige. Au milieu d'un champ.

Avec des casques de soudeur, non ? a-t-elle dit.

Ouais. Où les avais-tu trouvés ?

Sais plus. Je les avais sûrement empruntés à un type que je connaissais.

C'était génial, non ?

L'éclipse ? Oui, c'est vrai, a-t-elle dit. La bande de totalité.

Quoi ? ai-je fait. C'est comme ça que ça s'appelle ?

Ouais. Tu te souviens de ce qu'a dit papa ? Elle a baissé la voix. La bande de totalité est passée au-dessus du Manitoba en début d'après-midi.

C'est vrai. Tu veux parler du ton super grave sur lequel il l'a dit ?

C'était tellement drôle. Elle a ri.

La prochaine sera seulement dans mille cinq cents ans ou quelque chose comme ça, ai-je dit.

Si c'est comme ça, je vais la rater, a dit Elf.

Ouais, je suppose, ai-je dit. Moi aussi.

Peut-être pas, a dit Elf. Qui sait ?

Au-dessus de notre lit, il y avait un puits de lumière par où nous pouvions voir les étoiles. Elfie a pris ma main. Elle l'a posée sur son cœur et j'ai senti ses battements forts et réguliers. Nous avions rendez-vous de bonne heure, le lendemain matin. Elf a dit que c'était comme se marier ou passer un examen.

Attendre toute la journée, c'est une vraie torture, a-t-elle dit. Levons-nous, prenons une douche et allons-y.

Remerciements

L'écriture de ce livre doit beaucoup à mon agente, Sarah Chalfant, et à mon éditrice, Louise Dennys, de grandes pros toutes les deux. Hou là là. Aussi à mes plus vieux amis, Carol Loewen et Jacque Baskier, qui continuent de sauver ma vie et jugeront ces « remerciements » ridicules. (Et à Winnipeg, ville de mes rêves.) À mes amis torontois qui m'ont accueillie en déroulant le tapis rouge. Aux Rutherford pour leur étreinte collective ! À mes enfants (vous vous connaissez, ne vous en faites pas, il n'y en a pas d'autres, ha, ha), qui ne sont jamais dupes de mes cabotinages. À ma mère, Elvira Toews, Force de la Vie ! À Erik Rutherford, pour son crayon impitoyable, pour ses innombrables lectures et surtout pour son amour aveugle. Et enfin à ma sœur magnifique, Marjorie Anne Toews, génie comique, qui nous manque cruellement.

Sources

Page 45 : Shelley, *Poèmes,* traduit de l'anglais par Madeleine L. Cazamian, Paris, Aubier-Montaigne, 1960.

Page 55 : Martin Heidegger, *Questions III et IV,* traduit de l'allemand par Jean Beaufret, François Fédier, Julien Hervier, Jean Lauxerois, Roger Munier, André Préau et Claude Roëls, Paris, Gallimard, coll. « Tel », 1990, p. 197.

Page 108 : Richard Holmes, *Carnets d'un voyageur romantique,* traduit de l'anglais par Isabelle Py Balibar, Paris, Payot, coll. « Voyageurs Payot », 1989, p. 122.

Page 200 : D. H. Lawrence, *L'Amant de Lady Chatterley,* traduit de l'anglais par Frédéric Roger-Cornaz, Paris, Gallimard, coll. « Folio », 1932, p. 23.

Page 236 : Fernando Pessoa, *Le Livre de l'intranquillité de Bernardo Soares,* traduit du portugais par Françoise Laye, Paris, Christian Bourgois éditeur, 1999, p. 404.

Page 258 : Philip Larkin (1922-1985), *La Vie avec un trou dedans,* choix de poèmes en édition bilingue, traduit de l'anglais par Guy Le Gaufey, avec la collaboration de Denis Hirson, Vincennes, Éditions Thierry Marchaisse, 2011.

Page 320 : Johann Wolfgang von Goethe, *Vérité et Poésie*, traduit de l'allemand par Jacques Porchat, Paris, Librairie de L. Hachette et Cie, 1862, p. 501.

Page 324 : William Woodsworth, *Poèmes*, édition bilingue, choix, présentation et traduction de François-René Daillie, Paris, Gallimard, 2001, p. 159.

Page 339 : *Poèmes et Proses de la folie de John Clare*, présentés et traduits par Pierre Leyris, Paris, Mercure de France, 1969, p. 79.

Page 363 : D. H. Lawrence, *L'Amant de Lady Chatterley*, traduit de l'anglais par Frédéric Roger-Cornaz, Paris, Gallimard, coll. « Folio », 1932, p. 23.

Crédits et remerciements

La traduction de cet ouvrage a été rendue possible grâce à une aide financière du Conseil des arts du Canada.

Nous reconnaissons l'aide financière du gouvernement du Canada par l'entremise du Programme national de traduction pour l'édition du livre, une initiative de la *Feuille de route pour les langues officielles du Canada 2013-2018 : éducation, immigration, communautés*, pour nos activités de traduction.

Les Éditions du Boréal sont inscrites au Programme d'aide aux entreprises du livre et de l'édition spécialisée de la SODEC et bénéficient du programme de crédit d'impôt pour l'édition de livres du gouvernement du Québec.

Nous remercions le Conseil des arts du Canada pour son soutien financier et reconnaissons l'aide financière du gouvernement du Canada par l'entremise du Fonds du livre du Canada (FLC) pour nos activités d'édition.

Couverture : Alexandra Levasseur, *Corps céleste II*

EXTRAIT DU CATALOGUE

Gil Adamson
À l'aide, Jacques Cousteau
La Veuve

Georges Anglade
Les Blancs de mémoire

Emmanuel Aquin
Désincarnations
Icare
Incarnations
Réincarnations

Denys Arcand
L'Âge des ténèbres
Le Déclin de l'Empire américain
Les gens adorent les guerres
Les Invasions barbares
Jésus de Montréal

Gilles Archambault
À voix basse
Les Choses d'un jour
Comme une panthère noire
Courir à sa perte
De l'autre côté du pont
De si douces dérives
Enfances lointaines
La Fleur aux dents
La Fuite immobile
Lorsque le cœur est sombre
Les Maladresses du cœur
Nous étions jeunes encore
L'Obsédante Obèse et autres agressions
L'Ombre légère
Parlons de moi
Les Pins parasols
Qui de nous deux ?
Les Rives prochaines
Stupeurs et autres écrits
Le Tendre Matin
Tu ne me dis jamais que je suis belle
Un après-midi de septembre
Un homme plein d'enfance
Un promeneur en novembre
La Vie à trois
Le Voyageur distrait

Margaret Atwood
Cibles mouvantes
L'Odyssée de Pénélope

Edem Awumey
Explication de la nuit
Les Pieds sales
Rose déluge

Jacques Benoit
Confessions d'un extraterrestre

Michel Bergeron
Siou Song

Hélène de Billy
Maurice ou la vie ouverte

Nadine Bismuth
Êtes-vous mariée à un psychopathe ?
Les gens fidèles ne font pas les nouvelles
Scrapbook

Lise Bissonnette
Choses crues
Marie suivait l'été
Quittes et Doubles
Un lieu approprié

Neil Bissoondath
À l'aube de lendemains précaires
Arracher les montagnes
Cartes postales de l'enfer
La Clameur des ténèbres
Tous ces mondes en elle
Un baume pour le cœur

Marie-Claire Blais
Augustino et le chœur de la destruction
Aux Jardins des Acacias
Dans la foudre et la lumière
Le Jeune Homme sans avenir
Mai au bal des prédateurs
Naissance de Rebecca à l'ère des tourments
Noces à midi au-dessus de l'abîme
Soifs
Une saison dans la vie d'Emmanuel

Elena Botchorichvili
Faïna
Seulement attendre et regarder
Sovki
La Tête de mon père
Le Tiroir au papillon

Gérard Bouchard
Mistouk
Pikauba
Uashat

Jean-Pierre Boucher
La vie n'est pas une sinécure
Les vieux ne courent pas les rues

Claudine Bourbonnais
Métis Beach

Guillaume Bourque
Jérôme Borromée

Emmanuelle Brault
Le Tigre et le Loup

Jacques Brault
Agonie

Pierre Breton
Sous le radar

Chrystine Brouillet
Rouge secret
Zone grise

Katerine Caron
Vous devez être heureuse

Louis Caron
Le Canard de bois
Les Fils de la liberté I
La Corne de brume
Les Fils de la liberté II
Le Coup de poing
Les Fils de la liberté III
Il n'y a plus d'Amérique
Racontages
Tête heureuse

André Carpentier
Dylanne et moi
Extraits de cafés
Gésu Retard
Mendiant de l'infini
Ruelles, jours ouvrables

Nicolas Charette
Chambres noires
Jour de chance

Jean-François Chassay
L'Angle mort
Laisse
Sous pression
Les Taches solaires

Ying Chen
Le Champ dans la mer
Espèces
Immobile
Le Mangeur
Querelle d'un squelette avec son double
La rive est loin
Un enfant à ma porte

Ook Chung
Contes butô
L'Expérience interdite
La Trilogie coréenne

Joan Clarke
La Fille blanche

Matt Cohen
Elizabeth et après

Normand Corbeil
Ma reine

Gil Courtemanche
Je ne veux pas mourir seul
Le Monde, le lézard et moi
Un dimanche à la piscine à Kigali
Une belle mort

Judith Cowan
La Loi des grands nombres
Plus que la vie même

Esther Croft
Au commencement était le froid

La Mémoire à deux faces
Tu ne mourras pas
Michael Crummey
Du ventre de la baleine
France Daigle
Petites difficultés d'existence
Pour sûr
Un fin passage
Francine D'Amour
Écrire comme un chat
Pour de vrai, pour de faux
Presque rien
Le Retour d'Afrique
Fernand Dansereau
Le Cœur en cavale
Edwidge Danticat
Le Briseur de rosée
Michael Delisle
Le Feu de mon père
Tiroir N° 24
Louise Desjardins
Cœurs braisés
Le Fils du Che
Rapide-Danseur
So long
Germaine Dionne
Le Fils de Jimi
Tequila bang bang
Fred Dompierre
Presque 39 ans, bientôt 100
David Dorais et Marie-Ève Mathieu
Plus loin
Christiane Duchesne
L'Homme des silences
L'Île au piano
Mensonges
Louisette Dussault
Moman
Irina Egli
Terre salée
Danny Émond
Le Repaire des solitudes
Gloria Escomel
Les Eaux de la mémoire
Pièges
Michel Faber
La Rose pourpre et le Lys
Jacques Folch-Ribas
Paco
Les Pélicans de Géorgie
Richard Ford
Canada
Jonathan Franzen
Les Corrections
Freedom
Christiane Frenette
Après la nuit rouge
Celle qui marche sur du verre
La Nuit entière
La Terre ferme
Marie Gagnier
Console-moi
Tout s'en va
Katia Gagnon
Histoires d'ogres
La Réparation
Madeleine Gagnon
Depuis toujours
Robert Gagnon
La Mère morte
Lise Gauvin
Fugitives
Simon Girard
Dawson Kid
Susan Glickman
Les Aventures étranges et surprenantes d'Esther Brandeau, moussaillon
Douglas Glover
Le Pas de l'ourse
Seize sortes de désir
Anne-Rose Gorroz
L'Homme ligoté
Scott Griffin
L'Afrique bat dans mon cœur
Agnès Gruda
Onze petites trahisons
Joanna Gruda
L'enfant qui savait parler la langue des chiens
Ghayas Hachem
Play Boys
Louis Hamelin
La Constellation du Lynx
Le Joueur de flûte
Sauvages
Le Soleil des gouffres
Le Voyage en pot
Bruno Hébert
Alice court avec René
C'est pas moi, je le jure !

David Homel
Orages électriques

Michael Ignatieff
L'Album russe
Terre de nos aïeux

Suzanne Jacob
Amour, que veux-tu faire?
Les Aventures de Pomme Douly
Fugueuses
Histoires de s'entendre
Parlez-moi d'amour
Un dé en bois de chêne
Wells

Renaud Jean
Retraite

Nikos Kachtitsis
Le Héros de Gand

Emmanuel Kattan
Le Portrait de la reine
Les Lignes de désir
Nous seuls

Thomas King
Une brève histoire des Indiens au Canada

Nicole Krauss
La Grande Maison

Bïa Krieger
Les Révolutions de Marina

Marie Laberge
Adélaïde
Annabelle
La Cérémonie des anges
Florent
Gabrielle
Juillet
Le Poids des ombres
Quelques Adieux
Revenir de loin
Sans rien ni personne

Marie-Sissi Labrèche
Amour et autres violences
Borderline
La Brèche
La Lune dans un HLM

Dany Laferrière
L'Art presque perdu de ne rien faire
Chronique de la dérive douce
L'Énigme du retour
Je suis un écrivain japonais
Pays sans chapeau
Vers le sud

Robert Lalonde
À l'état sauvage
C'est le cœur qui meurt en dernier
Des nouvelles d'amis très chers
Espèces en voie de disparition
Le Fou du père
Iotékha'
Le Monde sur le flanc de la truite
Monsieur Bovary ou mourir au théâtre
Où vont les sizerins flammés en été?
Que vais-je devenir jusqu'à ce que je meure?
Le Seul Instant
Un cœur rouge dans la glace
Un jardin entouré de murailles
Un jour le vieux hangar sera emporté par la débâcle
Le Vacarmeur

Nicolas Langelier
Réussir son hypermodernité et sauver le reste de sa vie en 25 étapes faciles

Monique LaRue
Copies conformes
De fil en aiguille
La Démarche du crabe
La Gloire de Cassiodore
L'Œil de Marquise

Hélène Le Beau
Adieu Agnès
La Chute du corps

Rachel Leclerc
Noces de sable
La Patience des fantômes
Le Chien d'ombre
Ruelle Océan
Visions volées

Louis Lefebvre
Guanahani
Table rase
Le Troisième Ange à gauche

François Lepage
Le Dilemme du prisonnier

Robert Lévesque
Récits bariolés

Alistair MacLeod
La Perte et le Fracas

Francis Magnenot
Italienne

André Major
À quoi ça rime?
L'Esprit vagabond
Histoires de déserteurs
La Vie provisoire

Gilles Marcotte
Le Manuscrit Phaneuf
La Mort de Maurice Duplessis et autres nouvelles
Une mission difficile
La Vie réelle

Yann Martel
Paul en Finlande

Alexis Martin
Bureaux

Alexis Martin et Jean-Pierre Ronfard
Transit section nº 20 suivi de *Hitler*

Colin McAdam
Fall

Stéfani Meunier
Au bout du chemin
Ce n'est pas une façon de dire adieu
Et je te demanderai la mer
L'Étrangère
On ne rentre jamais à la maison

Anne Michaels
La Mémoire en fuite

Michel Michaud
Cœur de cannibale

Marco Micone
Le Figuier enchanté

Christian Mistral
Léon, Coco et Mulligan
Sylvia au bout du rouleau ivre
Vacuum
Valium
Vamp
Vautour

Hélène Monette
Le Blanc des yeux
Il y a quelqu'un?
Là où était ici
Où irez-vous armés de chiffres?
Plaisirs et Paysages kitsch
Thérèse pour Joie et Orchestre
Un jardin dans la nuit
Unless

Pierre Monette
Dernier automne

Caroline Montpetit
L'Enfant
Tomber du ciel

Lisa Moore
Alligator
Les Chambres nuptiales
Février
Open

Pierre Morency
Amouraska

Yan Muckle
Le Bout de la terre

Alice Munro
Du côté de Castle Rock
Fugitives
Rien que la vie

Pierre Nepveu
Des mondes peu habités
L'Hiver de Mira Christophe

Josip Novakovich
Poisson d'avril

Émile Ollivier
La Brûlerie

Michael Ondaatje
Divisadero
Le Fantôme d'Anil
La Table des autres

Michèle Ouimet
La Promesse

Véronique Papineau
Les Bonnes Personnes
Petites Histoires avec un chat dedans (sauf une)

Eduardo Antonio Parra
Terre de personne

Viktor Pelevine
Minotaure.com

Nathalie Petrowski
Il restera toujours le Nebraska
Maman last call

Alison Pick
L'Enfant du jeudi

Daniel Poliquin
L'Écureuil noir
L'Historien de rien
L'Homme de paille
La Kermesse
Le Vol de l'ange

Monique Proulx
Les Aurores montréales
Champagne
Le cœur est un muscle involontaire
Homme invisible à la fenêtre

Pascale Quiviger
La Maison des temps rompus
Pages à brûler

Rober Racine
Le Cœur de Mattingly
L'Ombre de la Terre
Les Vautours de Barcelone

Bruno Ramirez et Paul Tana
La Sarrasine

Mordecai Richler
Un certain sens du ridicule

Noah Richler
Mon pays, c'est un roman

Yvon Rivard
Le Milieu du jour
Le Siècle de Jeanne
Les Silences du corbeau

Louis-Bernard Robitaille
Le Zoo de Berlin

Alain Roy
Le Grand Respir
L'Impudeur
Quoi mettre dans sa valise?

Hugo Roy
L'Envie

Lori Saint-Martin
Les Portes closes

Kerri Sakamoto
Le Champ électrique

Jacques Savoie
Les Portes tournantes
Le Récif du Prince
Une histoire de cœur

Mauricio Segura
Eucalyptus
Bouche-à-bouche
Côte-des-Nègres

Alexandre Soublière
Charlotte before Christ

Gaétan Soucy
L'Acquittement
Catoblépas
Music-Hall!
La petite fille qui aimait trop les allumettes

Jeet Thayil
Narcopolis

France Théoret
Les apparatchiks vont à la mer Noire
Une belle éducation

Marie José Thériault
Les Demoiselles de Numidie
L'Envoleur de chevaux

Pierre-Yves Thiran
Bal à l'abattoir

Miriam Toews
Drôle de tendresse
Irma Voth
Jamais je ne t'oublierai
Les Troutman volants

Su Tong
Le Mythe de Meng

Emmanuelle Tremblay
Je suis un thriller sentimental

Lise Tremblay
La Sœur de Judith

Guillaume Vigneault
Carnets de naufrage
Chercher le vent

Kathleen Winter
Annabel